Partir
DU BON PIED

{ de la **préconception**
à **la naissance** de votre bébé }

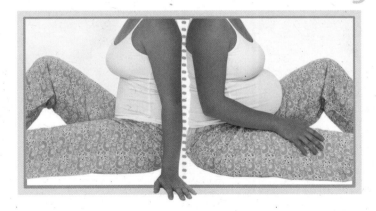

Partir

4e édition

DU BON PIED

{ de la **préconception** à la **naissance** de votre bébé }

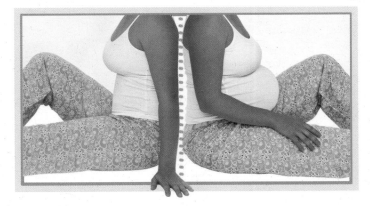

Nan Schuurmans, MD, FRCSC, Edmonton (Alberta) sous la direction de Vyta Senikas, MDCM, FRCSC, vice-présidente administrative associée de la SOGC, Ottawa (Ontario) et André B. Lalonde, MD, FRCSC, vice-président administratif de la SOGC, Ottawa (Ontario)

WILEY

John Wiley & Sons Canada, Ltd.

Mentions de contribution à la production

Édition :	Stuart Adams
Traduction :	Jocelyne Beaudette-Rousseau
Conception :	Red Wagon Studio
Illustrations :	Julie Dorion
Lectrice d'épreuve :	Susan James
Couverture :	Red Wagon Studio
Photos de la page couverture :	Creative Concepts Photography
Composition :	Lakeside Group Inc.
Imprimeur :	Printcrafters Inc.

Catalogage avant publication de Bibliothèque et Archives Canada

Schuurmans, Nan

    Partir du bon pied : de la préconception à la naissance de votre bébé. — 4ᵉ éd.

Traduction de: Healthy beginnings.

Rédigé par Nan Schuurmans ; sous la direction de Vyta Senikas et André Lalonde ; adaptation de l'anglais par Jocelyne Beaudette-Rousseau.

Comprend des références bibliographiques et un index.

ISBN 978-0-470-16025-1

1. Grossesse—Miscellanées. 2. Accouchement—Miscellanées. 3. Nouveau-nés-Soins—Miscellanées. I. Senikas, Vyta II. Lalonde, André, 1943– III. Beaudette-Rousseau, Jocelyne IV. Titre.

RG525.S3414 2009   618.2   C2009-902064-5

John Wiley & Sons Canada, Ltd.
6045, boul. Freemont
Mississauga (Ontario)
L5R 4J3

Ce livre a été imprimé au moyen d'encres végétales biodégradables sur du papier blanc 100 % recyclé de post-consommation de 60 lb.

Imprimé au Canada

1 2 3 4 5 PC 14 13 12 11 10

Table des matières

CHAPITRE 3
Une évolution tranquille : le deuxième trimestre 77

CHAPITRE 4
Sprint final : le troisième trimestre 99

Remerciements

Partir du bon pied : de la préconception à la naissance de votre bébé.
4e édition. S'inspire des directives cliniques de la SOGC.

La Société des obstétriciens et gynécologues du Canada souhaite remercier les organisations suivantes pour leur aide :
Association des infirmières et infirmiers autorisés de l'Ontario
Bureau de santé de la région de Halton
Bureau de santé du comté de Peterborough
Central South West Reproductive Health Working Group
Centre de toxicomanie et de santé mentale
Debra Isabel Huron, sous les auspices du Service de révision en langage clair et simple de l'Association canadienne de santé publique, pour la révision de ce livre dans un langage clair et simple
Diabetes Ontario
Dispensaire diététique de Montréal et ses diététistes : Marie-Paule Duquette, Émilie Masson et Karen Medeiros
Infant Mental Health Promotion
Meilleur départ : Centre de ressources sur la maternité, les nouveau-nés et le développement des jeunes enfants de l'Ontario, de Nexus Santé
Motherisk
Ontario Breastfeeding Committee
PREGNETs du CTSM
Santé Canada : Hélène Lowell, RD, Bureau de la politique et de la promotion de la nutrition
Santé publique Ottawa
Société canadienne de pédiatrie
Women's College Hospital, Sport C.A.R.E.

La Société des obstétriciens et gynécologues du Canada tient à remercier les personnes suivantes pour leur aide :

Julia M.K. Alleyne, BHsc(PT), MD, CCMF, Dip. Méd. Sport, Toronto (Ontario)

Jon Barrett, MD, FRCOG, FRCSC, Toronto (Ontario)

Irene Colliton, MD, Edmonton (Alberta)

Martina Delaney, MD, St. John's (Terre-Neuve-et-Labrador)

Lillian Dunn, sage-femme aut., Thunder Bay (Ontario)

Brenda Dushinski, inf. aut., Calgary (Alberta)

Ahmed Ezzat, MD, FRCSC, Saskatoon (Saskatchewan)

Mark Feldman, MD, FRCPC, Toronto (Ontario)

Guy-Paul Gagné, MD, FRCSC, LaSalle (Québec)

Michael Helewa, MD, FRCSC, Winnipeg (Manitoba)

Nancy Huggett, Ottawa (Ontario)

Gideon Koren, MD, FRCPC, FACMT, Toronto (Ontario)

Dean Leduc, MD, Ottawa (Ontario)

Laura A. Magee, MD, Vancouver (Colombie-Britannique)

Deborah Money, MD, FRCSC, Vancouver (Colombie-Britannique)

Patricia Mousmanis, MD, CCMF, FCFP, Richmond Hill (Ontario)

Marilee A. Nowgesic, SOGC, Ottawa (Ontario)

Andrea Page, FITMOM, Toronto (Ontario)

Andrea L. Rideout, MS, CCGC, CGC Halifax (Nouvelle-Écosse)

Anne Roggensack, MD, Calgary (Alberta)

Alyson Shaw, MD, FRCPC, Ottawa (Ontario)

Geneviève St-Gelais, SOGC, Ottawa (Ontario)

Marie-Soleil Wagner, M.Sc., FRCSC, Montréal (Québec)

R. Douglas Wilson, MD, Université de Calgary, Calgary (Alberta)

Jennifer Wood, Edmonton (Alberta)

Natalie Wright, SOGC, Ottawa (Ontario)

Mark H. Yudin, MD, Toronto (Ontario)

Avant-propos

La grossesse est une période spéciale dans la vie d'une femme. C'est le temps pendant lequel elle se prépare à un événement qui va changer sa vie : l'ajout d'un nouveau membre à sa famille. La 4ᵉ édition de *Partir du bon pied* a été révisée par la Société des obstétriciens et gynécologues du Canada pour aider les femmes à vivre des grossesses plus saines.

Comme dans le passé, ce guide est destiné aux femmes dont les grossesses présentent peu de risques, c'est-à-dire environ 90 % de toutes les grossesses au Canada. Réduire les risques est essentiel pour avoir une grossesse saine. Dans cette nouvelle édition du guide, nous accordons plus d'attention à la préconception, c'est-à-dire la période juste avant la conception du bébé, et au début de la grossesse, c'est-à-dire aux trois mois qui suivent la conception.

Les conseils et l'information que vous allez trouver dans *Partir du bon pied* se fondent sur des données probantes. Cela signifie que le contenu reflète les connaissances actuelles et est tiré des recherches scientifiques confirmées et des pratiques professionnelles éprouvées les plus récentes au Canada. Nous avons mis à jour toutes les directives sur le soin des femmes avant la grossesse, pendant la grossesse et après l'accouchement qui se trouvent dans ce guide. Il ne faut pas considérer cette information comme le seul mode de traitement ou l'unique procédure à suivre. Vous devez consulter votre fournisseur de soins de santé qui vous donnera des conseils sur votre grossesse ou sur des problèmes particuliers.

Les recherches internationales démontrent que lorsque les femmes enceintes savent comment leur corps se prépare à l'accouchement et ce dont le bébé a besoin pour se développer et qu'elles sont au courant des problèmes qu'elles pourraient connaître et des moyens de les prévenir, elles ont des grossesses plus saines et accouchent à terme de bébés en santé et de taille normale.

Partir du bon pied vous donne l'information dont vous avez besoin pour faire de bons choix pendant votre grossesse. Vous pouvez vous en servir pour noter les détails de votre grossesse, de vos visites chez le fournisseur de soins de santé et de l'expérience de la mise au monde de votre bébé. Vous y trouverez des formulaires que vous pourrez utiliser pour recueillir

Notes à l'intention des lecteurs :

Dans ce guide, nous utilisons aussi bien le féminin que le masculin pour désigner aussi bien les femmes que les hommes. L'expression « fournisseur de soins de santé » peut référer aux obstétriciens, aux gynécologues, aux médecins de famille, aux infirmières, aux sages-femmes et à d'autres professionnels de la santé.

L'Initiative des Amis des bébés est un programme de l'Organisation mondiale de la santé et d'UNICEF, dont le but est d'amener les hôpitaux et les collectivités à mieux protéger, promouvoir et soutenir l'allaitement maternel. La 4ᵉ édition de *Partir du bon pied* se conforme au Code international de commercialisation des substituts du lait maternel et elle répond aux critères de l'Initiative des Amis des bébés [Normes de pratique pour les hôpitaux Amis des bébés (les Dix conditions) et les services de santé communautaire Amis des bébés (le Plan en sept étapes) et l'annexe 6 : le matériel de formation à l'allaitement pour les familles]. Pour de plus amples renseignements, visitez le site www.breastfeedingcanada.ca/html/fr_bfi.html.

les renseignements importants dont vous aurez besoin pendant votre grossesse. Nous avons prévu des endroits à la fin de chaque chapitre où vous pourrez écrire les questions que vous voulez poser à votre fournisseur de soins lors de vos prochains rendez-vous. Avec les notes et renseignements habituels que votre fournisseur de soins conserve, ce guide vous permettra de constituer un dossier médical détaillé de votre grossesse. Inscrivez-y les changements de votre corps et de votre état d'esprit que vous observez. Vous pourrez le consulter pendant votre prochain rendez-vous, ou même dans quelques mois ou plusieurs années pour vous rappeler cette période précieuse de votre vie.

Nous vous souhaitons une merveilleuse grossesse! Profitez pleinement de cette expérience qui mène à la rencontre de votre bébé!

Nan Schuurmans, MD, FRCSC
Auteure

CHAPITRE 1

La planification d'une grossesse saine

LE CYCLE MENSTRUEL

Le cycle menstruel (la période entre la première journée de vos règles et la première journée des règles suivantes) de presque toutes les femmes varie un peu d'un mois à l'autre. Sa durée moyenne est de 28 jours, mais elle peut varier entre 21 et 36 jours, et souvent, elle change avec l'âge.

Les hormones que votre corps produit commandent les changements qui se produisent tout au long du cycle. Les hormones font mûrir un œuf dans l'ovaire et déterminent quand l'œuf sera libéré dans votre corps (ovulation). L'ovulation se produit environ 14 jours avant le début de vos prochaines règles.

Introduction

*On sait maintenant que la **préconception**, c'est-à-dire la période juste avant que le bébé soit conçu, et le **début de la grossesse**, qui correspond aux trois premiers mois après la conception, sont des périodes importantes pendant lesquelles une femme peut réduire les risques pour sa santé et celle de son bébé en faisant de bons choix.*

La plupart des femmes comprennent à quel point il est important de bien prendre soin d'elles-mêmes et de leur enfant à naître une fois qu'elles sont enceintes. Ce que vous ne réalisez peut-être pas, c'est que les bons choix que vous et votre partenaire faites avant la conception sont aussi importants pour vous et pour votre futur bébé.

Nous ne voulons pas vous alarmer, mais vous devez savoir que vos choix peuvent nuire au fœtus pendant les premières semaines de grossesse, c'est-à-dire après que vous remarquez l'absence de vos règles et avant que votre grossesse soit confirmée. Si vous êtes sexuellement active, le risque de devenir enceinte est toujours présent. Presque la moitié de toutes les grossesses ne sont pas planifiées. Vous devez connaître votre corps et être prête pour une grossesse possible. Par contre, si vous planifiez une grossesse, vous deviendrez plus facilement enceinte et vous pourrez mieux planifier une grossesse saine et sans risque si vous connaissez votre corps.

Dans ce chapitre, nous allons examiner :

- *comment votre corps change pendant les premières étapes de la grossesse;*
- *ce que vous pouvez faire pour améliorer vos chances d'avoir une grossesse saine et un bébé en santé, même avant la conception,* et
- *comment éviter les risques pour vous et votre bébé.*

Tout commence par un œuf

Tous les mois, à un moment précis du cycle menstruel, un œuf se dégage d'un ovaire. C'est ce qu'on appelle l'*ovulation*. L'œuf commence ensuite à descendre vers l'utérus en passant par la trompe de Fallope. Si un spermatozoïde entre dans l'œuf, il y aura *fécondation*. L'œuf fécondé devient un *embryon* qui commence immédiatement à se développer.

L'embryon continue sa descente dans la trompe de Fallope jusqu'à ce qu'il atteigne l'utérus. Ceci prend environ sept jours. Une fois qu'il a atteint l'utérus, l'embryon se fixe à la muqueuse épaissie qui recouvre l'intérieur de l'utérus (l'endomètre). C'est ce qu'on appelle l'*implantation*.

Pendant les huit premières semaines, on appelle l'œuf fécondé un *embryon*. Après huit semaines et jusqu'à la naissance, on parlera de *fœtus*.

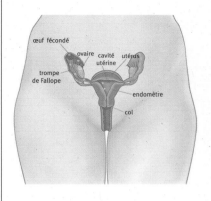

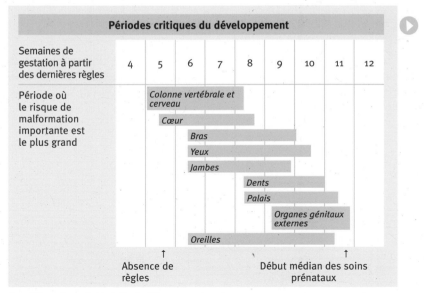

Périodes critiques du développement

Semaines de gestation à partir des dernières règles	4	5	6	7	8	9	10	11	12
Période où le risque de malformation importante est le plus grand		Colonne vertébrale et cerveau							
		Cœur							
			Bras						
			Yeux						
			Jambes						
				Dents					
				Palais					
						Organes génitaux externes			
			Oreilles						

↑ Absence de règles   ↑ Début médian des soins prénataux

Reproduit avec la permission du March of Dimes.

ÊTRE EN SANTÉ AVANT LA CONCEPTION, C'EST IMPORTANT. POURQUOI?

La période pendant laquelle un fœtus est le plus vulnérable pendant la grossesse est aussi la période pendant laquelle bon nombre de femmes ne savent pas encore qu'elles sont enceintes. Cette période s'étend du 17e au 56e jour après la conception, ou entre quatre et dix semaines après vos dernières règles. À ce moment-là, l'alcool ou un manque de nutriments essentiels, surtout l'acide folique, peut nuire gravement au fœtus.

Comment votre corps fournit-il tout ce qui est nécessaire à une nouvelle vie?

Pendant les neuf mois de votre grossesse, votre corps fournira à votre bébé tout ce dont il a besoin pour vivre et se développer. L'utérus protège le fœtus dans une « poche » remplie de liquide (appelé liquide amniotique). Tous les nutriments et l'oxygène dont le fœtus a besoin viendront du *placenta*, un organe qui commence à se développer à l'endroit où l'embryon s'est fixé dans votre utérus. Le placenta est composé de vaisseaux sanguins et de tissus. Il est solidement attaché à la paroi de votre utérus et continue de se développer tout au long de votre grossesse.

Le *cordon ombilical* est le lien vital qui relie votre bébé à votre placenta et à vous. Le placenta agit comme un centre d'échange pour le sang qui circule entre vous et votre bébé. C'est là que les nutriments, l'oxygène et les anticorps protecteurs passent de votre sang à celui de votre bébé et c'est là que les déchets du fœtus passent dans votre système sanguin pour être éliminés par vos organes.

Le placenta fabrique aussi des hormones, comme l'estrogène et la progestérone. Elles causent bon nombre des changements qui se produisent dans votre corps pendant la grossesse. Une des hormones

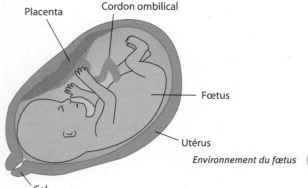

Environnement du fœtus

Placenta — Cordon ombilical — Fœtus — Utérus — Col

4

les plus importantes, que seul le placenta peut produire, s'appelle hormone gonadotrophine chorionique (HGC). Le test de grossesse vous indique si cette hormone est présente dans votre urine ou votre sang. Si elle est présente, vous êtes enceinte!

Allez voir votre fournisseur de soins de santé avant de devenir enceinte

Si vous avez l'intention d'avoir un bébé, prenez un rendez-vous pour un examen médical avec votre fournisseur de soins de santé. Vous pourrez ainsi vous assurer d'être en bonne santé et d'avoir un mode de vie qui vous permettra d'avoir un bébé en santé.

CONSEILS POUR VOTRE VISITE CHEZ VOTRE FOURNISSEUR DE SOINS DE LA SANTÉ

Chaque fois que vous aurez un rendez-vous chez votre fournisseur de soins, passez ces conseils en revue. Ils vous aideront à vous organiser et à vous sentir à l'aise.

- *AVANT votre rendez-vous, prenez en note les questions que vous voulez poser et les renseignements que vous voulez lui communiquer. Demandez à votre conjoint, à un membre de la famille ou à une amie de venir avec vous. Deux paires d'oreilles valent toujours mieux qu'une.*

- *PENDANT votre rendez-vous, demandez qu'on vous donne une réponse claire lorsque vous n'êtes pas vraiment certaine d'avoir compris ce qu'on vous a dit. Prenez des notes ou demandez à votre conjoint ou à une amie de le faire pour vous.*

- *AVANT de quitter votre fournisseur de soins, vérifiez si vous lui avez posé toutes les questions sur votre liste et si vous avez compris ce qu'il vous a dit. Assurez-vous de savoir quelle est la prochaine étape, quand votre prochain rendez-vous aura lieu et s'il y a des tests que vous devez passer. Assurez-vous de savoir qui vous devez contacter si vous avez des problèmes ou des questions.*

- *APRÈS votre rendez-vous, écrivez ce dont vous avez parlé et ce qui va se passer par la suite. Gardez vos notes.*

Adapté du dépliant « Questions to ask » du service national de santé du Royaume-Uni.

EST-CE QU'IL FAUT VRAIMENT PARLER DE ÇA?

Lorsque vous parlez de votre santé et de celle de votre bébé, soyez franche et complètement honnête concernant vos antécédents et votre mode de vie.

Votre équipe de soins de santé doit avoir une bonne idée de votre situation pour vous aider à planifier une saine grossesse et un bon accouchement.

AVEZ-VOUS UN FOURNISSEUR DE SOINS DE SANTÉ?

Les consultations médicales régulières sont importantes pendant la grossesse. Si vous vivez dans une communauté rurale ou isolée, votre accès aux soins prénataux pourrait être limité. Communiquez dès maintenant avec le centre de santé, la clinique ou le poste de soins infirmiers de votre localité pour vous renseigner sur les services disponibles. Ceci vous aidera à obtenir les meilleurs soins possible pour vous et votre futur bébé.

- *Vous n'avez pas eu vos règles.*

- *Vous êtes plus fatiguée que d'habitude.*

- *Vous ressentez de la sensibilité ou des picotements au niveau des seins.*

- *Vous devez uriner (aller aux toilettes) souvent.*

- *Vous vous sentez ballonnée (gonflée).*

- *Vous avez des nausées (mal au cœur), surtout le matin.*

- *Vous avez des saignements inhabituels (différents de vos règles normales).*

N'importe lequel de ces signes, combiné avec l'absence de menstruation, peut indiquer que vous êtes enceinte (même si vous avez toujours utilisé une méthode de contraception fiable).

Soyez prête à répondre honnêtement aux questions sur vos antécédents médicaux et ceux de votre famille, les médicaments que vous prenez, votre régime alimentaire, vos grossesses antérieures, vos antécédents sexuels et le genre de travail que vous faites. Votre santé et celle de votre bébé peuvent dépendre de ces renseignements importants. Si vous êtes en bonne santé, vous n'aurez probablement pas besoin de revoir votre fournisseur de soins de santé avant de devenir enceinte.

Renseignez-vous sur la grossesse

Lorsque vous planifiez de fonder une famille ou d'avoir un autre enfant, vous devez vous renseigner pour savoir à quoi vous attendre pendant la grossesse et comment vous préparer à l'accouchement. C'est aussi un bon moment pour vous renseigner sur l'allaitement. Des études ont démontré que les femmes qui se renseignent sur la grossesse ont le plus de chances de vivre l'expérience de l'accouchement de façon plus positive. Votre fournisseur de soins de santé et les cours prénataux sont de bonnes sources d'information et les femmes ayant participé à l'étude ont dit que ce qu'elles avaient appris les avait aidées à se sentir plus en contrôle de la situation tout au long de leur grossesse et pendant l'accouchement. Elles avaient aussi tiré une plus grande satisfaction de l'expérience.

- Une étude a révélé que les femmes qui avaient suivi des cours prénataux avaient eu moins besoin de médicaments pour calmer la douleur pendant le travail. Ceci donne à penser qu'elles ont éprouvé moins de douleur ou qu'elles étaient mieux préparées pour y faire face.
- Une autre étude indique que les femmes qui connaissent les facteurs de risque pouvant entraîner une naissance prématurée avaient de meilleures chances de mener leur grossesse à terme (voir la page 81).

À l'étape de la planification, rappelez-vous que vous jouez un rôle important pour avoir une grossesse saine et un bébé en santé. Recevoir régulièrement des soins prénatals, être en bonne santé et vous renseigner sont autant de mesures positives que vous pouvez prendre pour que votre bébé parte vraiment du bon pied.

LES FEMMES ÂGÉES DE 35 ANS OU PLUS

La plupart des femmes âgées de 35 ans ou plus auront une grossesse normale et un bébé en santé. Toutefois, certaines femmes de ce groupe d'âge courent plus de risques d'avoir des difficultés pendant leur grossesse. Elles pourraient avoir à prendre des précautions spéciales. Si vous faites partie de ce groupe d'âge, vous devez savoir que :

* *vous pourriez avoir plus de difficulté à devenir enceinte;*

* *vous pourriez avoir des jumeaux ou des triplés (une naissance multiple);*

* *votre bébé pourrait venir au monde avec un nombre inhabituel de chromosomes;*

* *vous pourriez devenir diabétique pendant votre grossesse;*

* *vous pourriez faire de l'hypertension artérielle (de la « haute pression ») pendant que vous êtes enceinte.*

Parlez à votre fournisseur de soins de santé des moyens que vous pouvez prendre ensemble pour que vous ayez la grossesse la plus saine possible.

Pour en apprendre davantage sur la grossesse chez les femmes âgées de 35 ans ou plus, visitez le site Web du Centre de ressources Meilleur départ à www.meilleurdepart.org/ resources/repro/index.html.

Vos antécédents médicaux

Certains problèmes de santé actuels ou passés peuvent avoir des effets sur l'issue de votre grossesse. Les femmes qui ont de graves problèmes médicaux, comme une maladie cardiaque, le diabète ou l'hypertension artérielle, devront peut-être être suivies de près par un spécialiste pendant toute leur grossesse. Les femmes qui ont un surplus de poids devraient subir un test pour savoir si elles ont le diabète. Si vous êtes épileptique, votre neurologue devrait passer vos médicaments en revue avant que vous deveniez enceinte.

MES ANTÉCÉDENTS MÉDICAUX

Indiquez tous les problèmes médicaux et toutes les interventions chirurgicales (opérations) que vous avez eus :

☐ *Difficultés à l'anesthésie*
☐ *Interventions chirurgicales*

Liste de toutes les interventions chirurgicales :

_____

_____

☐ *Transfusion sanguine en ____*
☐ *Cholestérol élevé*
☐ *Troubles cardiaques*
☐ *Hypertension artérielle*
☐ *Diabète*
☐ *Caillots de sang aux jambes ou aux poumons*
☐ *Maladie causant des convulsions (comme l'épilepsie)*
☐ *Problèmes aux reins ou à la vessie*
☐ *Une grave infection qui m'oblige à prendre des médicaments*

Liste de toutes les maladies contagieuses que vous avez eues :

_____

_____

☐ *Antécédents de problèmes de santé mentale*
☐ *Difficulté à devenir enceinte*
☐ *Allergies*

Si vous, votre partenaire ou un proche parent avez un type de maladie courant dans votre famille, comme la dystrophie musculaire, l'hémophilie, la fibrose kystique, la maladie de Tay-Sachs ou la bêta-thalassémie, parlez à votre fournisseur de soins de santé. Il devra peut-être vous renvoyer à un généticien (un spécialiste dans le domaine de l'hérédité).

Avez-vous un surplus de poids?

Un poids sain favorise la bonne santé, réduit le risque d'avoir certaines maladies et a d'importants effets positifs sur la grossesse. Le fait d'avoir un surplus de poids peut, s'il est considérable, créer de graves problèmes de santé et est responsable de nombreuses complications pendant la grossesse. Ces problèmes peuvent faire du tort au bébé ainsi qu'à la mère.

Si vous avez l'intention de devenir enceinte et que vous pensez avoir un surplus de poids, vous devriez consulter votre fournisseur de soins de santé. Les femmes qui mangent bien et qui font de l'exercice avant de devenir enceintes réduisent les risques pour elles-mêmes et pour

Les risques d'un surplus de poids

Risques pour la mère	Risques pour le bébé
Infertilité	Mortinaissance (bébé mort à la naissance)
Fausse couche	Anomalies de naissance
Travail et accouchement prématurés (naissance avant terme)	Besoin de rester à l'hôpital après la naissance (soins intensifs)
Diabète	Devient trop gros (causant des problèmes pendant l'accouchement)
Hypertension artérielle	
Nécessité d'accoucher par césarienne	

le fœtus pendant leur grossesse. Ces bonnes habitudes amélioreront aussi votre santé à long terme. Demandez à votre fournisseur de soins de santé de vous renvoyer à un diététicien ou de vous suggérer un programme approuvé de perte de poids pour que vous puissiez en apprendre sur les bonnes quantités de nourriture à manger.

Faire régulièrement de l'exercice est aussi important pour perdre du poids. Selon les lignes directrices, il faut faire au moins 30 minutes d'exercice modéré (qui vous fait suer) cinq jours par semaine pour rester longtemps en bonne santé. En apportant des changements à votre mode de vie **avant** de devenir enceinte, vous vous donnerez plus de chances de continuer de manger sainement et de faire régulièrement de l'exercice pendant votre grossesse.

Les médicaments et la grossesse

Presque tous les médicaments, obtenus avec ou sans ordonnance, peuvent atteindre le bébé en passant par le placenta. N'oubliez pas que vous partagez tout ce que vous absorbez avec votre bébé.

On ne connaît pas beaucoup de médicaments qui sont nuisibles au bébé en développement, mais il n'y a pas eu beaucoup de recherche dans ce domaine et nous ne savons pas vraiment quel effet certains médicaments pourraient avoir. Les médicaments qui peuvent causer du tort agissent habituellement pendant les premières semaines de grossesse, au moment où les principaux systèmes du bébé se forment. Si vous prenez des médicaments de quelque sorte que ce soit, le mieux est d'en parler avec votre fournisseur de soins de santé avant de devenir enceinte. Il est préférable d'éviter les médicaments obtenus sans ordonnance, y compris les produits à base de plantes médicinales, pendant que vous essayez de devenir enceinte et durant la grossesse. Consultez votre fournisseur de soins de santé avant d'utiliser n'importe quel type de médicament, d'herbe, de plante médicinale ou de remède maison. Il est au courant des dernières études menées ou peut se renseigner sur les risques de ces produits pour les femmes enceintes.

QUELS MÉDICAMENTS D'ORDONNANCE OU EN VENTE LIBRE, HERBES MÉDICINALES ET VITAMINES PRENEZ-VOUS?

MÉDICAMENT, HERBE OU VITAMINE

nom :

quantité que vous prenez :

nombre de fois que vous le prenez :

depuis combien de temps vous le prenez :

MÉDICAMENT, HERBE OU VITAMINE

nom :

quantité que vous prenez :

nombre de fois que vous le prenez :

depuis combien de temps vous le prenez :

MÉDICAMENT, HERBE OU VITAMINE

nom :

quantité que vous prenez :

nombre de fois que vous le prenez :

depuis combien de temps vous le prenez :

Si vous voulez en savoir plus sur les substances toxiques qui pourraient nuire à votre bébé, parlez à l'équipe du programme *Motherisk* (en anglais seulement) du *Hospital for Sick Children* de Toronto en composant le 1-416-813-6780, ou visitez son site Web à www.motherisk.org.

Si vous planifiez une grossesse et que vous prenez des médicaments obtenus sur ordonnance pour un problème de santé, il est très important de discuter de vos options avec votre fournisseur de soins de santé avant de devenir enceinte. Deux médicaments courants délivrés sur ordonnance qui pourraient causer du tort au bébé sont :

• le coumadin (un médicament qui éclaircit le sang), et
• les médicaments utilisés pour traiter l'épilepsie.

Si vous prenez un médicament connu pour être nuisible aux fœtus, vous devrez peut-être le remplacer par un autre qui traitera quand même votre maladie tout en étant sans danger pendant la grossesse. Si la substitution n'est pas possible, votre fournisseur de soins de santé pourrait vous conseiller de réduire la dose prescrite ou d'arrêter de prendre le médicament pendant votre grossesse, si vous pouvez le faire sans danger pour vous.

Les vaccins et les infections

Lorsque vous planifiez une grossesse, c'est une bonne idée de vérifier si vous avez bien reçu tous vos vaccins. Certaines infections que l'on peut prévenir, comme la rubéole, peuvent causer du tort à votre bébé à naître. Dans d'autres cas, le vaccin peut lui-même être nuisible à l'embryon s'il est administré à une femme enceinte. Le mieux est de vous assurer d'obtenir tous vos vaccins avant de devenir enceinte, puis d'attendre au moins trois mois avant de concevoir votre bébé. Si vous devenez enceinte avant d'avoir reçu tous vos vaccins, consultez votre fournisseur de soins de santé.

En règle générale, une femme enceinte ne doit pas se faire administrer des vaccins « à virus vivant », c'est-à-dire qui sont fabriqués en utilisant des versions faibles de l'infection. Des exemples de vaccins à virus vivant comprennent ceux contre la rougeole, les oreillons et la rubéole. Les vaccins fabriqués à partir de virus « morts » (aussi appelés anatoxines ou toxoïdes), comme ceux qu'on administre contre la grippe et le tétanos, sont sûrs. Si vous avez des doutes concernant un vaccin, consultez votre fournisseur de soins de santé.

Si vous courez plus de risques d'entrer en contact avec une maladie à cause de votre emploi, de votre style de vie ou de vos antécédents médicaux, votre fournisseur de soins de santé pourrait vous recommander d'autres vaccins, comme celui contre l'hépatite B.

L'Agence de la santé publique du Canada offre un guide sur l'immunisation pendant la grossesse et l'allaitement. Vous le trouverez sur le site www. phac-aspc.gc.ca.

Le style de vie et les antécédents sexuels

Il est possible que vous soyez mal à l'aise lorsqu'on vous interrogera sur vos pratiques sexuelles, mais comme pour les médicaments, votre fournisseur de soins de santé vous pose ces questions pour réduire les risques pour votre bébé.

Si vous avez déjà eu une relation sexuelle sans avoir utilisé un condom, surtout si vous avez eu plus d'un partenaire sexuel, il se peut que vous ayez été exposée à une *infection transmise sexuellement* (ITS) comme l'herpès génital, les verrues génitales, la chlamydia, la gonorrhée, la syphilis ou le VIH (qui cause le sida).

Certaines ITS peuvent être traitées, d'autres non. Quelques-unes doivent être traitées pour réduire le risque d'infection du bébé à la naissance.

- Compte tenu de votre mode de vie et de vos antécédents sexuels, certains tests peuvent aider à planifier vos soins prénataux.
- Le test de dépistage du VIH est offert à toutes les femmes qui sont enceintes ou qui planifient de le devenir. Pourquoi? Un traitement

---

LIGNE INFOSERVICE SANS FRAIS SUR LE VIH PENDANT LA GROSSESSE
1-888-246-5840

Au numéro sans frais de la ligne santé du programme Motherisk (en anglais seulement), on offre de façon confidentielle aux Canadiennes, à leurs familles et aux professionnels de la santé des conseils au sujet des risques liés au VIH (virus de l'immunodéficience humaine) et du traitement de ce dernier pendant la grossesse. Ce programme aide aussi les spécialistes du VIH et les groupes communautaires dans tout le Canada à travailler ensemble pour évaluer les risques et la sécurité de différents traitements contre le VIH.

1. *Une augmentation des taux d'hormones change la membrane à l'intérieur de l'utérus pour qu'elle soit prête à recevoir l'embryon.*

2. *L'ovaire libère l'œuf ou l'ovule (ovulation) environ 14 jours avant le début des prochaines règles.*

3. *Au moment de l'ovulation, l'écoulement du vagin devient plus abondant et clair.*

4. *La température de votre corps augmente pendant quelques jours tout de suite après l'ovulation.*

5. *Vous ressentirez peut-être un peu de douleur dans le bas du ventre ou un ballonnement au moment de l'ovulation.*

efficace existe. Il peut grandement réduire le risque qu'une femme séropositive (qui est porteuse du virus) transmette le VIH à son bébé.

• Les femmes ayant une maladie qui réapparaît régulièrement, comme l'herpès génital ou les verrues génitales, peuvent quand même avoir une grossesse normale. Parfois, surtout pendant la période qui entoure la naissance du bébé, elles doivent recevoir des soins particuliers.

Pour mieux vous renseigner sur les ITS, visitez le site www.masexualite.ca.

Si vous avez déjà été enceinte

Votre fournisseur de soins de santé vous demandera si vous avez déjà été enceinte et si vous avez eu des problèmes pendant la grossesse, le travail, l'accouchement ou après la naissance du bébé. En connaissant vos antécédents de grossesse, votre fournisseur de soins de santé sera au courant de tous problèmes potentiels qui pourraient se reproduire cette fois-ci. Même si vous avez eu des problèmes dans le passé, vous pouvez quand même vivre une grossesse saine et normale. C'est toujours très important de donner autant de détails que possible sur votre santé à votre fournisseur de soins, afin que vous puissiez planifier ensemble les soins spéciaux dont vous pourriez avoir besoin.

J'ai déjà été enceinte			
	1re grossesse	2e grossesse	3e grossesse
Date :			
Nom de l'hôpital :			
Nombre d'heures de travail :			
Genre d'accouchement (normal, par forceps, par césarienne) :			
Complications :			
Le bébé était un garçon ou une fille :			
Poids du bébé à la naissance :			
Autres grossesses (fausses-couches ou avortements thérapeutiques) :			

Connaissez bien votre cycle menstruel

Si vous n'êtes pas encore enceinte, il s'agit d'un moment opportun pour commencer à noter vos cycles menstruels. Si vous êtes déjà enceinte, vous pourriez suggérer à vos amies de commencer à le faire!

Un cycle commence le premier jour de vos règles. Il se termine le premier jour de vos règles suivantes. Puis le tout recommence. Vous pouvez utiliser un calendrier pour y noter votre cycle. Ceci vous aidera à déterminer quand vous aurez vos prochaines règles, à savoir ce qui est normal pour vous et à établir à quel moment vous êtes le plus fertile (où vous avez le plus de chances de devenir enceinte). Une fois que vous serez enceinte, une bonne connaissance de vos cycles aidera votre fournisseur de soins de santé à calculer la **date probable de l'accouchement**, le jour où votre bébé devrait venir au monde. On se sert de cette date et de la date du début des dernières règles pour évaluer la croissance de votre bébé pendant votre grossesse.

La facilité avec laquelle vous devenez enceinte dépend en grande partie de votre cycle menstruel. Vous êtes le plus fertile près du temps de l'ovulation. Ainsi, si vous désirez devenir enceinte, ce sera le bon moment pour vous et votre partenaire d'avoir des rapports sexuels. Mais comment savoir à quel moment l'ovulation a lieu? Le plus simple est de compter à rebours 14 jours à partir de la date à laquelle doivent commencer vos prochaines règles. La plupart des femmes n'ont rien d'autre de particulier à faire pour devenir enceinte. Tout se passe bien naturellement.

Si vous devez avoir une meilleure idée des jours où vous avez le plus de chances de devenir enceinte, observez les changements dans votre corps qui annoncent l'ovulation.

Exemple :

FÉVRIER

D	L	M	M	J	V	S
			1	2	3	4
5	6	7	8	9	10	11
12	13	14	15	16	17	18
19	20	(21)	(22)	(23)	(24)	(25)
26	27	28				

Ce tableau indique que la date de la première journée du dernier cycle menstruel de cette femme était le 21 février.

Qu'est-ce qui peut arriver quand on prend « la pilule » ou qu'on utilise « le timbre » ou « l'anneau »?

Lorsque vous utilisez un moyen de contraception à base d'hormones, comme les contraceptifs oraux (« la pilule »), le timbre transdermique (« le timbre ») ou l'anneau vaginal (l'« anneau »), il vaut mieux attendre d'avoir eu au moins un cycle menstruel normal avant d'essayer de devenir enceinte. Cette période de repos permettra à votre corps de revenir à la normale. Utilisez un condom pour éviter une grossesse pendant cette période. Si vous devenez enceinte alors que vous prenez un contraceptif à base d'hormones, arrêtez tout de suite de le prendre, mais ne vous inquiétez pas. Ce genre de contraceptif n'a pas d'effets nuisibles connus sur le bébé.

Et si j'utilise d'autres formes de contraception?

Si vous utilisez une forme de contraception injectable (« la piqûre »), un produit qui est injecté dans votre corps pour prévenir les grossesses, vous devriez attendre au moins six à neuf mois après votre dernière injection avant d'essayer de devenir enceinte. Il faut en moyenne neuf mois après la dernière injection pour redevenir fertile, mais vous pourriez quand même devenir enceinte avant la fin des neuf mois.

Si vous utilisez des mousses spermicides, des gels, des condoms ou un diaphragme, vous n'êtes pas obligée d'attendre un cycle complet avant d'essayer de tomber enceinte. Vous pouvez commencer tout de suite.

Si vous utilisez un dispositif intra-utérin (DIU) comme moyen de contraception, faites-le retirer avant d'essayer de tomber enceinte. Une fois le DIU retiré, il vaut mieux attendre d'avoir eu une menstruation normale avant d'essayer de devenir enceinte. Si vous pensez être enceinte alors que votre DIU est toujours en place, prenez un rendez-vous avec votre fournisseur de soins de santé pour subir un test de grossesse. Si vous devenez enceinte avec le DIU encore en place, faites-le retirer. Il peut causer une fausse-couche, une infection ou un accouchement prématuré.

Et l'alimentation?

Une bonne alimentation avant la grossesse permettra à votre corps de répondre à tous les besoins nutritionnels de votre futur bébé une fois que vous serez enceinte. Suivez les conseils dans *Bien manger avec le Guide alimentaire canadien* (voir les pages 17 et 18) avant et pendant votre grossesse.

- Le Guide recommande de manger chaque jour une grande variété d'aliments sains.
- Il donne des conseils pour les femmes de tous les âges et à toutes les étapes de leur vie, comme les femmes enceintes, qui allaitent ou qui sont en âge d'avoir des enfants.

En prenant dès maintenant de bonnes habitudes alimentaires, vous aurez moins de difficulté à continuer de bien manger tout au long de votre grossesse. En suivant le Guide, la plupart des femmes en bonne santé pourront s'assurer d'absorber toutes les vitamines, tous les minéraux et tous les autres nutriments nécessaires pour avoir une grossesse saine. En plus de suivre un régime sain et équilibré, les femmes enceintes doivent aussi manger souvent. Il est important que les femmes enceintes évitent de passer de longues périodes (plus de 12 heures) sans manger pour que leur grossesse se passe bien. La meilleure approche que les femmes enceintes peuvent adopter est de prendre trois repas et trois collations pendant la journée.

Si vous avez des besoins nutritionnels spéciaux (voir la liste dans l'encadré des pages 15 et 16), demandez conseil à votre fournisseur de soins de santé qui vous suggérera peut-être de consulter un diététicien.

QUESTIONNAIRE SUR LA NUTRITION

En lisant cette liste, cochez les énoncés qui s'appliquent à vous.

- ☐ *Je suis un régime pour perdre du poids.*
- ☐ *Il m'arrive de jeûner ou de sauter des repas.*
- ☐ *Je fais des exercices très vigoureux.*
- ☐ *J'ai un surplus de poids (embonpoint).*
- ☐ *Mon poids est insuffisant (insuffisance pondérale).*
- ☐ *J'ai un trouble alimentaire.*
- ☐ *Je ne prends pas assez de produits laitiers.*
- ☐ *J'ai des allergies alimentaires.*
- ☐ *Je suis végétarienne.*
- ☐ *J'ai des antécédents de carence en fer (anémie).*
- ☐ *J'attends deux bébés ou plus.*
- ☐ *Dans le passé, j'ai donné naissance à un bébé au poids insuffisant à la naissance (moins de 5 lb 8 oz (2,5 kg)).*
- ☐ *J'ai moins de 18 ans.*
- ☐ *Je suis diabétique.*
- ☐ *À cause d'une maladie grave, je ne peux pas manger certains aliments.*

(suite dans l'encadré à la page 16)

Différentes personnes ont besoin de différentes quantités de nourriture

Le nombre de portions (des quatre groupes alimentaires) dont les gens ont besoin chaque jour varie selon l'âge et le sexe. Le nombre de portions recommandé dans le Guide alimentaire est une quantité moyenne que les gens doivent essayer de consommer chaque jour. Les femmes enceintes et qui allaitent ont besoin de quelques calories de plus. Par conséquent, la plupart des femmes doivent manger chaque jour deux ou trois portions de plus que le nombre recommandé dans le Guide alimentaire. Ces portions supplémentaires peuvent appartenir à n'importe quel des quatre groupes alimentaires.

Comment faire pour augmenter le nombre de portions recommandé dans le Guide? Prenez ces aliments en collation ou ajoutez-les à vos repas habituels. Par exemple, au lieu de prendre une collation de plus composée de deux portions du Guide alimentaire, vous pouvez choisir d'avoir une portion supplémentaire de légumes ou de fruits au déjeuner et une portion de plus de lait ou de ses substituts au souper.

Le Guide alimentaire canadien est disponible dans les langues suivantes : français, anglais, arabe, chinois, farsi (persan), coréen, punjabi, russe, espagnol, tagalog, tamoul et ourdou. Il y a aussi une version adaptée du Guide alimentaire à l'intention des Premières nations, des Inuits et des Métis (voir la page 18).

Bien manger avec le Guide alimentaire canadien
Nombre de portions du Guide alimentaire recommandé chaque jour – Femmes de 19 à 50 ans

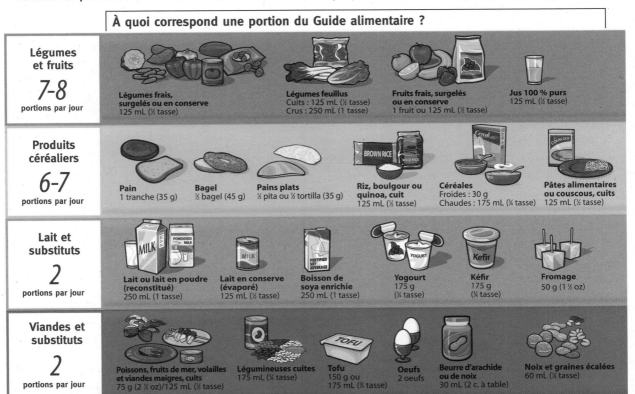

À quoi correspond une portion du Guide alimentaire ?

Légumes et fruits
7-8 portions par jour

- **Légumes frais, surgelés ou en conserve** 125 mL (½ tasse)
- **Légumes feuillus** Cuits : 125 mL (½ tasse) Crus : 250 mL (1 tasse)
- **Fruits frais, surgelés ou en conserve** 1 fruit ou 125 mL (½ tasse)
- **Jus 100 % purs** 125 mL (½ tasse)

Produits céréaliers
6-7 portions par jour

- **Pain** 1 tranche (35 g)
- **Bagel** ½ bagel (45 g)
- **Pains plats** ½ pita ou ½ tortilla (35 g)
- **Riz, boulgour ou quinoa, cuit** 125 mL (½ tasse)
- **Céréales** Froides : 30 g Chaudes : 175 mL (¾ tasse)
- **Pâtes alimentaires ou couscous, cuits** 125 mL (½ tasse)

Lait et substituts
2 portions par jour

- **Lait ou lait en poudre (reconstitué)** 250 mL (1 tasse)
- **Lait en conserve (évaporé)** 125 mL (½ tasse)
- **Boisson de soya enrichie** 250 mL (1 tasse)
- **Yogourt** 175 g (¾ tasse)
- **Kéfir** 175 g (¾ tasse)
- **Fromage** 50 g (1 ½ oz)

Viandes et substituts
2 portions par jour

- **Poissons, fruits de mer, volailles et viandes maigres, cuits** 75 g (2 ½ oz)/125 mL (½ tasse)
- **Légumineuses cuites** 175 mL (¾ tasse)
- **Tofu** 150 g ou 175 mL (¾ tasse)
- **Oeufs** 2 oeufs
- **Beurre d'arachide ou de noix** 30 mL (2 c. à table)
- **Noix et graines écalées** 60 mL (¾ tasse)

© Sa majesté la Reine du Chef du Canada, représentée par le ministre de Santé Canada, 2007.

Source : Bien manger avec le Guide alimentaire canadien, Santé Canada, 2007. Reproduit avec la permission du ministère des Travaux publics et Services gouvernementaux Canada, 2008, www.hc-sc.gc.ca/fn-an/food-guide-aliment/index-fra.php

Bien manger avec le Guide alimentaire canadien – Premières Nations, Inuit et Métis
Nombre de portions du Guide alimentaire recommandé chaque jour – Femmes adolescentes et adultes

À quoi correspond une portion du Guide alimentaire ?

Légumes et fruits
Frais, congelés ou en conserve.
7-8
portions par jour

- Légumes vert foncé et orangés 125 mL (1/2 tasse)
- Autres légumes 125 mL (1/2 tasse)
- Légumes-feuillus et plantes sauvages cuits 125 mL (1/2 tasse) crus 250 mL (1 tasse)
- Petits fruits 125 mL (1/2 tasse)
- Fruits 1 fruit ou 125 mL (1/2 tasse)
- Jus 100% purs 125 mL (1/2 tasse)

Produits céréaliers
6-7
portions par jour

- Pain 1 tranche (35 g)
- Bannique 35 g (2" x 2" x 1")
- Céréales froides 30 g (Voir l'emballage)
- Céréales chaudes 175 mL (3/4 tasse)
- Pâtes alimentaires cuites 125 mL (1/2 tasse)
- Riz cuit blanc, brun, sauvage 125 mL (1/2 tasse)

Lait et substituts
adolescents
3-4
Adultes (19 à 50 ans) **2**   Adultes (51+ ans) **3**
portions par jour

- Lait Lait en poudre reconstitué 250 mL (1 tasse)
- Boisson de soya enrichie 250 mL (1 tasse)
- Lait évaporé en conserve 125 mL (1/2 tasse)
- Yogourt 175 g (3/4 tasse)
- Fromage 50 g (1 1/2 oz)

Viandes et substituts
2
portions par jour

- Viandes traditionnelles et gibier 75 g cuit (2 1/2 oz) 125 mL (1/2 tasse)
- Poissons et crustacés 75 g cuit (2 1/2 oz) 125 mL (1/2 tasse)
- Viandes et volailles maigres 75 g cuit (2 1/2 oz) 125 mL (1/2 tasse)
- Oeufs 2 oeufs
- Légumineuses cuites 175 mL (3/4 tasse)
- Beurre d'arachide 30 mL (2 c. à tab.)

© Sa majesté la Reine du Chef du Canada, représentée par le ministre de Santé Canada, 2007.

Source : Bien manger avec le Guide alimentaire canadien – Premières Nations, Inuits et Métis, Santé Canada, 2007. Reproduit avec la permission du ministère des Travaux publics et Services gouvernementaux Canada, 2008, www.hc-sc.gc.ca/fn-an/food-guide-aliment/index-fra.php

Lignes directrices de Santé Canada

Légumes et fruits :

Mangez au moins un légume vert foncé (comme le brocoli ou les épinards) et un légume orangé (comme les carottes ou les patates douces) chaque jour.

Choisissez des légumes et fruits préparés sans ou presque sans matières grasses, sucre ou sel. Dégustez des légumes cuits à la vapeur, au four ou sautés plutôt que frits.

Produits céréaliers :

Consommez au moins la moitié de vos portions de produits céréaliers sous forme de grains entiers.

Incluez le pain, les pâtes alimentaires, le riz, les céréales et d'autres grains, comme l'orge, l'avoine et le quinoa.

Mangez du pain à grains entiers, du gruau ou des pâtes alimentaires de blé entier.

Choisissez des produits céréaliers faibles en gras, en sucre ou en sel. Comparez les tableaux de la valeur nutritive sur les emballages des produits pour faire de bons choix.

Lait et substituts :

Buvez chaque jour 500 ml (deux tasses) de lait 2 %, 1 % ou écrémé.

Buvez des boissons de soja enrichies si vous ne buvez pas de lait.

Choisissez des substituts du lait plus faibles en gras. Comparez les tableaux de la valeur nutritive sur les emballages de yogourt et de fromage pour faire de bons choix.

Viandes et substituts :

Consommez aussi souvent que possible des substituts de la viande, comme les haricots, les lentilles et le tofu.

SI BIEN S'ALIMENTER COÛTE TROP CHER

Certaines femmes n'ont pas toujours les moyens d'acheter les aliments dont elles ont besoin pour avoir une grossesse saine et un bébé en santé. Renseignez-vous auprès de votre fournisseur de soins de santé ou de votre infirmière en santé communautaire concernant les programmes alimentaires dans votre communauté.

Le gouvernement canadien verse des fonds aux groupes communautaires pour les aider à répondre aux besoins alimentaires des femmes enceintes à risque. Il existe peut-être dans votre communauté un programme pouvant vous donner le soutien dont vous avez besoin. Pour mieux vous renseigner sur le Programme canadien de nutrition prénatale, visitez le site Web de l'Agence de la santé publique du Canada à www.phac-aspc.gc.ca/dca-dea/programs-mes/pcnp_accueil-fra.php.

Choisissez des viandes maigres et des substituts plus faibles en gras ou en sel.

Retirez tout le gras visible de la viande et enlevez la peau de la volaille. Faites cuire vos aliments au four ou faites-les griller ou pocher. Vous n'avez pas ou à peu près pas besoin de gras pour ces méthodes de cuisson.

Mangez chaque semaine au moins deux portions de poisson de la grosseur prévue dans le Guide alimentaire (voir la liste des poissons aux pages 22 et 23).

Gras insaturé :

Pour être en bonne santé, incluez une petite quantité (de 30 à 45 ml ou de 2 à 3 c. à soupe) de gras insaturé chaque jour. Cela comprend les huiles utilisées pour la cuisson, les vinaigrettes, la margarine et la mayonnaise. Les huiles végétales insaturées comprennent les huiles de canola, de maïs, de lin, d'olive, d'arachide, de soja et de tournesol. Limitez la quantité de beurre, de margarine dure, de saindoux et de shortening que vous consommez.

Les aliments à éviter ou à manger moins souvent pendant la grossesse

Les aliments qui peuvent contenir des bactéries

Les aliments qui contiennent des bactéries et des parasites présentent beaucoup de risques pour les femmes enceintes et leurs bébés à naître. La listériose est une maladie rare, mais grave. Elle peut causer une fausse-couche, une mortinatalité (naissance d'un bébé mort), rendre la mère malade et causer une maladie grave chez le nouveau-né. La toxoplasmose peut aussi causer une infection. Les effets sur la mère peuvent être faibles, mais la maladie peut causer des anomalies chez le bébé.

Pour prévenir les infections causées par les aliments, les femmes enceintes devraient éviter de consommer les produits suivants :

- le poisson cru, surtout les mollusques et crustacés comme les huîtres et les palourdes;
- les viandes, les volailles et les fruits de mer qui ne sont pas assez cuits (comme les hot dogs, les charcuteries non séchées, les pâtés réfrigérés, les viandes à tartiner et les fruits de mer et poissons fumés réfrigérés);
- tous les aliments faits d'œufs crus ou peu cuits (par exemple, la vinaigrette César maison);
- les produits laitiers non pasteurisés et les aliments fabriqués à partir de ces produits, y compris les fromages à pâte molle ou demi-ferme, comme le brie ou le camembert;
- les jus non pasteurisés, comme le cidre de pomme non pasteurisé;
- les germes crus, surtout les germes de luzerne.

Ne gardez pas de viandes ou de volailles crues ou cuites au réfrigérateur pendant plus de 2 ou 3 jours. Gardez les viandes crues loin des autres aliments; lavez-vous les mains et nettoyez bien les ustensiles et les surfaces utilisées après avoir manipulé des viandes crues; et lavez soigneusement les légumes crus (surtout ceux qui sont prétranchés et prêts à manger) avant de les manger.

Faits importants sur le poisson

Le poisson est un aliment particulièrement important pendant la grossesse parce qu'il est une bonne source de protéines et d'acides gras oméga-3. Les recherches indiquent que la consommation régulière de poisson par les femmes enceintes et celles qui pourraient le devenir joue un rôle important dans le développement normal du cerveau et des yeux du fœtus. Le Guide alimentaire canadien recommande de manger au moins 150 grammes (deux portions du Guide) de poisson chaque semaine.

Le poisson est une excellente source de protéines et d'acides gras oméga-3. Les deux sont très importants pour la croissance et le développement de votre bébé. Consultez les pages 22 et 23 pour voir la liste des poissons à choisir plus souvent.

Certains types de poisson ont des niveaux plus élevés de bons acides gras que d'autres. Les poissons et fruits de mer qui contiennent des niveaux plus élevés de ces acides gras et qui, en plus, contiennent seulement de faibles quantités de mercure comprennent :

• les anchois;
• le capelan;
• l'omble;
• le merlu;
• le hareng;
• le maquereau;
• le meunier noir;
• la goberge;
• le saumon;
• l'éperlan;
• la truite arc-en-ciel;
• le corégone;
• le crabe;
• la crevette.

Certains types de poisson contiennent des niveaux de mercure plus élevés. Le mercure peut nuire au développement du cerveau de votre bébé. Vous devez limiter à 150 grammes, ou 2 portions du Guide alimentaire par mois, votre consommation des types de poisson reconnus pour avoir une concentration de mercure élevée.

Les femmes qui essaient de devenir enceintes ou qui sont enceintes ou qui allaitent devraient limiter leur consommation des poissons suivants à 150 grammes par mois :

• thon frais ou congelé;
• requin;
• espadon;
• marlin;
• hoplostète orange;
• escolier.

Elles devraient aussi limiter leur consommation de thon « blanc » germon en conserve (ceci ne s'applique pas au thon pâle en conserve) à 300 grammes par semaine. Le thon germon en conserve est souvent appelé du thon blanc en conserve. Le produit n'est pas le même que le thon pâle en conserve. Ce dernier contient d'autres espèces de thon, comme le listao, le thon à nageoires jaunes et le thon mignon, dont la concentration en mercure est plutôt faible.

Pour voir les avis les plus récents sur la consommation de poisson dans tout le Canada, visitez le site Web d'Environnement Canada à www.ec.gc.ca/MERCURY/FR/fc.cfm.

Pour plus de détails sur les aliments à éviter pendant la grossesse, consultez le site Web de SantéOntario du gouvernement de l'Ontario à www.santeontario.com/featuredetails.aspx?feature_id=4078.

D'autres nutriments sains et essentiels

Les acides gras oméga-3

Ces types de gras sont considérés comme étant « sains » (et sont nécessaires à votre organisme, ainsi qu'à votre bébé) et « essentiels », parce que votre organisme ne peut pas les produire lui-même. Ce n'est qu'en mangeant certains aliments que vous pouvez fournir ces acides à votre organisme (consultez la liste des sources d'acides gras oméga-3 dans l'encadré). Les acides gras oméga-3 sont considérés comme ayant des bienfaits pour le cœur, les articulations et la santé mentale. Ils amélioreraient aussi la circulation du sang vers le placenta et le bébé en développement et pourraient aider à prévenir le travail prématuré. Chez le fœtus, ces acides gras favorisent le bon développement du cerveau et du système nerveux, en plus d'améliorer la vision et la peau du bébé.

LES SOURCES ALIMENTAIRES D'ACIDES GRAS OMÉGA-3

- *le saumon et d'autres poissons d'eau fraîche comme l'omble, le hareng, le maquereau, les sardines et la truite;*
- *les œufs enrichis d'oméga-3;*
- *l'huile de noix;*
- *l'huile de lin et*
- *les huiles végétales comme l'huile d'olive, de canola, de soja et la margarine molle (non hydrogénée).*

Les minéraux et les vitamines

Est-ce que je dois prendre des vitamines spéciales?

Les vitamines prénatales sont des multivitamines conçues pour les femmes enceintes. Toutes les femmes enceintes devraient prendre des vitamines prénatales chaque jour. Elles contiennent beaucoup de vitamines et de minéraux importants et bénéfiques. Un des plus importants est l'*acide folique*. Elle aide votre bébé à se développer et contribue à prévenir certaines malformations. En suivant le Guide alimentaire canadien et en prenant une vitamine prénatale chaque jour, vous aiderez à répondre à vos besoins nutritionnels pendant votre grossesse. Vous devrez peut-être aussi prendre plus de calcium, de vitamine D ou de fer sous forme de suppléments en comprimés, selon votre état de santé et ce que vous mangez. Consultez les sections qui suivent pour voir si vous pourriez avoir besoin de vitamines ou de minéraux spéciaux pendant votre grossesse. Les suppléments de calcium et de fer sont mieux absorbés par l'organisme lorsque vous les prenez entre les repas et à des moments différents. Si vous prenez un supplément de fer, assurez-vous que votre multivitamine contient aussi du zinc. Votre fournisseur de soins de santé peut vous aider à déterminer de quelles vitamines vous avez besoin.

Le calcium et la vitamine D

La femme enceinte ou qui allaite a besoin de calcium et de vitamine D pour que ses os restent forts. Une femme enceinte a besoin des deux pour aider son organisme à bâtir le squelette de son bébé. On recommande que les femmes enceintes prennent chaque jour 1 000 mg de calcium et 200 UI de vitamine D.

Les produits laitiers et leurs substituts occupent le premier rang des bonnes sources de calcium et de vitamine D. En plus d'être riche en calcium, le type de calcium qu'ils contiennent est bien absorbé par l'organisme. Le lait et les boissons de soja enrichies contiennent de la vitamine D qui aide aussi à absorber le calcium. D'autres sources de calcium comprennent les sardines, le saumon (avec les arêtes), le chou chinois (bok choy), les graines de sésame, les noix, les légumineuses et le brocoli.

Certaines personnes peuvent manquer de vitamine D, notamment si elles n'incluent pas deux tasses de lait ou de boissons au soja enrichies dans leur régime quotidien. Si vous risquez de manquer de vitamine D ou de calcium, ce serait peut-être une bonne idée de prendre des suppléments vitaminiques.

Vous risquez de manquer de vitamine D si :

• vous ne buvez pas de lait;
• vous portez régulièrement des vêtements qui recouvrent la plus grande partie de votre peau;
• vous vivez dans des zones nordiques du monde (la plupart des zones du Canada) pendant les mois d'hiver;
• vous êtes à l'intérieur la plupart du temps;
• vous utilisez régulièrement de l'écran solaire (crème solaire) ayant un FPS de plus de 8;
• vous avez la peau foncée.

Est-ce que c'est dangereux de prendre une trop grande quantité de vitamines?

Prendre plus que la dose recommandée de vitamines peut être nuisible. Par exemple, une trop grande quantité de vitamine A (plus de 10 000 UI/3 000 mgc ER par jour) causerait des anomalies de naissance. Assurez-vous de ne pas prendre plus d'un comprimé par jour de vos multivitamines prénatales. Lisez l'étiquette sur les emballages des vitamines que vous achetez à l'extérieur d'une pharmacie. Si vous avez des doutes quant à la quantité de vitamines que vous prenez, demandez conseil à votre fournisseur de soins de santé avant d'en prendre. Il vous recommandera peut-être de demander l'aide ou les conseils d'une diététiste.

Sources alimentaires de calcium

	Grosseur de la portion		Calcium (mg)
PRODUITS LAITIERS ET SUBSTITUTS			
Fromage parmesan râpé	50 g	(2 onces)	554
Fromage cheddar	50 g	(2 onces)	360
Fromage ricotta de lait partiellement écrémé	125 ml	(1/2 tasse)	356
Fromage brick	50 g	(2 onces)	337
Lait au chocolat partiellement écrémé, 2 % M.G.	250 ml	(1 tasse)	328
Yogourt nature, 1 % à 2 % M.G.	175 g	(3/4 tasse)	320
Boisson de soja enrichie	250 ml	(1 tasse)	319
Lait partiellement écrémé, 2 % M.G.	250 ml	(1 tasse)	302
Fromage mozzarella (52 % eau, 22,5 % M.G.)	50 g	(2 onces)	269
Crème glacée à la vanille, 11 % M.G.	250 ml	(1 tasse)	195
Yogourt glacé	250 ml	(1 tasse)	184
Fromage cottage en crème (4,5 % M.G.)	125 ml	(1/2 tasse)	71
ALIMENTS À BASE DE PRODUITS LAITIERS			
Lait frappé à la vanille épais	250 ml	(1 tasse)	364
Soupe aux tomates en conserve, condensée, avec lait entier	250 ml	(1 tasse)	168
Pouding au chocolat	125 ml	(1/2 tasse)	111
AUTRES SOURCES ALIMENTAIRES DE CALCIUM			
Sardines de l'Atlantique en conserve avec huile, égouttées, avec les arêtes	75 g		286
Saumon rose en conserve, égoutté, avec les arêtes	75 g		208
Tofu (avec sulfate de calcium)	150 g		1442
Graines : de sésame, entières, rôties et grillées	40 g	(1/4 tasse)	376
SOURCES MOINS IMPORTANTES DE CALCIUM			
Chou frisé kale, surgelé, bouilli, égoutté	125 ml	(1/2 tasse)	95
Chou chinois (pak-choi, bok choy), bouilli, égoutté	125 ml	(1/2 tasse)	84
Orange de Floride, crue	1 fruit (7 cm dia)		65
Noix, amandes séchées, blanchies	25 g	(1/4 tasse)	52
Brocoli, surgelé, haché, non préparé	125 ml	(1/2 tasse)	46
Fèves de lima, en conserve, solides et liquides	125 ml	(1/2 tasse)	37

Source : Santé Canada. Fichier canadien sur les éléments nutritifs, 2007.

L'acide folique

Des études ont révélé que les femmes risquent moins d'avoir un bébé ayant des malformations du tube neural (qui touche le cerveau et la colonne vertébrale du bébé) lorsqu'elles prennent chaque jour un comprimé vitaminique comprenant de l'acide folique (0,4 à 1,0 mg) **avant de devenir enceintes et pendant les premières semaines de leur grossesse.**

L'acide folique est une vitamine qui aide à prévenir les *anomalies du tube neural*. Elle pourrait aussi prévenir d'autres déficiences de naissance.

Ces anomalies se produisent lorsque la moelle épinière, le crâne ou le cerveau d'un bébé ne se développe pas normalement entre la troisième et la quatrième semaine de grossesse. Pendant cette période, de nombreuses femmes ne savent même pas qu'elles sont enceintes.

Les femmes qui mangent bien et qui prennent chaque jour un comprimé de multivitamines contenant de 0,4 à 1,0 milligramme (mg) d'acide folique pendant trois mois avant de devenir enceintes et tout au long de leur grossesse peuvent réduire le risque d'avoir un bébé ayant une anomalie du tube neural.

Sources alimentaires d'acide folique
(basées sur une portion de taille habituelle)

**EXCELLENTES SOURCES D'ACIDE FOLIQUE
55 µG (MICROGRAMMES) OU PLUS**

Fèves (fèveroles, haricots communs, Pinto, romains et blancs, fève de soja), pois chiches et lentilles, cuits
Épinards et asperges, cuits
Laitue romaine
Jus d'orange, jus d'ananas en conserve
Graines de tournesol

**BONNES SOURCES D'ACIDE FOLIQUE
33 µG (MICROGRAMMES) OU PLUS**

Haricots de lima, maïs, brocoli, pois verts, choux de Bruxelles et betteraves, cuits
Germes de soja
Oranges
Melon-miel
Framboises et mûres
Avocat
Arachides grillées
Germe de blé

**AUTRES SOURCES D'ACIDE FOLIQUE
11 µG (MICROGRAMMES) OU PLUS**

Carottes, feuilles de betterave, patates douces, pois mange-tout, courges d'hiver ou d'été, rutabaga, chou, haricots verts cuits
Noix d'acajou, arachides grillées, noix de Grenoble
Œufs
Fraises, bananes, pamplemousses, cantaloup
Pain de blé entier ou pain blanc
Rognons de porc
Céréales à déjeuner
Lait, tous les types

QUESTIONNAIRE SUR L'ACIDE FOLIQUE

Avez-vous besoin d'un supplément d'acide folique pendant votre grossesse? Lisez la liste ci-dessous et cochez les énoncés qui s'appliquent à vous.

☐ *Je souffre d'épilepsie.*

☐ *Je suis anémique.*

☐ *J'ai le diabète et je dois prendre de l'insuline.*

☐ *J'ai déjà eu un enfant avec une anomalie du tube neural (voir l'encadré à la page 28).*

☐ *Un membre de ma famille ou de celle de mon conjoint avait une anomalie du tube neural à la naissance (voir l'encadré à la page 28).*

☐ *Je consomme de l'alcool ou des drogues illicites (voir les pages 32 à 34).*

☐ *Je ne mange pas tous les jours des aliments sains (voir la page 15).*

☐ *Je suis obèse (voir la page 8).*

Si vous prévoyez devenir enceinte et si vous avez coché une des cases ci-dessus, vous devriez consulter votre fournisseur de soins de santé concernant la bonne quantité d'acide folique à prendre.

QU'EST-CE QU'UNE ANOMALIE CONGÉNITALE?

Ce sont des défectuosités qui apparaissent pendant que le bébé se développe au cours de la grossesse. Le bébé peut en subir les conséquences toute sa vie. En voici quelques exemples :

- *anomalies du tube neural (anencéphalie, méningocèle);*
- *fissure du visage touchant la bouche (p. ex., le bec de lièvre);*
- *malformation cardiaque;*
- *défectuosité d'un membre (p. ex., un pied bot);*
- *anomalie des voies urinaires;*
- *hydrocéphalie (accumulation de liquide dans le crâne).*

EST-CE QUE JE RISQUE D'ÊTRE ANÉMIQUE?

En lisant cette liste, cochez les énoncés qui s'appliquent à vous.

- ☐ *On m'a déjà dit dans le passé que mon taux d'hémoglobine était bas ou que je faisais de l'anémie.*
- ☐ *Mes règles sont souvent abondantes.*
- ☐ *Je ne mange pas de viande rouge.*
- ☐ *J'ai une maladie chronique.*
- ☐ *J'ai des antécédents familiaux d'anémie.*

(suite dans l'encadré à la page 29)

Les femmes chez lesquelles le risque est plus élevé (voir l'encadré) auraient avantage à prendre de plus fortes doses d'acide folique, soit jusqu'à 5 mg par jour, après en avoir discuté avec leur fournisseur de soins de santé.

L'acide folique et d'autres vitamines sont très importants pour la santé et le développement de votre bébé (voir « Est-ce que je dois prendre des vitamines spéciales? » à la page 24). Si vous ne pouvez pas trouver ou acheter les vitamines dont vous avez besoin, parlez-en à votre fournisseur de soins de santé ou à votre infirmière en santé communautaire.

Remarque : Depuis novembre 1998, la loi canadienne exige que de l'acide folique soit ajouté à la farine et aux pâtes alimentaires blanches étiquetées comme étant enrichies. Ceci a pour effet d'ajouter environ 100 µg (0,1 mg) d'acide folique au régime alimentaire quotidien de la femme moyenne. De plus, les femmes qui planifient une grossesse ou qui en sont aux premières étapes d'une grossesse doivent consommer des aliments riches en acide folique et prendre chaque jour un supplément d'acide folique.

Qu'est-ce que l'anémie?

L'hémoglobine est une substance présente dans le sang qui transporte l'oxygène de vos poumons aux autres parties de votre organisme et au bébé en croissance. Une personne fait de l'anémie lorsqu'elle a un faible taux d'hémoglobine dans son sang. Au cours de la grossesse, une femme peut devenir anémique à cause d'une carence en fer. Ce manque de fer peut influer sur son niveau d'énergie, sa capacité de faire de l'exercice et sur la quantité d'oxygène que son organisme fournit à son bébé et à elle-même.

L'anémie est courante chez les femmes enceintes. Pendant une grossesse, votre organisme a besoin de plus de fer, mais c'est difficile de répondre à ces besoins uniquement par l'alimentation (voir l'encadré aux page 28 et 29). Votre fournisseur de soins de santé peut faire un test sanguin pour voir si votre taux d'hémoglobine est normal (entre 110 et 112 g/L). Si le taux est bas, il pourrait vous prescrire un supplément de fer que vous devrez prendre en plus de vos vitamines prénatales.

Notre organisme absorbe mieux le fer de source animale que celui qui vient de sources non animales. La vitamine C aide votre organisme à absorber le fer. Cela signifie que si vous prenez un verre de jus d'orange (vitamine C) avec votre œuf à la coque (fer), vous allez aider votre organisme à mieux absorber le fer.

Le suivi de la nutrition

Utilisez le tableau suivant pour noter ce que vous mangez pendant une semaine. Ensuite, comparez vos habitudes avec les recommandations dans *Bien manger avec le Guide alimentaire canadien*. Utilisez ce tableau comme guide d'alimentation pendant votre grossesse. Mettez un « X » pour chaque portion que vous avez prise pendant la journée.

	Légumes et fruits 7 à 8 portions	Produits céréaliers 6 à 7 portions	Lait et substituts 2 portions	Viandes et substituts 2 portions	Portions supplé-mentaires 2 à 3
Jour 1					
Jour 2					
Jour 3					
Jour 4					
Jour 5					
Jour 6					
Jour 7					

EST-CE QUE JE RISQUE D'ÊTRE ANÉMIQUE? (SUITE)

☐ *Je suis très maigre (j'ai un poids insuffisant).*

☐ *Ma grossesse planifiée ou actuelle se déroule peu de temps après une grossesse précédente ou j'ai eu plus d'une grossesse en peu de temps.*

☐ *J'attends plus d'un bébé (jumeaux, triplés ou plus).*

Si vous avez coché l'une de ces cases, parlez à votre fournisseur de soins de santé.

Sources alimentaires de fer

MILLIGRAMMES (MG) DE FER DANS CHAQUE PORTION DE 100 GRAMMES

EXCELLENTES SOURCES DE FER
Foie (même s'il s'agit d'une excellente source, vous ne devriez pas manger plus de 75 grammes (2 onces) de foie à toutes les 2 semaines si vous êtes enceinte.)

BONNES SOURCES DE FER
Bœuf (3,1 à 3,9 mg), veau (3,2 à 3,6 mg), crevettes (2,1 à 3,4 mg)

SOURCES DE FER
Agneau (2,0 mg), poulet (1,3 mg), porc (1,1 mg)

AUTRES SOURCES DE FER
Jaune d'œuf, légumineuses, tofu Légumes vert foncé (épinards, brocoli, pois) Céréales à déjeuner contenant des fruits séchés, enrichies de fer.

L'exercice chez les femmes enceintes

Les femmes qui ont une bonne forme physique avant de devenir enceintes ont moins de douleurs et ont plus d'énergie pendant leur grossesse. Cela ne veut pas dire que vous devez être une athlète. En faisant régulièrement de l'exercice (en marchant, en faisant de la natation ou du yoga), vous pourrez mieux gérer votre poids et vous vous sentirez mieux.

Si vous êtes active depuis au moins six mois, demandez à votre fournisseur de soins si vous pouvez continuer vos activités sportives ou votre entraînement en toute sécurité. À mesure que votre grossesse avance et que votre corps change naturellement, vous ressentirez peut-être de légères douleurs à cause de vos articulations qui se détendent et du changement de la répartition de votre poids. Vous auriez peut-être avantage à réviser votre programme d'exercice chaque trimestre pour réduire le risque de chutes. Vous devriez aussi consulter votre fournisseur de soins de santé concernant la diminution des activités avec sauts. Certaines activités à risque élevé, comme la plongée sous-marine, ne sont pas recommandées.

Si vous ne faites pas d'exercice, mais que vous voulez maintenant commencer un programme d'activité physique, allez-y doucement et progressivement. L'exercice est bon pour vous et votre bébé et il est hautement recommandé pour presque toutes les femmes enceintes. Essayez la marche rapide régulière, la natation, l'entraînement en force musculaire conçu pour les femmes enceintes ou d'autres activités qui renforceront votre cœur et vos poumons tout en raffermissant vos muscles. Si vous n'êtes pas physiquement active au moment où vous devenez enceinte, on recommande d'attendre jusqu'au deuxième trimestre avant d'entreprendre un programme d'entraînement. Le chapitre deux traite plus longuement de l'exercice pendant la grossesse.

Le milieu de travail

Les femmes qui planifient une grossesse doivent suivre toutes les règles de sécurité si elles doivent, dans le cadre de leur travail, entrer en contact avec des produits chimiques, des solvants, des vapeurs nocives ou de la radiation. Si vous êtes déjà enceinte, il est possible que votre fournisseur de soins de santé vous recommande d'éviter certaines de ces situations de risque au travail. Consultez le site *Motherisk* (www.motherisk.org) pour plus de détails sur les risques d'exposition à des substances dangereuses au travail et à la maison pendant une grossesse.

Un travail épuisant, les longues journées de travail, de même que le travail par quarts et les longs trajets quotidiens entre la maison et le lieu de travail peuvent parfois entraîner une fausse-couche ou l'accouchement d'un bébé né avant terme ou de petit poids. Vous trouverez plus de renseignements sur ce qui constitue un travail fatigant ou physiquement exigeant pendant la grossesse au chapitre trois.

Le tabagisme

On a clairement démontré l'existence d'un lien entre le tabagisme pendant la grossesse et la naissance de bébés nés avant terme ou avec un poids insuffisant. De plus, une abondante documentation indique que la fumée secondaire est dangereuse pour les nourrissons et les enfants en bas âge. Si vous ou votre conjoint fumez, une excellente façon de vous préparer à devenir parent est ***d'arrêter de fumer dès maintenant***.

Si vous êtes déjà enceinte, des études révèlent que le fait d'arrêter de fumer avant la 16e semaine de grossesse réduit le risque que votre bébé naisse prématurément ou soit de faible poids. Selon certaines recherches, arrêter de fumer pourrait être extrêmement bénéfique pour votre bébé même si vous n'arrêtez qu'à la 32e semaine de grossesse. D'autres études démontrent aussi que vous pouvez augmenter le poids de votre bébé à sa naissance en réduisant de beaucoup votre consommation de tabac pendant votre grossesse. Si vous planifiez d'avoir un bébé, le mieux est d'arrêter de fumer ***avant*** de devenir enceinte. C'est ce qui est le mieux pour la santé de votre bébé. Toutefois, il est important de noter qu'arrêter de fumer est bénéfique en tout temps, même après la naissance de votre bébé.

JE PEUX ARRÊTER DE FUMER!

POURQUOI?

Je veux avoir la meilleure santé possible pendant ma grossesse.

Je veux que mon bébé ait toutes les chances possibles d'être en santé.

COMMENT?

En changeant certaines de mes habitudes (types de comportements).

Si j'ai l'habitude de fumer après les repas, je vais plutôt aller faire une promenade.

Si je fume quand je suis stressée, je vais appeler un(e) ami(e), écouter de la musique ou prendre un bain.

Si je fume avant de déjeuner, je vais me passer de cette cigarette et je ne fumerai pas avant d'avoir mangé.

QU'EN EST-IL DES AUTRES AUTOUR DE MOI?

Je vais demander aux autres de ne pas fumer quand je suis là.

Quand je serai à l'extérieur de la maison, je vais éviter les endroits où les gens fument.

NON MERCI, MON BÉBÉ EST TROP JEUNE POUR PRENDRE DE L'ALCOOL!

Si vous fumez, il est important de comprendre les risques d'accoucher prématurément ou d'avoir un bébé de faible poids (voir la page 85). Malheureusement, certaines femmes sont mal informées. Elles pensent que :

- le risque n'est pas très grand ni très important, ou
- c'est préférable d'avoir un petit bébé parce que l'accouchement sera plus facile.

En fait, les bébés qui naissent trop tôt et trop petits (qui ont un poids insuffisant) ont plus de difficulté à s'adapter à la vie à l'extérieur de l'utérus. Il est plus probable aussi qu'ils auront de la difficulté à bien dormir et s'alimenter et qu'ils ne pourront pas combattre l'infection s'ils sont exposés à la maladie. Il sera peut-être difficile pour vous d'arrêter de fumer, mais vous pouvez obtenir un soutien. (Vous trouverez des façons de réduire le stress à la page 72.)

L'alcool

En raison des risques graves pour la santé, la plupart des spécialistes recommandent aux femmes d'éviter l'alcool sous toutes ses formes pendant toute leur grossesse.

- L'alcool peut causer de graves dommages au cerveau et faire courir d'autres risques à votre bébé en croissance. Ces effets peuvent se faire sentir pendant toute sa vie.
- Les bébés peuvent avoir des déficiences cognitives et des troubles d'apprentissage, des troubles du comportement et de la personnalité, des retards de leur croissance et de leur développement et des anomalies du visage.

Jusqu'à quel point la consommation d'alcool est-elle dangereuse chez la femme enceinte? Cela dépend en grande partie de votre propre état de santé, de la quantité d'alcool consommée et du moment où vous en prenez. Le choix le plus sûr consiste à ne pas boire du tout pendant la grossesse.

L'alcool est dangereux pour mon bébé

Le résultat le plus connu de la consommation d'alcool pendant la grossesse est le syndrome d'alcoolisme fœtal (SAF). Il s'agit d'un groupe de problèmes de santé qu'on trouve chez les bébés dont les mères avaient l'habitude de boire beaucoup pendant leur grossesse. Ces bébés peuvent :

- avoir un poids et une taille inférieurs;
- ne pas rattraper les bébés normaux, même s'ils reçoivent les meilleurs soins médicaux;
- avoir de petites têtes et ne pas bien se développer;
- avoir, dans certains cas, des anomalies du visage;
- être atteints, à différents degrés, de troubles d'apprentissage et du comportement, dont l'hyperactivité avec déficit de l'attention ou un comportement mésadapté.

Lorsque les bébés ayant le SAF grandissent, ils ont tendance à avoir des problèmes de comportement et de la difficulté à apprendre à l'école et à se concentrer.

Le nombre de bébés ayant le SAF dans certains groupes de la population est beaucoup plus élevé que la moyenne nationale. On a fait des efforts considérables pour sensibiliser ces groupes à risque élevé au SAF au moyen de programmes et d'initiatives qui respectent les méthodes de prévention, de promotion ou de traitement qui sont sûres et en harmonie avec leur culture. Pour de plus amples informations, visitez le site Web de Santé Canada :

www.hc-sc.gc.ca/hl-vs/iyh-vsv/diseases-maladies/fasd-etcaf-fra.php

---

POUR PLUS D'INFORMATION SUR LE SAF, COMMUNIQUEZ AVEC :

Le Centre canadien de lutte contre l'alcoolisme et les toxicomanies :
1-613-235-4048
www.ccsa.ca

La ligne d'assistance téléphonique Motherisk Alcohol and Substance Abuse :
1–877–327–4636
www.motherisk.org

AVEZ-VOUS UN PROBLÈME DE CONSOMMATION D'ALCOOL?

Combien de verres devez-vous prendre avant de ressentir les premiers effets (avant la grossesse)? ____ (3 ou plus = 2 points)

Est-ce que des amis proches ou des membres de votre famille se sont inquiétés ou se sont plaints de votre consommation d'alcool pendant la dernière année? ____ (Oui = 2 points)

Est-ce qu'il vous arrive de prendre un verre le matin en vous levant? ____ (Oui = 1 point)

Est-ce qu'un ami ou un membre de la famille vous a déjà raconté des choses que vous avez dites ou faites pendant que vous preniez de l'alcool et que vous n'arrivez pas à vous rappeler? ____ (Oui = 1 point)

Avez-vous parfois l'impression que vous devriez réduire votre consommation d'alcool? ____ (Oui = 1 point)

Toute consommation d'alcool pendant la grossesse peut causer du tort à votre bébé. Si vous avez obtenu 2 points ou plus, vous pourriez avoir besoin d'aide supplémentaire pour arrêter de boire. Parlez à votre fournisseur de soins de santé.

Source : M. Russell, « New assessment tools for risk drinking during pregnancy: TWEAK », Alcohol Health and Research World, 18 (1), 1994, p. 55–61.

Les drogues illicites

L'usage de drogues « de la rue » à n'importe quelle étape de la grossesse peut faire du tort à votre bébé en développement. Les drogues illicites peuvent être nocives pour un adulte, mais les bébés courent des risques encore plus élevés d'être atteints d'effets secondaires nuisibles. Les bébés nés de mères qui utilisent des drogues illicites :

- peuvent avoir subi des dommages au cerveau qui nuiront à leur capacité d'apprendre;
- sont habituellement plus petits que les autres bébés;
- pleurent beaucoup et risquent d'être plus irritables et agités.

L'usage régulier de certaines drogues peut même entraîner la naissance d'un bébé toxicomane (dépendant des drogues).

Si vous consommez des drogues illicites, vous devez arrêter avant de devenir enceinte. Si vous devenez enceinte alors que vous utilisez encore des drogues, il faut en avertir votre fournisseur de soins de santé. Il existe des programmes pour vous aider à arrêter de consommer.

Mon journal de grossesse

Ma santé avant la grossesse

QUESTIONNAIRE SUR LA NUTRITION :

Je respecte le Guide alimentaire canadien.   Oui / non

Je prends de l'acide folique.   Oui / non

Mon régime comprend assez de calcium.   Oui / non

J'obtiens assez de fer de mon régime.   Oui / non

J'ai des sources de vitamine C, de vitamine D, de magnésium, de zinc et d'acides gras oméga-3 dans mon régime.   Oui / non

Si vous répondez « non » à l'une de ces questions (ou si vous n'êtes pas certaine), passez en revue l'information dans ce chapitre et consultez votre fournisseur de soins de santé.

_____

_____

_____

_____

_____

_____

_____

_____

_____

_____

JE SUIS L'ÉVOLUTION DE MA GROSSESSE

Date : _____

Tension artérielle : _____

Poids : _____

QUESTIONS DONT JE DOIS PARLER AVEC MON FOURNISSEUR DE SOINS DE SANTÉ :

☐ Préoccupations concernant mon régime

☐ Le type de travail que je fais

☐ Arrêter de fumer

☐ Préoccupations concernant l'alcool ou les drogues

☐ Mes antécédents médicaux

☐ Mes antécédents familiaux

☐ L'exercice

Autres préoccupations : _____

_____

_____

_____

_____

_____

_____

_____

_____

_____

_____

_____

_____

_____

_____

_____

_____

_____

_____

_____

_____

_____

_____

_____

_____

_____

_____

_____

Un très bon départ : le premier trimestre

On divise couramment les neuf mois d'une grossesse complète en trois **trimestres**. Chaque trimestre dure environ trois mois. On commence à compter à partir de la conception.

- Le premier trimestre dure 13 semaines après la conception.

- Le deuxième trimestre est la période allant de la 13e semaine à environ la 25e ou 26e semaine.

- Le troisième et dernier trimestre s'étend environ de la 26e semaine à la 40e semaine, ou jusqu'à la naissance du bébé.

Introduction

C'est pendant le premier trimestre que vous et votre bébé allez changer le plus. Pendant ces 13 semaines, votre bébé se transformera d'une seule cellule en un petit être humain. En même temps, vous remarquerez des changements dans votre corps qui pourraient vous surprendre, surtout s'il s'agit de votre première grossesse.

La confirmation de votre grossesse peut être un des moments les plus excitants de votre vie, surtout si vous l'espériez depuis quelque temps déjà. Cependant, certaines inquiétudes pourraient se mêler à votre joie pendant les premières semaines de votre grossesse. Qu'est-ce qui arrive à mon corps? Et si le bébé n'était pas normal? Est-ce que je vais me sentir comme ça pendant neuf mois?

Vous vous poserez beaucoup de questions. Ces inquiétudes sont tout à fait normales. Votre équipe de soins de santé vous fera passer plusieurs tests qui vous donneront quelques réponses. Ses membres pourront aussi répondre directement à bon nombre de vos questions et préoccupations.

Pour vous aider à vous préparer, nous allons expliquer les tests, ainsi que les principaux malaises que vous pourriez ressentir. Avez-vous déjà entendu parler des nausées du matin? Nous allons en parler. Qu'en est-il des relations sexuelles? Nous allons en parler aussi. Est-ce que vous et votre bébé risquez d'être victimes de violence? À qui pouvez-vous vous adresser pour obtenir de l'aide? Nous parlerons de tout ça. Et qu'en est-il des cours prénataux et de l'exercice, surtout des exercices de Kegel? Continuez de lire et vous verrez.

Et enfin, parce que cela peut se produire, nous allons aussi traiter des fausses-couches. C'est pendant le premier trimestre que le risque est le plus élevé. Une grande partie des sujets dont nous parlerons dans les pages qui suivent vous aideront à réduire ces risques, mais nous allons aussi parler de ce qui se passe si le pire arrive.

N'oubliez pas qu'en utilisant ce manuel et en apprenant tout ce que vous pouvez sur ce qui va vous arriver, à vous et à votre bébé, pendant la grossesse, vous serez « très bien partie »! Nous sommes là pour vous aider à faire des choix concernant votre santé, votre régime et votre mode de vie afin qu'ils soient les meilleurs pour vous et votre bébé.

Votre corps se transforme

Pendant le premier trimestre, votre corps subit de grands changements. À la fin de la treizième semaine, votre grossesse ne ***paraîtra*** peut-être pas beaucoup, mais vous vous ***sentirez*** probablement très différente.

Pendant cette période, les hormones de grossesse causent presque tous les changements de votre corps. Vous vous souvenez du placenta? C'est le petit organe qui se développe sur la paroi intérieure de votre utérus pour nourrir votre bébé. Eh bien, il produit aussi des hormones pour aider votre organisme à soutenir le développement de votre bébé. Ce processus est compliqué et demande beaucoup d'énergie. C'est pour cette raison que vous vous sentirez très fatiguée pendant les premiers mois de votre grossesse.

Les gens autour de vous ne remarqueront pas tellement les changements qui se produisent dans votre corps. Vous ne remarquerez peut-être même pas que votre utérus prend lentement du volume, passant de la taille d'une poire à celle d'un cantaloup. Les glandes qui vont produire le lait se développent et vos seins deviennent plus gonflés, plus lourds et plus sensibles. Votre cœur doit maintenant pomper plus fort parce que votre corps a produit un surplus de sang pour permettre au placenta de se développer et pour apporter de l'oxygène et des nutriments à votre bébé. Vous deviendrez peut-être plus consciente de votre respiration. Certaines femmes se sentent essoufflées à cause des changements hormonaux. La bonne nouvelle, c'est que vous n'aurez pas vos règles. Si vous avez des saignements pendant votre grossesse, consultez tout de suite votre fournisseur de soins de santé.

Le 1ᵉʳ trimestre

Bébé se développe

À la fin du premier trimestre, votre fœtus de 13 semaines mesurera à peu près 9 cm (3,5 pouces) et pèsera environ 48 grammes (1,7 once). Comme le bébé est encore très petit, il aura encore beaucoup d'espace pour bouger librement. Bien qu'il soit très actif, vous ne sentirez pas ses mouvements avant quelque temps encore.

Le corps du bébé est complètement formé, mais il lui faudra encore du temps pour prendre du poids et pour que ses organes arrivent à maturité. À 13 semaines, les doigts et les orteils sont formés. Les os sont plutôt du cartilage (plus mou que les os), mais ils commencent à durcir. La tête semble trop grosse pour le reste du corps. On peut deviner dans sa mâchoire la présence de 32 bourgeons qui deviendront des dents. Le cœur bat environ 140 fois par minute..

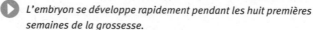
L'embryon se développe rapidement pendant les huit premières semaines de la grossesse.

À quelle fréquence dois-je consulter mon fournisseur de soins de santé?

Pendant votre première visite chez votre fournisseur de soins de santé, on vous fera passer plusieurs tests et on vous examinera de la tête aux pieds. Pendant le reste du premier trimestre, vous devriez consulter votre fournisseur de soins de santé au moins toutes les quatre semaines. Après 30 semaines, on augmente habituellement la fréquence des visites à une toutes les deux ou trois semaines. Après 36 semaines, il faut voir votre fournisseur de soins de santé chaque semaine ou au moins aux deux semaines jusqu'au début du travail.

Votre première consultation prénatale

Vous devriez prendre rendez-vous pour votre première consultation dès que vous apprenez que vous êtes enceinte. Préparez-vous, parce que cet examen est plus approfondi et plus long que ceux qui suivront. Attendez-vous à un examen médical complet. Il pourrait même comprendre un test de grossesse pour confirmer que vous êtes enceinte et un examen physique interne de votre bassin et de vos organes de reproduction.

On vous posera des questions sur vos antécédents médicaux et vos autres accouchements et grossesses. On vous demandera aussi si vos immunisations sont à jour. Si vous avez vu votre fournisseur de soins de santé pendant que vous planifiiez votre grossesse, vous discuterez peut-être des mêmes sujets qu'à ce moment-là. Pendant cette visite, votre fournisseur de soins de santé calculera aussi votre date d'accouchement. Comme nous l'avons vu, cela se fait en comptant à partir du premier jour de vos dernières règles. C'est pourquoi il est si important que vous connaissiez cette date lors de votre première consultation.

Votre fournisseur de soins de santé sait à quel point il est important que vous soyez bien renseignée sur votre grossesse et le développement de votre bébé. Cette visite est aussi un bon moment pour demander comment vous préparer à allaiter. Malheureusement, les consultations prénatales, même cette première longue visite, pourraient ne pas suffire pour aborder tous les sujets. C'est pourquoi on vous invite à vous renseigner en lisant des ouvrages sur le sujet, comme le présent guide, et en suivant des cours prénataux.

La prise de poids

Il faut prendre du poids pendant la grossesse. Ce poids représente la croissance du fœtus et du placenta, de même que les changements qui se produisent dans votre corps, comme l'augmentation du volume sanguin et des liquides, le développement des seins et l'accumulation de certaines réserves de gras.

QUELLE EST MA DATE D'ACCOUCHEMENT PRÉVUE?

On calcule le Grand jour, votre date d'accouchement prévue, en comptant neuf mois et sept jours à partir du premier jour des dernières règles. Maintenant vous savez pourquoi il est si important de connaître les dates de votre cycle mensuel! (Dites-le à vos amies.)

Environ 85 % des bébés naissent dans les sept jours qui précèdent ou qui suivent la date prévue d'accouchement.

RÉPONDEZ À VOS BESOINS
ÉNERGÉTIQUES

Il n'est pas toujours nécessaire que les femmes enceintes augmentent leur apport calorique (le nombre de calories qu'elles prennent) pendant le premier trimestre, mais elles devraient satisfaire leur appétit. Le mieux, c'est de prendre trois repas et trois collations réparties sur toute la journée. Une collation saine comprend des aliments d'au moins deux des quatre groupes alimentaires (comme la moitié d'un sandwich à la dinde et aux tomates sur pain à grains entiers, et un verre de lait).

Au dernier trimestre, vous aurez moins d'appétit parce que votre bébé grossit et appuie sur votre estomac, mais vous devez quand même répondre à vos besoins accrus. Continuez de manger des aliments sains et n'oubliez pas vos trois repas et trois collations.

Le poids à prendre approprié pour vous dépend de votre IMC avant votre grossesse. L'IMC est l'« indice de masse corporelle ». C'est un excellent moyen d'estimer le poids idéal d'une personne selon sa taille. Votre fournisseur de soins de santé peut calculer votre IMC d'après votre taille et votre poids et vous dire si vous avez un surplus de poids, si votre poids est insuffisant ou s'il est idéal. Vous pouvez aussi calculer votre IMC en utilisant cette formule : IMC = poids (kg)/taille (m)^2. La formule de l'IMC ne doit pas être utilisée pour les personnes de moins de 18 ans ni pour les femmes enceintes ou qui allaitent.

Classification du risque pour la santé en fonction de l'indice de masse corporelle (IMC)*		
Classification	Catégorie de l' IMC (kg/m²)	Risque de développer des problèmes de santé
Poids insuffisant	Moins de 18,5	Risque accru
Poids normal	18,5 – 24,9	Moindre risque
Excès de poids	25,0 – 29,9	Risque accru
Obésité, classe I	30,0 – 34,9	Élevé
Obésité, classe II	35,0 – 39,9	Très élevé
Obésité, classe III	Supérieur ou égal à 40,0	Extrêmement élevé

Source : Santé Canada. Lignes directrices canadiennes pour la classification du poids chez les adultes, 2008. Reproduit avec la permission du ministère des Travaux publics et Services gouvernementaux Canada.

Le poids approprié à prendre pendant la grossesse dépend de votre profil de poids. Le tableau (voir la page 43) donne des lignes directrices, mais il pourrait ne pas refléter exactement le risque de prendre **trop de poids.** Des études récentes ont révélé qu'il y a un lien entre une prise de poids moyenne élevée ou excessive chez les femmes enceintes et la probabilité que les enfants qu'elles mettent au monde aient un excès de poids dès l'âge de cinq ans. Les femmes qui prennent trop de poids courent aussi plus de risques d'accoucher de bébés en moins bonne santé, y compris de bébés au poids excessif. Toutefois, ne pas prendre assez de poids pendant la grossesse peut aussi être un problème,

La prise de poids pendant la grossesse*	
IMC avant la grossesse	Prise de poids recommandée
IMC de moins de 19,8	12,5 à 18 kg (28 à 40 lb)
IMC entre 19,8 et 26	11,5 à 16 kg (25 à 35 lb)
IMC entre 26 et 29	7 à 11,5 kg (15 à 25 lb)
IMC supérieur à 29	au moins 6 kg (15 lb)
Grossesse gémellaire (jumeaux)	16 à 20,5 kg (35 à 45 lb)
Autre	Les jeunes femmes (adolescentes) doivent viser une prise de poids se rapprochant des poids les plus élevés pour leur IMC. Les femmes de petite taille (moins de 157 cm) doivent viser des gains se rapprochant des poids les plus bas pour leur IMC.

*Reproduit à partir du tableau 1.1, « Nutrition During Pregnancy: Part I: Weight Gain, Part II: Nutrient Supplements » de la National Academy of Sciences, avec la permission de la National Academies Press, Washington, D.C., v. 1990.

surtout dans le cas des jeunes femmes (adolescentes) qui n'ont pas fini de se développer elles-mêmes.

Le gain de poids recommandé peut changer. Pour obtenir l'information la plus récente sur la prise de poids pendant la grossesse, visitez le site Web de l'Institute of Medicine (www.iom.edu).

Pour plus de détails sur l'alimentation et la grossesse, consultez le chapitre premier.

Les suppléments vitaminiques

Les vitamines prénatales contiennent bon nombre des nutriments supplémentaires dont vous avez besoin pendant la grossesse, comme l'acide folique et le fer. (Consultez le chapitre premier pour plus de détails sur les vitamines.) Si votre régime exclut les aliments d'un groupe alimentaire complet, vous pourriez avoir besoin d'autres suppléments. Mais parlez-en d'abord à votre fournisseur de soins de santé. La meilleure source de nutriments est une saine alimentation.

ÊTES-VOUS UNE PERSONNE AYANT BESOIN DE PLUS DE CALORIES?

☐ J'attends des jumeaux, des triplés ou plus.

☐ Je suis une adolescente.

☐ Je suis très active physiquement.

☐ J'ai déjà eu un bébé de faible poids (qui pesait moins de 5,5 livres à la naissance).

☐ Je suis maigre (mon poids est insuffisant).

☐ Je vis un grand stress émotionnel.

Si vous avez coché l'une des cases ci-dessus, parlez à votre fournisseur de soins de santé. Vous pourriez avoir besoin de plus de calories pendant votre grossesse.

N'oubliez pas vos besoins spéciaux en fer, en acide folique et en acides gras essentiels.

Consultez la section sur l'alimentation au chapitre premier.

POURQUOI VOIR MON FOURNISSEUR DE SOINS DE SANTÉ? JE ME SENS TRÈS BIEN.

On appelle « soins prénataux » les soins médicaux que vous recevez avant la naissance du bébé. Presque 90 % des grossesses et des bébés sont « normaux » et les études démontrent que les femmes qui reçoivent régulièrement des soins prénataux ont des grossesses qui se déroulent mieux et des bébés en santé. Pour aider à vous assurer de faire partie du segment « normal », vous devriez prendre un rendez-vous dès que vous savez que vous êtes enceinte. Prenez vos rendez-vous d'avance, surtout si vous vivez dans une région isolée (consultez l'encadré à la page 47, « Se rendre aux rendez-vous »).

De plus, en apprenant à connaître votre fournisseur de soins de santé, surtout au début de la grossesse, vous vous sentirez plus à l'aise pour lui parler de vos inquiétudes et lui poser des questions ouvertement. En vous examinant régulièrement, votre fournisseur de soins de santé pourra déceler plus tôt les problèmes possibles afin que vous puissiez prendre les mesures nécessaires pour prévenir les ennuis pour vous et votre bébé.

VIVRE SA GROSSESSE SEULE

Est-ce que vous êtes enceinte, mais sans conjoint pour vous soutenir? D'autres personnes peuvent aider, y compris votre famille et vos ami(e)s. Trouvez des gens en qui vous avez confiance avec lesquels vous pouvez parler.

- Dressez une liste des choses pour lesquelles vous avez besoin d'aide. Demandez à des ami(e)s et à votre famille de vous aider.
- Très tôt pendant votre grossesse, demandez à quelqu'un en qui vous avez confiance de vous accompagner pendant le travail et l'accouchement. Vous pouvez toujours changer d'idée plus tard.
- Demandez à quelqu'un de vous accompagner à vos rendez-vous chez votre fournisseur de soins de santé et pour vos analyses ou tests.
- Allez magasiner avec des ami(e)s ou des membres de votre famille pour acheter ce qu'il vous faut pour le bébé... et pour vous!

Si vous êtes une adolescente, parlez à un fournisseur de soins de santé ou à une autre personne-ressource pour vous renseigner sur le soutien que votre communauté peut vous offrir.

Discuter de votre grossesse

Vous devrez parler honnêtement avec votre équipe de soins de santé pendant votre grossesse. Ils vous poseront des questions importantes et vous devriez réfléchir d'avance à la façon dont vous allez y répondre.

- Dites-leur comment vous vous sentez face à votre grossesse.
- Parlez-leur de votre conjoint(e) et du rôle qu'il ou elle pourrait jouer pendant la grossesse.
- Dites-leur si vous vous sentez en sécurité et aimée et parlez du type de lien que vous avez avec votre conjoint.

- Expliquez-leur comment vos parents et vos ami(e)s réagissent à votre grossesse.
- Demandez où les cours prénataux se donnent et ce que vous pouvez faire pour que vous et votre bébé soyez en aussi bonne santé que possible.

N'oubliez pas d'apporter ce guide chaque fois que vous vous rendrez chez votre fournisseur de soins de santé. Nous avons prévu un endroit à la fin du chapitre où vous pourrez noter les questions que vous voulez poser à votre fournisseur de soins de santé, ainsi que les réponses.

Vous attendez des jumeaux... ou plus!

Si vous savez que vous allez donner naissance à des jumeaux, des triplets ou plus encore, vous n'êtes pas seule! Au Canada, 3 % des naissances sont multiples, et ce nombre augmente. Vous vous sentez peut-être excitée et inquiète en même temps. Comment ferez-vous? Vos bébés et vous aurez besoin de quels types de soins? Les petits bonheurs seront nombreux, mais quels sont les risques?

Parce que vous attendez plus d'un bébé, vous aurez besoin d'un soutien et de soins de santé spéciaux pendant votre grossesse. Le plus gros risque est d'accoucher prématurément (consultez la page 81).

La bonne nouvelle est que les systèmes de soins de santé sont bien équipés pour s'occuper des naissances multiples depuis qu'elles sont devenues plus courantes. Il sera important d'obtenir un soutien et des soins de santé dès le début et un suivi régulier pour vous aider à éviter les problèmes pendant la grossesse et à l'accouchement. Votre fournisseur de soins de santé vous recommandera probablement de prendre rendez-vous avec un spécialiste (comme un obstétricien ou un médecin qui se spécialise dans les naissances multiples).

LISTE DES RENSEIGNEMENTS
SUR L'INSCRIPTION, LES
COORDONNÉES, LES DATES ET LES
HEURES DES COURS PRÉNATAUX

Vous pouvez obtenir plus de détails sur les naissances multiples en consultant :

- La Déclaration de consensus de la Société des obstétriciens et gynécologues du Canada, *La prise en charge des grossesses gémellaires,* à www.sogc.org.
- Le site Web de Naissances multiples Canada, à www.multiplebirthscanada.org.
- Le Toronto Centre for Multiple Births du Sunnybrook Hospital à Toronto, au 1-416-323-6340.

Les cours prénataux

Des milliers de femmes et leurs familles participent chaque année à des cours prénataux. Ces cours sont particulièrement utiles aux femmes qui attendent leur premier enfant et aux adolescentes enceintes. De plus, en se renseignant sur la grossesse, les femmes peuvent prendre des décisions plus éclairées concernant leur grossesse et l'accouchement. Les femmes disent qu'elles se sentent plus rassurées lorsqu'elles comprennent les transformations qu'amène la grossesse.

Autrefois, les cours prénataux étaient axés sur les stades du travail et sur la maîtrise de la douleur pendant l'accouchement. Aujourd'hui, ils traitent encore de ces sujets, mais on parle aussi d'autres aspects très importants comme l'allaitement, l'alimentation pendant la grossesse, l'art d'être parent, les signes pouvant annoncer des problèmes et l'exercice pendant la grossesse.

Les cours prénataux peuvent aussi accueillir des conjoints, des personnes de soutien et parfois même des enfants. Lorsque les conjoints assistent aux cours, ils sont sensibilisés à l'évolution de leur relation avec leur partenaire et à leur nouveau rôle de parent. Les enfants sont préparés à l'arrivée d'un nouveau petit frère ou d'une nouvelle petite sœur.

Certains cours prénataux ont été conçus de manière à tenir compte de différences ethniques ou culturelles. Ils peuvent être offerts dans des langues autres que le français ou l'anglais. D'autres cours sont axés sur les besoins des adolescentes ou sont adaptés aux besoins particuliers des communautés autochtones. Certains cours prénataux aident les familles à s'adapter à leur nouveau bébé en examinant des sujets comme l'allaitement, la remise en forme, la sexualité après une grossesse et le développement normal du bébé.

Si cela vous intéresse de suivre des cours prénataux ou postnataux, demandez à votre fournisseur de soins de santé de vous indiquer ceux qui sont offerts dans votre communauté et comment vous y inscrire.

Les voyages pendant la grossesse

Les voyages sont plus faciles avant la 20e semaine de grossesse. Après 20 semaines, la décision de voyager ou non dépend :
• du lieu où vous prévoyez aller;
• du mode de transport que vous utiliserez;
• de la distance que vous aurez à parcourir et
• de la durée de votre séjour (période pendant laquelle vous serez loin de votre domicile et de votre fournisseur de soins de santé).

Un vol rapide, un long voyage en voiture à travers le pays ou un voyage à l'étranger, ce n'est pas la même chose. Avant de planifier un voyage, ne manquez pas de parler à votre fournisseur de soins de santé. Ensuite, emportez avec vous tous les renseignements de base sur votre grossesse, y compris votre groupe sanguin et les résultats de votre dernière échographie. Cette information pourrait vous être utile en cas d'urgence ou si vous faites face à une situation imprévue.

Les rapports sexuels pendant la grossesse

Bon nombre de femmes enceintes constatent un changement de leur niveau de désir sexuel.

SE RENDRE AUX RENDEZ-VOUS

Certains gouvernements provinciaux et territoriaux offrent des subventions aux personnes qui habitent dans une zone éloignée et qui doivent parcourir de longues distances pour obtenir des soins médicaux spéciaux dans un centre urbain. Demandez à votre fournisseur de soins de santé si vous avez droit à de telles subventions.

Les femmes de certains peuples métis, inuits et des Premières Nations peuvent avoir accès au Programme de soins de santé non assurés de Santé Canada qui les aide à payer les frais de voyage pour soins médicaux et d'autres frais de soins de santé pendant la grossesse et l'accouchement. Pour plus de détails sur ce programme, communiquez avec le bureau régional du Programme de soins de santé non assurés, ou visitez son site Web à www.hc-sc.gc.ca.

LE SOMMEIL PENDANT LA GROSSESSE

Ni la Société des obstétriciens et gynécologues du Canada, ni l'American College of Obstetricians and Gynecologists ne recommande une routine de sommeil ou une position particulière pour dormir.

(Consultez la page 94, Les étourdissements lorsque vous êtes étendue sur le dos.)

Dans la plupart des cas, les rapports sexuels ne causent aucun tort au bébé. Cependant, il peut arriver que votre fournisseur de soins de santé vous conseille d'éviter ou de limiter les rapports si vous avez :

• une infection,
• des saignements,
• des pertes de liquide amniotique,
• une rupture de la membrane amniotique.

Selon vos circonstances, vous devriez continuer d'utiliser des condoms pour vous protéger, vous et votre bébé, des infections transmissibles sexuellement.

Cette période spéciale de la vie rapproche certains couples qui continuent d'avoir des relations sexuelles satisfaisantes jusqu'à quelque temps avant la naissance de leur bébé. Chez d'autres couples, la tension créée par tous les changements s'installe dans la relation. Ils trouvent que les rapports sexuels ne sont plus aussi satisfaisants qu'avant la grossesse. Le conjoint peut craindre que les rapports fassent du tort au bébé. Si vous ou votre conjoint éprouvez un inconfort face à l'idée d'avoir des relations sexuelles, trouvez le temps de partager d'autres formes de contacts physiques. Vous pouvez, par exemple, vous caresser, vous tenir par la main, vous donner des massages ou prendre un bain ensemble.

Si l'idée ne vous déplaît pas, profitez-en pour essayer des formes de rapports autres que vaginaux, comme la masturbation ou les rapports sexuels oraux. Un petit conseil au sujet des rapports oraux : avertissez votre partenaire de **ne pas souffler d'air dans votre vagin**. Cela pourrait introduire de l'air dans votre système circulatoire, ce qui pourrait être fatal pour vous et votre bébé.

L'exercice pendant la grossesse

Que vous soyez enceinte ou non, l'exercice est bon pour vous. Toutefois, il est important de ne pas en faire trop. Nous vous suggérons d'essayer différentes formes d'exercice qui peuvent être intégrées à votre routine quotidienne : des exercices d'aérobie (en modération), l'entraînement musculaire, le yoga et le tai-chi.

Les exercices d'aérobie

On appelle aérobie tout exercice qui fait battre votre cœur plus vite que lorsque vous êtes au repos. Ces exercices comprennent la marche rapide, le jogging, la bicyclette, la natation et les sports d'équipe.

Si vous étiez active avant de devenir enceinte, vous pourrez probablement continuer à faire les mêmes exercices, ou des exercices un peu moins difficiles. Discutez de votre programme d'exercice avec votre fournisseur de soins de santé au début de votre grossesse pour vous assurer que votre état de santé permet les exercices vigoureux. La plupart des coureuses peuvent continuer de courir une fois enceinte sans faire du tort à leur bébé en croissance. Une douleur au pubis est un signe que votre corps ne s'adapte pas bien à la course et que vous devriez arrêter.

L'exercice est bon pour la mère et l'enfant et vous pouvez commencer à en faire pendant le deuxième trimestre sans craindre une fausse-couche ou des problèmes au moment du travail. Si vous ne faisiez pas d'exercice physique au moins deux ou trois fois par semaine avant de devenir enceinte, vous devriez attendre le deuxième trimestre pour entamer un programe d'exercice. Veuillez discuter de vos choix avec votre fournisseur de soins de santé avant de commencer.

Pour savoir si vous en faites trop, tentez le « test de la conversation ». C'est très simple : vous devriez toujours être capable de parler en faisant vos exercices. Sinon, réduisez le niveau d'effort.

Une fois que votre fournisseur de soins de santé vous aura donné le feu vert, allez-y. Marchez, faites de la natation ou participez à des cours de conditionnement physique. Certains cours sont conçus pour les femmes enceintes et les nouvelles mamans. Si vous participez déjà à un cours d'aérobie, parlez à votre instructeur des exercices que vous devriez peut-être éviter (les exercices avec sauts ou ceux qui mettent trop de pression sur le bas du dos).

DANS QUELLES CONDITIONS EST-IL RISQUÉ DE FAIRE DE L'EXERCICE?

En lisant cette liste, cochez tous les énoncés qui s'appliquent à vous.

☐ *J'ai des problèmes cardiaques.*

☐ *J'ai de graves problèmes pulmonaires et des difficultés à respirer.*

☐ *Ma tension artérielle est élevée.*

☐ *J'ai eu des saignements vaginaux pendant cette grossesse.*

☐ *Il n'y a pas assez de fer dans mon sang. (Je fais de l'anémie).*

☐ *J'attends plus qu'un bébé.*

☐ *J'ai de la difficulté à régulariser le taux de sucre dans mon sang.*

☐ *Je m'inquiète des niveaux de sucre dans mon sang.*

☐ *Mon fournisseur de soins de santé m'a dit que le fœtus est trop petit pour son âge.*

☐ *Mon risque de travail prématuré est élevé.*

☐ *Mon poids est beaucoup plus bas que la normale ou on m'a diagnostiqué un trouble alimentaire.*

☐ *Je soupçonne une rupture des membranes.*

Si vous avez coché l'une des cases ci-dessus, vous ne devriez pas faire de l'exercice pendant votre grossesse avant d'avoir discuté de votre état avec votre fournisseur de soins de santé.

L'entraînement en force musculaire

Le développement et l'entretien de la masse musculaire sont une partie importante de tout programme d'exercice. Mais soyez prudente! N'oubliez pas de respirer continuellement et régulièrement pendant chaque partie du mouvement avec des poids. Parlez à votre fournisseur de soins de santé avant de commencer ou de continuer un programme d'entraînement avec des poids.

Pour obtenir plus de conseils sur l'exercice pendant la grossesse, communiquez avec la ligne d'assistance Exercise and Pregnancy au 1-866-93-SPORT (77678). Ce service est fourni par des médecins, des physiothérapeutes et des thérapeutes en sport du centre Sport C.A.R.E. du Women's College Hospital, affilié au programme *Motherisk* du Hospital for Sick Children. La ligne d'aide est un système de messagerie vocale qui vous permet de poser des questions sur l'exercice pendant la grossesse. Dans les 24 heures qui suivent, un médecin en médecine sportive ou un thérapeute spécialisé dans le domaine vous rappellera. Ces professionnels peuvent vous aider à déterminer les exercices qui sont sécuritaires pour vous et vous fournir des documents d'information.

Règles à suivre lorsque vous faites de l'exercice

Les exercices d'aérobie

Ces exercices font appel aux grands muscles. Ils comprennent la marche, la course, la natation, la bicyclette stationnaire, les exercices d'aérobie à faible intensité, le ski de fond et l'aquaforme.

- Pendant votre grossesse, vos séances d'exercice d'aérobie ne devraient pas durer plus de 30 à 40 minutes, y compris la période de réchauffement et de récupération. La période de réchauffement sert à donner à votre corps le temps de s'adapter à l'augmentation du rythme cardiaque et de la circulation. Le mieux est de commencer lentement, à faible intensité, puis d'augmenter graduellement le niveau d'activité pendant 5 à 8 minutes. Si vous êtes une coureuse, vous devriez commencer par 5 à 8 minutes de marche à vitesses variables pour augmenter progressivement votre rythme. La récupération prendra aussi 5 à 8 minutes et doit inclure des respirations profondes et des étirements lents pour ramener les rythmes cardiaque et respiratoire à la normale.

- Prenez des pauses lorsque vous en sentez le besoin. Cherchez à garder votre fréquence cardiaque (nombre de battements de cœur par minute) près de la limite inférieure recommandée pour les femmes de votre âge. Faites le « test de la conversation » pour voir si vous en faites trop.
- Buvez un verre d'eau à chaque séance d'exercice. Vous pouvez le boire 30 minutes avant ou tout de suite après la séance. L'important, c'est de demeurer bien hydratée chaque jour et non pas seulement lorsque vous faites de l'exercice.
- Soyez prudente lorsque vous pratiquez un sport qui exige de l'équilibre et de la coordination. Pendant la grossesse, votre centre de gravité se déplace continuellement.
- Évitez les sports de contact et les activités qui pourraient causer une chute ou un coup, comme le ski alpin, l'alpinisme, le hockey en salle, le ski nautique et le soccer.

L'entraînement en force musculaire

Évitez les exercices qui vous obligent à retenir votre souffle tout en fournissant un effort de poussée, comme dans les programmes intensifs de poids et haltères.

Après le quatrième mois de grossesse, vous devriez changer vos exercices abdominaux. Arrêtez de les faire étendue sur le dos. Couchez-vous plutôt sur le côté ou faites l'exercice en position debout.

Évitez de trop étirer vos ligaments et tendons. Ceci devient plus probable parce qu'ils deviennent plus flexibles à cause des hormones de grossesse. On n'a pas fait d'études sur le yoga et les exercices Pilates pendant la grossesse. S'ils savent que vous êtes enceinte, les

---

QUELQUES RECOMMANDATIONS AU SUJET DES EXERCICES

- *Évitez l'activité physique dans des milieux chauds et humides, surtout durant le premier trimestre.*
- *Évitez l'exercice isométrique ou qui demande un gros effort pendant que vous retenez votre respiration.*
- *Mangez bien et buvez suffisamment. Prenez des liquides avant et après l'entraînement.*
- *Évitez les exercices en position couchée sur le dos après le quatrième mois de grossesse.*
- *Évitez les activités qui impliquent un contact physique ou celles où il y a risque de chute.*
- *Connaissez vos limites. Il n'est pas recommandé de s'entraîner à des fins compétitives pendant la grossesse.*
- *Connaissez les raisons d'arrêter l'entraînement et consultez tout de suite un professionnel qualifié de la santé si elles apparaissent.*

Source : Questionnaire médical sur l'aptitude à l'activité physique pour femmes enceintes (X-AAP pour femmes enceintes) © 2002. Utilisé avec la permission de la Société canadienne de physiologie de l'exercice, www.csep.ca. Si vous avez accès à l'Internet, vous pouvez télécharger le questionnaire complet à partir de l'adresse suivante : http://www.csep.ca/CMFiles/publications/parq/X-AAPenceintes.pdf.

LES BASCULES DU BASSIN PEUVENT AIDER À RÉDUIRE LES MAUX DE DOS

Faites cet exercice simple deux ou trois fois par jour. Il raffermira vos muscles abdominaux et soulagera la pression exercée sur votre dos.

- *Étendez-vous sur le plancher et détendez votre dos.*

- *En expirant, poussez vos fesses vers l'avant et basculez le bassin vers le haut en gardant le bas du dos collé au plancher.*

- *Maintenez la position en comptant jusqu'à trois, puis inspirez et détendez-vous.*

- *Répétez l'exercice cinq fois.*

Bascule du bassin

instructeurs qualifiés vous suggéreront des ajustements des positions pour assurer votre sécurité.

Les muscles les plus importants à tonifier lorsqu'on est enceinte sont les muscles du plancher pelvien. (Consultez la section ci-dessous pour vous renseigner sur les exercices de Kegel.) Ils aident à renforcer la région pelvienne et le tronc. La stabilité du tronc réduit la pression qui s'exerce sur le plancher pelvien et empêche votre corps de trop utiliser les muscles de cette région de votre corps.

Au gymnase ou au centre de conditionnement

Évitez les exercices qui exigent beaucoup d'effort du bas du dos. Gardez toujours une bonne posture.

Aussi, faites toujours attention pour ne pas trop faire augmenter la température de votre corps, surtout si vous faites vos exercices dans des endroits chauds et humides (à l'intérieur ou à l'extérieur). Ceci peut se produire si vous utilisez des cuves thermales, des saunas ou des bains de vapeur. Ceci peut faire augmenter la température du corps de votre bébé, ce que vous devez éviter. Buvez beaucoup de liquides si vous faites de l'exercice par temps chaud.

Les exercices de Kegel pour raffermir les muscles du tronc et du périnée

Les exercices de Kegel raffermissent les muscles qui entourent le périnée (région située entre le vagin et le rectum). Ils vous préparent à l'accouchement, et en plus, ils peuvent prévenir l'incontinence urinaire à l'effort, soit les « accidents » qui arrivent lorsque vous tousser, riez ou faites un effort. En les pratiquant régulièrement, vous allez prendre une bonne habitude qui vous sera utile toute votre vie. Ces exercices vous aideront à retrouver votre forme après l'accouchement et à prévenir les problèmes d'incontinence lorsque vous serez plus âgée.

1. Confortablement assise ou debout, détendez-vous.

2. Localisez les muscles du périnée. Ce sont les mêmes muscles dont vous vous servez lorsque vous essayez de retenir votre urine ou vos selles. Contractez-les.

3. Maintenez la contraction pendant cinq à dix secondes.

4. Ne retenez pas votre souffle; continuez à respirer normalement.

5. Les muscles du ventre et ceux des fesses doivent rester détendus.

6. Maintenant, relâchez la contraction pendant environ 10 secondes.

7. Répétez la séquence contraction-maintien-relâchement de 12 à 20 fois.

À quoi servent tous ces tests?

Pendant votre première consultation prénatale, votre fournisseur de soins de santé recommandera une série d'analyses de laboratoire. Ces analyses permettent de prévoir les risques auxquels vous et votre bébé êtes exposés. Elles peuvent comprendre les tests suivants :

Analyses du sang

Le nombre d'analyses dépendra de vos antécédents médicaux. En voici la liste complète :

- **Groupe sanguin et dépistage des anticorps :** pour déterminer votre groupe sanguin et votre facteur rhésus (Rh). Elle permet aussi de déceler des anticorps inhabituels dans votre sang. (Voir « Le groupe sanguin et le facteur Rh » à la page 58).
- **Hémoglobine :** pour vérifier la capacité de votre sang d'absorber assez de fer et d'oxygène. (Voir « Qu'est-ce que l'anémie? », à la page 28.)
- **Antigène de surface de l'hépatite B :** pour voir si vous avez été exposée à l'hépatite B. (Voir « L'hépatite B » à la page 60.)
- **VIH :** pour vérifier si vous avez été contaminée par le VIH, le virus qui cause le sida. (Voir « Le VIH et le sida » à la page 62.)

LES MALADIES GÉNÉTIQUES ET ANOMALIES CONGÉNITALES

Vous vous souvenez de la conversation que vous avez eue concernant vos antécédents médicaux au début de votre grossesse? Eh bien, vous devriez aussi vous renseigner sur les antécédents médicaux de votre famille et de la famille du père de votre enfant, et ce, avant la neuvième semaine de grossesse. Parlez à votre fournisseur de soins de santé si un membre de l'une ou l'autre famille est né avec une des anomalies ou maladies suivantes :

☐ *Anomalie congénitale du cœur*

☐ *Spina bifida*

☐ *Anencéphalie*

☐ *Fente palatine (bec de lièvre)*

☐ *Pied bot*

☐ *Maladie de Huntington*

☐ *Doigts ou orteils supplémentaires*

☐ *Drépanocytose (ou anémie falciforme)*

☐ *Maladie de Tay-Sachs*

☐ *Fibrose kystique*

☐ *Thalassémie*

☐ *Hémophilie*

☐ *Dystrophie musculaire*

☐ *Syndrome de l'X fragile*

☐ *Syndrome de Down (trisomie 21)*

☐ *Autre* _____

• **Titre d'anticorps rubéoleux :** pour voir si vous êtes immunisée contre la rubéole. (Voir « La rubéole ou la varicelle (la « picote ») » à la page 60.)

• **Varicelle :** pour voir si vous êtes immunisée contre ce virus. Si vous avez eu la varicelle quand vous étiez plus jeune, votre corps sera immunisé et vous n'aurez pas besoin de cette analyse. (Voir « La rubéole ou la varicelle (la « picote») » à la page 60.)

• **Dépistage de la syphilis :** pour voir si vous avez été exposée à la syphilis, une infection transmissible sexuellement.

Test de Pap : pour dépister le cancer du col de l'utérus ou des cellules anormales qui pourraient causer ce cancer.

Analyse d'urine : pour vérifier le taux de sucre et de protéines dans votre urine et déceler toute infection urinaire. Ces infections peuvent être traitées. Si elles ne le sont pas, le risque de travail prématuré augmente.

Le dépistage génétique

Lorsqu'un problème de santé est ***héréditaire***, cela signifie qu'il est transmis par les gènes de la mère ou du père de l'enfant, tout comme la couleur des yeux ou des cheveux. On peut parfois déceler ces types de problèmes de santé au moyen d'analyses spéciales pour lesquelles vous devrez consulter un spécialiste en génétique.

Pendant votre première consultation prénatale, votre fournisseur de soins de santé vous parlera :

• d'analyses du sang pour déceler certaines maladies génétiques, et
• d'échographies.

Près de 90 % des grossesses au Canada se terminent par la naissance d'un bébé en santé. Toutefois, s'il y a des problèmes ou des risques, le fait de le savoir avant la naissance du bébé peut aider les familles et les fournisseurs de soins de santé à planifier les soins médicaux ou traitements spéciaux qui pourraient être nécessaires.

Au Canada, le dépistage génétique est offert à toutes les femmes. Le type de dépistage qui sera effectué dépend des programmes de dépistage qui sont offerts dans votre région.

Le dépistage peut se faire au moyen d'analyses du sang et d'échographies, ou des deux. D'autres tests peuvent être nécessaires si vous semblez courir plus de risques d'avoir un enfant ayant certains types de maladies ou de problèmes médicaux.

Les analyses sont importantes. Certaines se font « systématiquement », soit pour toutes les grossesses. D'autres le sont seulement lorsque certains détails sont nécessaires pour déceler une maladie. Plusieurs sont dispendieuses. Si l'on faisait toutes les analyses pendant toutes les grossesses, on surchargerait rapidement notre système de soins de santé.

Votre fournisseur de soins de santé vous dira aussi qu'aucune analyse n'est parfaitement précise et qu'aucune analyse ne peut déceler toutes les maladies possibles. Vous devez savoir que ces analyses comportent des avantages, mais aussi certains risques. Par exemple, pour certaines analyses, on a besoin d'un échantillon de tissu ou de fluide du bébé. Pour l'obtenir, on peut avoir à insérer une aiguille dans votre ventre pour prélever l'échantillon. Ceci se fait couramment, mais comporte un faible risque. Votre fournisseur de soins de santé discutera avec vous du besoin de certaines analyses et des risques qu'elles comportent, puis vous fera une recommandation. Ceci dit, c'est vous qui devrez décider de passer le test ou non.

Des tests pour vérifier l'état de santé de votre bébé avant sa naissance

Il y a plusieurs types de tests servant à vérifier le développement de votre bébé. Certains sont offerts à toutes les femmes au début et tout au long de la grossesse (comme les échographies). D'autres, comme l'amniocentèse, sont seulement proposés s'il y a une raison particulière de s'inquiéter ou un risque possible. Certains tests comportent un faible risque pour la mère ou le bébé et d'autres sont très coûteux. Ne vous attendez pas à ce que votre fournisseur de soins de santé vous fasse passer un test à moins que vous en ayez besoin.

L'échographie

La plupart des gens ont entendu parler de l'échographie (parfois appelée « ultrason »). Ce qu'il faut savoir, c'est qu'on ne doit l'utiliser que pour des raisons médicales, et non pas pour en tirer des bénéfices commerciaux ou comme divertissement. Un des buts de l'échographie est de confirmer la date d'accouchement prévue. On vous recommande de subir une échographie au moins une fois, habituellement à la 18e semaine de grossesse.

L'échographie utilise des ondes sonores pour créer une image de votre bébé sur un écran d'ordinateur. Votre famille, vos fournisseurs de soins de santé et vous pourrez voir une image ombragée du bébé en temps réel. L'échographie sert aussi à :

- voir la position du bébé;
- vérifier le développement et le bien-être du bébé;
- déterminer l'endroit où le placenta est accroché à l'utérus;
- déterminer s'il y a plus d'un bébé;
- déceler certaines anomalies.

L'échographie utilise des ondes sonores qui traversent sans danger les tissus de votre organisme pour créer des images. Le technicien en échographie applique un gel sur votre ventre. Ce gel facilite le mouvement sur votre peau d'un petit appareil appelé sonde (qui émet les ondes sonores et reçoit les images pour les transmettre à l'écran et vous montrer votre bébé). Vous sentirez peut-être une légère pression sur votre ventre, mais vous ne ressentirez aucune douleur. La plupart des examens par échographie durent environ 30 minutes. Si votre fournisseur de soins de santé a demandé que le technicien obtienne plus de détails au moyen de l'échographie, le test peut durer plus longtemps.

ÉCHOGRAPHIE

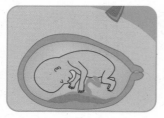

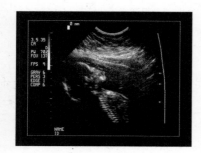

Avant de passer une échographie, vous apprendrez comment vous préparer et où aller pour subir cet examen. Il se peut qu'on vous demande d'arriver avec la vessie pleine. Ceci aide les ondes sonores à traverser la peau et les tissus pour créer une meilleure image de votre bébé.

Dans certains cas, l'examen par échographie devra se faire par le vagin. Le technicien en échographie utilise une sonde spéciale qui est insérée dans le vagin. Ceci ne devrait pas être douloureux.

Le dépistage sérique maternel (DSM)

Vous avez peut-être déjà entendu parler du DSM, une analyse du sang qui mesure les « marqueurs », des substances dans le sang de la mère. Des niveaux élevés de ces marqueurs peuvent être un signe que le bébé risque d'avoir certaines anomalies. Des résultats positifs indiquent seulement un risque plus élevé. Il faudra faire d'autres analyses pour le confirmer. Si le DSM est offert dans votre région, votre fournisseur de soins de santé vous remettra de la documentation pour vous aider à décider si vous voulez subir ce test.

La clarté nucale

Ce type d'échographie spéciale est offert dans certaines régions pour dépister le syndrome de Down. On fait passer le test entre la 11e et la 14e semaine de grossesse. Il sert à mesurer l'épaisseur de la couche de fluide dans la nuque (l'arrière du cou) du bébé. Si la couche est plus épaisse que la moyenne, il y a un risque accru que le bébé ait le syndrome de Down. Dans ce cas, on offrira alors à la femme de subir un test appelé amniocentèse (consultez la page 58). L'amniocentèse et le DSM peuvent tous deux être utilisés pour établir un diagnostic plus exact concernant certaines maladies génétiques.

La biopsie chorionique (BC)

Il s'agit d'un autre test pour dépister les maladies génétiques. Celui-ci est effectué entre la 10e et la 12e semaine de grossesse. Le médecin

BIOPSIE CHORIONIQUE

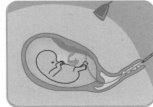

utilise l'échographie pour introduire une petite aiguille de manière sécuritaire à travers le col ou le ventre pour accéder au placenta afin de prendre un échantillon de cellules spéciales (appelées villosités chorioniques).

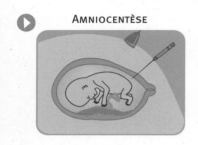

AMNIOCENTÈSE

L'amniocentèse

On peut dépister plusieurs maladies génétiques ou héréditaires en prenant un échantillon du liquide amniotique qui entoure le bébé. Ce test est habituellement effectué après la 14e semaine de grossesse. Une aiguille très fine est insérée dans l'utérus à travers le ventre. Le médecin se sert de l'échographie pour trouver un endroit sécuritaire où introduire l'aiguille. Il faut parfois attendre jusqu'à quatre semaines pour obtenir les résultats complets de ce test.

La prise d'échantillons des tissus et du sang du fœtus

Les médecins peuvent utiliser d'autres tests pour obtenir des échantillons de tissus du fœtus (de la peau, du foie, de l'abdomen ou d'autres organes). Comme pour l'amniocentèse, le médecin utilise l'échographie pour introduire une petite aiguille dans la zone à étudier du corps du fœtus ou du cordon ombilical (pour obtenir un échantillon de sang).

Le groupe sanguin et le facteur Rh

Vous devez connaître votre groupe sanguin lorsque vous êtes enceinte. On déterminera votre groupe sanguin pendant la première série de tests. Pourquoi? Bien qu'il soit improbable que vous ayez besoin d'une transfusion de sang pendant votre grossesse ou l'accouchement, si jamais cela se produisait, les fournisseurs de soins de santé doivent savoir quel type de sang vous donner. Il y a quatre groupes sanguins : O, A, B et AB. Le groupe sanguin O est le plus courant en Amérique du Nord.

Vous avez peut-être aussi entendu parler du « facteur Rh » qu'on trouve dans le sang. Tout le monde a dans son sang un antigène Rh positif ou Rh négatif.

Le groupe sanguin et le facteur Rh d'un bébé dépendent des groupes sanguins et facteurs Rh des parents, tout comme la couleur des yeux, de la peau ou des cheveux. Un bébé peut avoir le groupe sanguin et le facteur Rh de l'un ou l'autre parent, ou une combinaison des groupes et facteurs de ses deux parents.

Seulement 15 % de la population a le type d'antigène Rh négatif. Des problèmes peuvent avoir lieu si la mère a le type Rh négatif et le bébé est Rh positif. Autrefois, cette incompatibilité du sang pouvait causer la maladie du facteur Rh et pouvait même causer la mort du bébé. Aujourd'hui, les fournisseurs de soins de santé savent comment prévenir la maladie du facteur Rh et elle est devenue très rare. Si l'analyse de votre sang montre que la maladie du facteur Rh est possible dans votre cas, on vous administrera de l'immunoglobuline anti-Rh (IgRh) entre la 28e et la 32e semaine de grossesse, ainsi qu'après la naissance du bébé ou à n'importe quel moment pendant la grossesse s'il y a des saignements.

L'érythème infectieux aigü (cinquième maladie)

L'érythème infectieux aigü (cinquième maladie) est une infection virale courante chez les enfants. Il est causé par le parvovirus B19. Habituellement, il n'est pas grave du tout chez les enfants et se limite souvent à des rougeurs sur le visage, le tronc, les bras et les jambes. Si vous êtes enceinte et si vous vous trouvez souvent en présence de jeunes enfants, vous pourriez être exposée à la maladie. Toutefois, plus de la moitié des femmes ont déjà été atteintes et sont donc immunisées contre elle. La fièvre, des rougeurs et des douleurs aux jointures sont des symptômes de la maladie. La plupart des femmes n'ont pas de symptômes et aucune complication grave. Dans de très rares cas, le virus peut infecter un fœtus et provoquer la maladie ou le décès.

Si une femme enceinte est exposée à l'infection au parvovirus ou en a les symptômes, elle devrait subir des tests sanguins pour voir si elle

EST-CE QUE JE RISQUE D'AVOIR L'HÉPATITE B?

☐ *J'ai reçu une transfusion de sang ou des produits sanguins pour traiter un trouble de coagulation.*

☐ *J'ai eu plus d'un partenaire sexuel.*

☐ *Je me suis injecté des drogues.*

☐ *J'ai partagé les aiguilles d'autres personnes quand je me suis injecté des drogues.*

☐ *Mon travail m'oblige à manipuler du sang ou des produits sanguins.*

☐ *Je suis née en Asie.*

Si vous avez coché une ou plusieurs de ces cases, vous courez plus de risques d'avoir l'hépatite B.

Si vous avez l'hépatite B, votre bébé peut être protégé par un vaccin.

est immunisée contre l'infection. Certaines femmes courent plus de risques de contracter l'infection, comme les éducatrices de garderie, les enseignantes et les mères de jeunes enfants. Toutefois, il n'existe aucune preuve qui indique que quitter son emploi réduit le risque d'être infectée. Si vous passez beaucoup de temps avec des enfants, lavez-vous souvent les mains pour aider à réduire le risque d'infection. Si vous êtes enceinte et croyez avoir été exposée à ce virus, consultez votre fournisseur de soins de santé.

La rubéole ou la varicelle (la « picote »)

La rubéole et la varicelle peuvent toutes deux nuire gravement à un bébé en croissance. Voilà pourquoi il est préférable de vous assurer d'être immunisée contre ces maladies avant de devenir enceinte. Si vous vous faites vacciner avant de devenir enceinte, attendez au moins un mois avant d'essayer de concevoir.

Si vous n'êtes pas immunisée contre la rubéole ou la varicelle et que vous êtes enceinte, votre fournisseur de soins de santé discutera avec vous de vos risques et options. Les femmes enceintes doivent éviter de se faire immuniser contre la rubéole ou la varicelle; toutefois, vous pouvez vous faire vacciner après l'accouchement.

L'hépatite B

Il y a plusieurs types d'hépatite, une infection causée par un virus qui attaque le foie. C'est l'hépatite B qui peut nuire au bébé pendant la grossesse. Elle peut être transmise sexuellement ou par la mère à son bébé pendant l'accouchement. C'est la forme d'hépatite la plus grave qu'on puisse contracter pendant la grossesse. La maladie atteint une personne sur 250. On la retrouve plus souvent chez les personnes ayant récemment immigré de l'Asie au Canada.

Bon nombre de personnes ayant l'hépatite B n'ont pas de symptômes et ne savent même pas qu'elles en sont atteintes. Ce sont des porteurs chroniques qui peuvent transmettre l'hépatite B aux autres. Chez un faible pourcentage de ces porteurs chroniques, l'infection deviendra une très grave maladie du foie qui peut être mortelle.

S'ils ne sont pas traités, environ 50 % des bébés nés de mères dont des tests confirment qu'elles sont contaminées à l'hépatite B sont aussi infectés. Cela arrive souvent pendant l'accouchement ou l'allaitement. Sans traitement, un grand nombre de ces bébés deviendront aussi des porteurs chroniques et quelques-uns auront des problèmes de santé de longue durée.

Heureusement, les bébés nés de mères ayant l'hépatite B peuvent être traités peu après leur naissance. On leur administre de l'immunoglobuline antihépatite B ainsi qu'un vaccin contre l'hépatite B. Grâce à ce traitement, 95 % de ces bébés ne seront pas infectés et ne deviendront donc pas des porteurs.

L'herpès

L'herpès est un virus qui cause les boutons de fièvre (« feux sauvages ») et des infections des organes génitaux. Au moins 10 % de la population a une des deux formes du virus qu'on appelle herpès simplex (VHS). Bien que le virus ne risque pas de causer la mort chez les adultes, il se transmet facilement entre partenaires sexuels et peut causer une infection douloureuse et gênante. Il importe que les femmes enceintes soient bien renseignées sur l'herpès parce que le virus peut infecter leur bébé pendant l'accouchement et avoir de graves effets.

L'herpès simplex virus type I est le type le plus courant, celui qui cause les boutons de fièvre sur le visage, principalement sur les lèvres. L'autre type, l'herpès simplex virus type II, atteint les organes génitaux des hommes et des femmes. Toutefois, l'un ou l'autre type d'herpès peut infecter le visage ou les organes génitaux.

Quels risques l'herpès représente-t-il pour votre bébé?

C'est pendant l'accouchement que votre bébé court le risque le plus élévé. Il peut contracter l'herpès néonatal si vous avez l'herpès. Bien que ceci soit rare, cette infection peut mettre sa vie en danger et causer des infections de la peau, des yeux et de la bouche et endommager son système nerveux central et d'autres organes internes.

Que devez-vous faire si vous ou votre partenaire avez l'herpès?

Si vous soupçonnez que vous ou votre partenaire avez l'un ou l'autre type d'herpès, vous devriez en informer votre fournisseur de soins de santé. Vous devez aussi éviter d'avoir des relations sexuelles vaginales et orales avec des partenaires qui ont, ou que vous soupçonnez avoir, une poussée active d'herpès.

C'est lorsque la mère est infectée par l'herpès génital pour la première fois, peu de temps avant l'accouchement, que le bébé court le plus de risques. Si vous avez l'herpès génital, votre fournisseur de soins de santé pourrait vous suggérer de prendre des médicaments antiviraux pendant les quatre dernières semaines de votre grossesse. Ceci réduira le risque d'une crise au moment de l'accouchement. Si une telle crise se produit à ce moment-là, alors on vous recommandera probablement un accouchement par césarienne.

Le VIH et le sida

C'est dans les liquides corporels des personnes infectées qu'on trouve le virus de l'immunodéficience humaine (VIH). Ces liquides comprennent le sperme, le sang, les sécrétions vaginales et le lait maternel. Le VIH cause des infections et maladies qui endommagent les systèmes nerveux et immunitaires chez l'humain. Le VIH peut finir par causer le syndrome d'immunodéficience acquise (sida), le nom de la maladie causée par le VIH qui peut être mortelle.

Les symptômes du VIH peuvent ne pas apparaître avant cinq ans ou plus. Beaucoup de personnes infectées ne savent pas qu'elles sont atteintes, mais le VIH peut être détecté par une simple analyse du sang. La plupart du temps, c'est pendant l'acte sexuel que le virus est transmis d'une personne infectée à une qui ne l'est pas. Toutefois, le virus peut aussi entrer dans la circulation sanguine au moyen d'une seringue contaminée. Vous courez donc un risque de contamination si vous utilisez les seringues d'un usager de drogues séropositif. Il est très rare que le virus soit transmis par une transfusion sanguine. Au Canada, le risque est très faible depuis qu'on dépiste la maladie au moyen d'un contrôle minutieux des réserves de sang.

Pour réduire votre risque d'infection par le VIH, vous pouvez :

• poser des questions sur les antécédents sexuels de votre partenaire avant d'avoir des contacts sexuels, et
• limiter le nombre de partenaires sexuels.

L'idéal serait d'utiliser un condom pendant au moins les six premiers mois après le début d'une nouvelle relation. Au bout de cette période, et après deux résultats négatifs à des tests de dépistage du VIH chez les deux partenaires, vous pouvez probablement arrêter d'utiliser des condoms, pourvu que vous ayez subi des tests pour dépister d'autres infections transmissibles sexuellement et qu'aucun des deux n'a d'autres partenaires sexuels. Si vous vous injectez des drogues, ne partagez jamais les seringues.

Le nombre de femmes en âge d'avoir des enfants qui sont infectées par le VIH (séropositives) augmente. Une femme enceinte peut transmettre le virus à son enfant pendant la grossesse, l'accouchement ou l'allaitement. Les femmes séropositives peuvent grandement réduire le risque que leur bébé contracte le virus (jusqu'à seulement 1 %) si elles se font traiter tout au long de la grossesse et du travail et si le bébé reçoit un traitement pendant les six premières semaines de vie.

Voilà pourquoi il est important que toutes les femmes enceintes, ou qui veulent le devenir, subissent un test de dépistage du VIH. C'est votre choix. Au Canada, on offre le dépistage du VIH à toutes les femmes enceintes pendant leur grossesse.

Le diabète

Certaines femmes deviennent diabétiques pendant leur grossesse. Le chapitre trois traite de ce type de diabète, appelé ***diabète gestationnel***. Le diabète est une maladie qui fait en sorte que le corps ne produit pas d'insuline ou ne l'utilise pas comme il faut.

Les deux formes les plus courantes de diabète, de type 1 et de type 2, touchent autant les hommes que les femmes. Le diabète survient lorsque le pancréas d'une personne diabétique ne produit pas suffisamment d'insuline. L'insuline est une hormone qui dit aux cellules comment transformer les sucres et les amidons en énergie. Sans cette forme d'énergie, la vie ne peut exister.

Types de diabète	
Type 1	*Type 2*
Se produit lorsque le pancréas ne produit pas du tout d'insuline.	*Se produit lorsque le pancréas ne produit pas assez d'insuline ou lorsque l'organisme ne peut pas utiliser l'insuline correctement.*
↓	↓
Une personne ayant le diabète de type 1 doit s'injecter de l'insuline pour permettre au glucose (sucres provenant des aliments) de pénétrer les cellules et de donner de l'énergie au corps.	*Une personne ayant le diabète de type 2 peut arriver à contrôler son sucre sanguin (niveaux de glucose) en ayant une bonne alimentation et en faisant régulièrement de l'exercice pour utiliser le surplus de glucose.*

Si vous avez le diabète de type 1 (insulinodépendant)

Les personnes ayant le diabète de type 1 doivent vérifier chaque jour le taux de glucose dans leur sang, puis s'injecter la bonne quantité d'insuline pour que les niveaux restent normaux. Certaines personnes ont de la difficulté à bien contrôler leur taux de glucose sanguin. Lorsqu'une femme qui doit utiliser l'insuline devient enceinte, ceci devient encore plus difficile.

Il est très important de bien contrôler les taux de glucose sanguin pour avoir une grossesse saine, surtout pendant le mois où le bébé est conçu et durant le premier trimestre. Les bébés nés de mères dont le taux de sucre dans le sang n'a pas été surveillé de près pendant leur grossesse risquent d'avoir un poids anormalement élevé (4,5 kg ou 10 lb), d'être difficiles à mettre au monde ou encore, d'avoir des anomalies congénitales. Pendant votre grossesse, adoptez un régime alimentaire équilibré qui comprend trois repas et trois collations par jour, évitez le sucre et faites de l'exercice pour aider à maintenir votre santé et celle de votre bébé.

Une femme qui a le diabète doit être surveillée par une équipe de soins de santé qui devrait comprendre un spécialiste du diabète. À mesure que la grossesse progresse, l'équipe doit s'assurer de bien contrôler le taux de sucre dans le sang.

La santé dentaire

Les changements hormonaux qui se produisent pendant la grossesse peuvent avoir un effet sur vos dents et vos gencives. Certaines femmes remarquent que leurs gencives enflent et peuvent même saigner. Il est important d'aller à vos rendez-vous réguliers chez votre dentiste, de vous brosser les dents et d'utiliser la soie dentaire régulièrement. De nouvelles recherches démontrent que les femmes enceintes ayant des caries dentaires et des maladies des gencives courent un plus grand risque de travail prématuré. Parlez à votre dentiste si vous avez des questions ou des problèmes. Si vous n'avez pas accès à un dentiste, consultez votre infirmière en santé communautaire.

Les malaises courants du début de la grossesse

Les nausées et les vomissements

On ne connaît toujours pas les causes des nausées de la grossesse. Elles surviennent habituellement pendant les trois ou quatre premiers mois, mais elles durent parfois plus longtemps. Vous pouvez avoir mal

LA SANTÉ DENTAIRE EST IMPORTANTE PENDANT LA GROSSESSE

Avez-vous un problème avec vos dents ou votre mâchoire?

Vous brossez-vous les dents et passez-vous la soie dentaire régulièrement?

À quelle date remonte votre dernier rendez-vous chez le dentiste?

Si vous avez des caries dentaires, des gencives sensibles ou qui saignent ou que vous n'avez pas vu votre dentiste pendant les 6 à 12 derniers mois, prenez un rendez-vous. Il est sécuritaire et important de visiter votre dentiste pendant votre grossesse.

TRUCS POUR RÉDUIRE LES NAUSÉES ET LES VOMISSEMENTS

- **Évitez les endroits trop chauds;** avoir chaud peut empirer la nausée.
- **Mangez des quantités** d'aliments **plus petites** et mangez plus souvent.
- **Respirez des odeurs de citron frais,** buvez de la limonade ou mangez des tranches de melon d'eau.
- **Mangez des croustilles salées** avant un repas.
- **Faites-vous faire des traitements d'acupression ou d'acuponcture** pour aider à maîtriser les nausées et les vomissements.
- **Évitez les aliments épicés, frits ou gras.**
- **Évitez la caféine** qu'on trouve dans le café, le thé et certaines boissons gazeuses.
- **Évitez de vous brosser les dents tout de suite après les repas.**
- **Évitez les odeurs qui vous donnent mal au cœur,** comme les odeurs de cuisson ou les parfums. Si possible, demandez à votre conjoint de préparer les repas.
- Trouvez des occasions de vous **reposer plus souvent.**
- **Mangez des aliments froids** pour que leur odeur ne vous donne pas mal au cœur.
- **Évitez de boire pendant les repas.**

au cœur à n'importe quel moment de la journée ou de la nuit, et quand vous avez l'estomac vide.

Chez la plupart des femmes, les nausées et les vomissements diminuent à un moment quelconque pendant la journée. Cela leur permet d'avoir faim à nouveau et de manger des aliments qu'elles pourront retenir dans leur estomac. Cependant, 1 % des femmes enceintes au Canada (environ 4 000 femmes par année) souffrent de nausées et de vomissements tellement graves que la privation d'aliments, de liquides et de nutriments peut devenir nuisible à leur santé et au bien-être de leur bébé.

Si les nausées et vomissements graves ne sont pas traités, une femme peut perdre du poids et se retrouver avec un déséquilibre des électrolytes. Les électrolytes, comme le sodium, le calcium, le chlore, le magnésium et le phosphate, jouent un rôle important pour assurer le fonctionnement normal du corps. Le déséquilibre du niveau des électrolytes peut causer des problèmes de santé aux femmes enceintes et à leurs bébés. Il est donc important de parler à votre fournisseur de soins de santé si vous avez des nausées et des vomissements pendant votre grossesse.

Que pouvez-vous faire?
- Au réveil, mangez quelques craquelins ou du pain grillé non beurré, puis reposez-vous pendant 15 minutes.
- Levez-vous lentement.
- Ne vous étendez pas tout de suite après avoir mangé.
- Mangez souvent des repas légers ou des collations de façon à ne pas avoir l'impression que vous avez l'estomac vide.
- Buvez souvent de petites quantités de liquides pendant la journée.
- Évitez de boire pendant les repas.
- Les femmes enceintes ont généralement besoin de plus de sommeil au cours des trois premiers mois de la grossesse. Faites des siestes pendant la journée.
- Vous devrez peut-être vous absenter du travail et obtenir de l'aide d'ami(e)s ou de membres de la famille.

La prise de médicaments contre les nausées et les vomissements

NE PRENEZ PAS de médicaments en vente libre ou de remèdes à base d'herbes médicinales lorsque vous êtes enceinte sans en parler à votre fournisseur de soins de santé. Le Diclectin est le seul médicament sous ordonnance approuvé par Santé Canada pour le traitement des nausées et vomissements de la grossesse. Il a été prouvé qu'il n'a pas d'effets nuisibles sur le bébé.

Pour obtenir plus de renseignements sur la prise de médicaments ou de produits à base d'herbes médicinales pendant la grossesse, visitez le site Web du programme *Motherisk* à www.motherisk.org.

Les traitements d'acupression et d'acuponcture

Ces traitements ont aidé de nombreuses femmes enceintes souffrant de nausées et de vomissements. Environ 30 % des femmes constatent que les traitements soulagent leurs symptômes. Une personne formée dans ce domaine stimulera un certain point sur votre avant-bras. Les bracelets contre le mal de mer (*Seaband*) fonctionnent aussi lorsqu'on les applique sur le même point d'acupression.

Les seins sensibles et douloureux

Une solution est d'acheter un bon soutien-gorge de maintien et de le porter en tout temps, même la nuit. Assurez-vous qu'il est bien ajusté, avec des bonnets recouvrant et soutenant bien tout le sein et de larges bretelles NON élastiques. Vous pouvez aussi appliquer de la crème pour le corps.

La fatigue

Pendant les premiers mois de votre grossesse, vous pourriez vous sentir très fatiguée. Ne vous inquiétez pas, c'est normal. Il se passe beaucoup de choses dans votre corps. Premièrement, votre métabolisme est plus rapide, ce qui consomme beaucoup de votre énergie. Deuxièmement, une des hormones de grossesse (la progestérone) donne le goût de dormir.

Un conseil : n'essayez pas de combattre le sommeil. Restez à l'écoute

ARRÊTEZ DE CHANGER LA LITIÈRE DU CHAT

Il y a des parasites partout. La plupart ne sont nuisibles ni pour nous, ni pour le fœtus. Il y a cependant la toxoplasmose, une maladie causée par un minuscule parasite qui vit dans un animal et est transmis à d'autres animaux par les selles (les déchets solides qui sont évacués du corps par le rectum). Plus de la moitié des humains y ont été exposés. Il est rare qu'un adulte ait des symptômes lorsqu'il entre en contact avec le parasite, mais il y a un faible risque d'anomalies congénitales chez un bébé dont la mère a été exposée au parasite pendant la grossesse.

Par mesure de prévention, évitez de manger de la viande, du poulet ou du gibier qui ne sont pas assez cuits pendant votre grossesse. Portez des gants de caoutchouc quand vous manipulez du poulet ou de la viande crue. Si vous avez un chat, demandez à quelqu'un d'autre de changer la litière pour ne pas être exposée à ce parasite. Si vous devez le faire vous-même :

- *portez des gants;*
- *évitez de respirer la poussière de la litière;*
- *lavez-vous bien les mains après l'avoir fait.*

Vous devriez aussi éviter de remuer la terre d'un jardin ou d'une pelouse où des chats pourraient avoir fait leurs besoins.

PROTÉGER L'ENFANT À NAÎTRE

Transports Canada indique que le meilleur moyen que nous pouvons prendre pour protéger un enfant à naître en cas de collision est de protéger la mère. Les femmes enceintes devraient toujours porter la ceinture sous-abdominale et la ceinture diagonale.

- *La ceinture sous-abdominale doit être portée bien serrée et basse sur les os du bassin et non pas sur la partie molle du ventre.*
- *La ceinture diagonale doit être placée en travers de la poitrine.*

Lorsque la ceinture de sécurité est portée correctement, elle ne fera pas de tort au bébé.

Source : Protégeons l'enfant à naître : En voiture, phases 1, 2, 3 et 4, Transports Canada (TP 13511). Reproduit avec la permission du ministère des Travaux publics et Services gouvernementaux Canada, 2008. www.tc.gc.ca/securiteroutiere/ conducteurssecuritaires/securitedesenfants/ Voiture/index.htm.

de votre corps. Si vous sentez le besoin de vous reposer ou de faire une sieste, faites-le! Même les femmes qui ne font jamais de sieste ressentent tout à coup le besoin de se reposer en plein jour. Si vous travaillez à l'extérieur, essayez de trouver un endroit tranquille pour vous détendre et fermer les yeux pendant les pauses. Si c'est impossible, allez vous étendre dès que vous rentrez du travail.

Les maux de tête

Les maux de tête sont assez courants pendant la grossesse. La plupart du temps, il n'y a aucune raison de s'inquiéter. Toutefois, si les maux de tête sont constants ou très graves (causant des troubles de la vue, des nausées ou si vous voyez des points noirs), il faut consulter votre fournisseur de soins de santé.

Si vous avez mal à la tête :

- étendez-vous dans une pièce fraîche et sombre;
- placez un linge humide et frais sur votre front;
- demandez à votre conjoint de vous masser le cou et le dos;
- mangez des plus petites portions, mais plus souvent. Parfois, surtout si vous avez des nausées et n'avez pas le goût de manger, le mal de tête est lié à un taux insuffisant de sucre dans le sang;
- ***ne prenez aucun médicament contre la douleur*** avant d'avoir parlé à votre fournisseur de soins de santé.

Un fréquent besoin d'uriner

Allez-vous plus souvent à la toilette dernièrement? Ceci est normal au début de la grossesse parce que :

- votre utérus prend du volume et exerce ainsi de la pression sur votre vessie;
- vos reins produisent plus d'urine.

Vous remarquerez peut-être que même si vous avez l'impression que votre vessie est très pleine, vous ne relâchez qu'un petit peu d'urine. En plus, la pression sur la vessie cause parfois des pertes d'urine lorsque vous bougez ou toussez. Les exercices de Kegel peuvent aider (voir la page 52). Toutefois, si vous ressentez de la douleur lorsque vous urinez, parlez-en à votre fournisseur de soins de santé, car vous pourriez avoir une infection.

De légers saignements ou saignotements

Un certain nombre de femmes ont des « saignotements » inoffensifs au début de leur grossesse. Elles accouchent quand même de bébés en santé. Vous devez cependant prendre au sérieux tout saignement et communiquer avec votre fournisseur de soins de santé. Si le saignement persiste et est plus abondant qu'une menstruation, et surtout si vous avez aussi des crampes, obtenez d'urgence des soins, car ces symptômes pourraient annoncer une fausse-couche.

Les évanouissements

Les évanouissements sont assez fréquents pendant la grossesse. Ils peuvent être causés par plusieurs facteurs :

• niveaux d'hormones plus élevés;
• changements du système de circulation du sang;
• baisse du taux de sucre dans le sang.

Si vous vous sentez étourdie, mangez quelque chose de sucré ou prenez de petites collations nutritives entre les repas. Lorsque vous avez l'impression que vous allez vous évanouir, asseyez-vous et penchez la tête jusqu'à vos genoux. Détachez les vêtements trop ajustés et placez des compresses froides et humides sur le front ou la nuque. Si le malaise persiste, communiquez avec votre fournisseur de soins de santé.

Vos émotions pendant la grossesse

Il est important de prendre soin de votre santé physique pour avoir une grossesse saine. Mais vous devez aussi prendre soin de votre santé mentale.

Il est normal pour une femme enceinte d'avoir des sautes d'humeur.

EST-CE QU'IL S'AGIRAIT D'UNE DÉPRESSION?

Une femme sur dix souffre de dépression pendant la grossesse. Consultez votre fournisseur de soins de santé si vous éprouvez au moins quatre des symptômes suivants depuis plus de deux semaines ou si l'un de ces symptômes vous inquiète :

• *problème de concentration;*

• *anxiété;*

• *irritabilité extrême;*

• *sautes d'humeur fréquentes;*

• *problèmes d'insomnie (difficulté à dormir);*

• *grande fatigue;*

• *tristesse persistante;*

• *manque d'intérêt pour les choses qui vous tenaient à cœur;*

• *sentiment que la vie n'a plus rien d'agréable;*

• *changement important de l'appétit (augmentation ou diminution).*

Source : La santé émotionnelle, information tirée du site Web « Canadiens en santé » de l'Agence de la santé publique du Canada : www.phac-aspc. gc.ca/hp-gs/faq/ment-fra.php et http://www. phac-aspc.gc.ca/hp-gs/know-savoir/ment-fra.php. Texte reproduit avec la permission du ministère des Travaux publics et Services gouvernementaux Canada, 2008.

▶ LORSQUE L'ÊTRE AIMÉ VOUS BLESSE

CYCLE DE VIOLENCE

Je suis désolé
Étape de la romance

Augmentation de la tension

Événement explosif

Vous pouvez vous sentir heureuse d'être enceinte une minute, puis inquiète et stressée l'instant suivant en pensant à la santé de votre bébé et à ce qui se passera une fois qu'il sera né. Les hormones produites pendant la grossesse influencent aussi votre humeur. Certaines femmes ont des sautes d'humeur tout au long de leur grossesse, mais chez la plupart des femmes, elles sont les plus fréquentes entre la sixième et la dixième semaine, puis de nouveau au cours du troisième trimestre lorsque le corps se prépare pour le travail et l'accouchement.

Voici quelques conseils pour vous aider à prendre soin de votre santé émotionnelle pendant votre grossesse :

• restez active et mangez bien;
• prenez le temps de vous détendre et de vous reposer;
• évitez les situations et les gens stressants;
• partagez vos pensées et vos émotions avec une personne en qui vous avez confiance.

La violence pendant la grossesse

Une Canadienne sur 12 est victime de violence physique. Pendant la grossesse, les agressions physiques peuvent nuire à la mère et au bébé qu'elle porte. Elles peuvent même entraîner la naissance d'un bébé prématuré ou de faible poids. Un certain nombre de femmes enceintes ont perdu leurs bébés après avoir subi des agressions physiques.

Si vous êtes enceinte et victime de violence, vous vous sentez sans doute très isolée. Vous avez besoin d'aide dès maintenant.

Personne ne mérite d'être maltraité. La femme victime de violence familiale peut parfois se sentir honteuse et responsable des mauvais traitements reçus. Si c'est votre cas, demandez de l'aide. Confiez-vous à votre fournisseur de soins de santé. Il vous soutiendra et vous aidera à trouver les ressources communautaires dont vous avez besoin.

Si vous désirez obtenir plus de renseignements sur la violence physique et les endroits auxquels vous pouvez téléphoner ou vous rendre pour obtenir de l'aide, visitez le site Web www.shelternet.ca ou appelez la ligne d'urgence SOS Violence conjugale, accessible 24 heures sur 24, au 1-800-363-9010.

Types de mauvais traitements que les femmes subissent

Il y a plusieurs types de violence. Toute forme d'abus blesse les femmes enceintes et leurs enfants à naître d'une manière quelconque. Si vous êtes victime de violence, sachez que ce n'est pas de votre faute et que vous pouvez obtenir de l'aide. Parlez à votre fournisseur de soins de santé si vous vivez l'un ou l'autre des types de violence suivants :

Types de mauvais traitements	
Violence physique	*Gifles, coups de poing, coups de pied, morsures, poussées et étranglement.*
Violence verbale	*Critiques constantes, blâme, fausses accusations, vous traiter de noms, menaces de violence envers vous ou les gens ou les biens qui vous tiennent à cœur.*
Violence sociale	*Isoler la femme de sa famille et de ses ami(e)s.*
Violence sexuelle	*Obliger une femme à participer à une activité sexuelle.*
Violence émotive ou psychologique	*Intimidation, harcèlement, jalousie excessive, contrôle, isolement et menaces.*
Violence environnementale	*Faire peur à la femme dans sa maison en détruisant ses biens ou ses possessions.*
Violence financière	*Empêcher la femme d'avoir le contrôle de son argent ou de ses dépenses ou l'exploiter financièrement.*
Violence religieuse ou spirituelle	*Ridiculiser les croyances de la femme ou utiliser ses croyances pour la manipuler.*

Source : Agence de la santé publique du Canada. Guide à l'intention des professionnels de la santé et des services sociaux réagissant face à la violence pendant la grossesse, 1999, p. 1 (en ligne). http://www.phac-aspc.gc.ca/ncfv-cnivf/pdfs/fem-hnbk-pregnancy_f.pdf. Reproduit avec la permission du ministère des Travaux publics et Services gouvernementaux Canada, 2008.

Gérer le stress et trouver du soutien

Tout le monde vit un certain niveau de stress, mais un niveau trop élevé nuit à la santé, surtout pendant la grossesse. Les recherches révèlent qu'il pourrait y avoir un lien entre le stress pendant la grossesse et la naissance d'un bébé prématuré ou de faible poids.

Le soutien que vous recevez de votre entourage peut avoir un effet direct sur le stress que vous éprouvez pendant votre grossesse. Les femmes qui se retrouvent presque sans soutien se sentent souvent isolées et déprimées.

Bien que la plupart des couples vivent la grossesse dans la joie, les changements et adaptations peuvent parfois mettre leurs relations à dure épreuve et accroître le niveau de stress. Si vous n'avez pas de conjoint, le fait d'être seule pourrait vous stresser. Des événements imprévus peuvent se produire pendant la grossesse et augmenter votre niveau de stress.

Si vous constatez que votre niveau de stress augmente, cherchez des ressources communautaires qui peuvent vous aider à trouver des moyens de le réduire et de faire face aux difficultés.

Moyens de réduire le stress

Les femmes dont le niveau de stress est très élevé doivent adopter des moyens sains de le gérer. Voici quelques conseils :

1. **Parlez-en.** Partagez les joies, les inquiétudes et les défis associés à la grossesse avec une personne qui vous est chère. La grossesse pourrait vous sembler moins stressante. Si, pour une raison ou une autre, vous n'obtenez pas de soutien de la part de votre conjoint, recherchez la compagnie d'autres personnes avec lesquelles vous vous entendez bien.

2. **Renseignez-vous sur la grossesse et l'accouchement.** Assistez aux cours prénataux et faites la connaissance d'autres femmes enceintes. Les exercices de respiration et de concentration qu'on vous enseigne pour l'accouchement peuvent vous aider dès maintenant à vous

détendre. En sachant à quoi vous attendre et en étant préparée, vous réduirez votre anxiété face à l'accouchement. La préparation d'un plan de naissance avec votre fournisseur de soins de santé et votre personne de soutien peut aussi aider. (On traite des plans de naissance à la page 108 et 109.)

3. **Devenez plus active.** Il est prouvé que l'exercice remonte le moral et réduit le stress.

4. **Reposez-vous et détendez-vous.** Assurez-vous de dormir assez. Familiarisez-vous avec différentes méthodes favorisant le repos et la détente. Vous trouverez dans votre bibliothèque publique des livres et des cassettes audio sur la réduction du stress et les méthodes de relaxation.

Les fausses-couches, ça arrive

La chose possiblement la plus stressante qui peut se produire pendant une grossesse, c'est de faire une fausse-couche. Les fausses-couches se produisent dans 15 à 20 % des grossesses, le plus souvent pendant les huit premières semaines. TOUTEFOIS, plusieurs fausses-couches ont lieu avant même qu'une femme remarque le retard de ses règles ou avant même qu'elle soit consciente d'être enceinte.

Souvent, on ne connaît pas la cause de la fausse-couche. On croit que c'est la réaction naturelle de l'organisme à un embryon qui ne se développe pas comme il faut et qui ne pourrait pas survivre. Bien que le taux de 15 à 20 % de fausses-couches semble élevé, il comprend celles qui arrivent pendant les premiers jours d'une grossesse.

Toutes les femmes enceintes doivent prendre très au sérieux tout saignement vaginal. Toutefois, vous devez savoir que 20 % des mères ont certains saignements avant la 20e semaine et qu'environ la moitié de ces grossesses se poursuivent sans autres problèmes.

Le saignement peut commencer dans l'utérus, au col ou dans le vagin. Consultez un médecin si les saignements sont suffisamment abondants pour imbiber une serviette hygiénique épaisse par heure, sur une période de deux heures.

Une fausse-couche ne diminue pas la fécondité future de la plupart des femmes ni leur capacité de mener une grossesse à terme. Toutefois, les médecins suggèrent d'avoir eu au moins un cycle menstruel complet avant d'essayer de concevoir de nouveau. Il est tout aussi important de guérir sur le plan émotionnel que sur le plan physique. Une femme qui a fait une fausse-couche doit s'attendre à ressentir diverses émotions ainsi que de l'inconfort physique. Le deuil permet à la mère d'entamer le processus de guérison, processus qui est différent pour chaque personne.

Mon journal de grossesse
De la 10e à la 16e semaine

Cette consultation a lieu environ quatre semaines après la première. Dans la plupart des cas, on ne procède pas à un examen complet. Vous devez vous attendre à ce qu'on vous pèse et mesure votre tension artérielle. Le fournisseur de soins de santé vérifiera la hauteur de l'utérus et peut-être aussi la fréquence cardiaque (nombre de battements de cœur à la minute) de votre bébé.

Pendant cette visite, votre fournisseur de soins de santé examinera avec vous les résultats des analyses prescrites lors de la visite précédente. Vous parlerez peut-être aussi du suivi ou des analyses supplémentaires qui vous sont recommandées.

Comme pour toute autre consultation prénatale, vous devriez être prête à parler à votre fournisseur de soins de santé de vos préoccupations et à lui poser des questions. Le fait de remplir cette section du guide vous aidera à vous préparer à chaque visite. Emportez ce guide avec vous. Vous aurez ainsi des notes sur votre dernière visite ainsi qu'une liste de toutes les questions qui vous sont venues en tête entre-temps.

Lorsque c'est possible, il est bon que le futur père ou un(e) accompagnant(e) (un(e) ami(e) proche, votre mère ou un autre membre de la famille) se joigne à la maman au moins une fois pour rencontrer le fournisseur de soins de santé. Cela lui permettra de rencontrer la personne qui s'occupe de vous et de poser les questions qui le préoccupent.

MA DATE D'ACCOUCHEMENT PRÉVUE :

JE SUIS L'ÉVOLUTION DE MA GROSSESSE

Date :

Semaine de grossesse :

Tension artérielle :

Poids :

Fréquence cardiaque du fœtus :

SUJETS À DISCUTER AVEC MON FOURNISSEUR DE SOINS DE SANTÉ :

- *Quels sont les avantages et les risques du dépistage des maladies génétiques?*

- *Quels conseils pouvez-vous me donner pour aider à réduire les nausées et les vomissements?*

- *Combien de poids devrais-je prendre?*

- *Est-ce que je mange les bons aliments?*

- *Est-ce acceptable d'avoir des relations sexuelles?*

- *Est-ce que je fais trop d'exercice ou pas assez?*

- *J'ai des préoccupations concernant la violence dans mon couple.*

- *Qu'est-ce que les exercices de Kegel?*

- *Autres préoccupations :*

_____

_____

_____

_____

Résultats de mes tests :

Hémoglobine : _____ (Normale : 110–120 mg/L)

Groupe sanguin : _____

Immunité à la : rubéole : oui/non

varicelle : oui/non

Autres résultats : _____

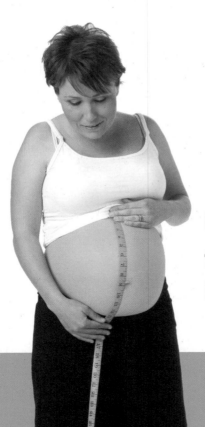

CHAPITRE 3

Une évolution tranquille :
le deuxième trimestre

Une des choses qu'on fait couramment pendant les examens prénataux consiste à mesurer la hauteur utérine. Votre fournisseur de soins de santé mesurera votre abdomen pour déterminer si votre bébé se développe bien.

La hauteur utérine est la distance entre votre os pubien et la partie arrondie au sommet de l'utérus qui forme le haut de votre ventre. Cette partie de l'utérus s'appelle le fond. Habituellement, le fond de l'utérus atteint le haut de l'os pubien environ à la 12ᵉ semaine de grossesse. Il atteint la cage thoracique (vos côtes) vers la 36ᵉ semaine. Entre la 18ᵉ et la 30ᵉ semaine, la hauteur du fond utérin (en centimètres) est presque la même que l'âge du bébé en semaines.

Introduction

Félicitations! Vous voilà rendue au deuxième trimestre. Votre grossesse est considérée comme étant bien établie et le risque de faire une fausse-couche est beaucoup moins élevé. Ce trimestre durera de la 15ᵉ à la 25ᵉ semaine, ou de votre quatrième mois jusqu'au milieu du sixième mois. Vous commencerez à vous sentir plus comme avant le début de la grossesse. Les nausées et les petits malaises que vous avez éprouvés pendant le premier trimestre devraient être choses du passé.

Vous aurez probablement des malaises différents, mais la plupart des femmes aiment cette partie de leur grossesse parce que :

* *elles se sentent à l'aise avec leur taille et*
* *leur apparence leur plaît.*

Votre bébé se développera rapidement et sera bientôt assez grand pour que vous ressentiez ses mouvements quand il se tourne, culbute et donne des coups de pied. Eh oui, les bébés aiment faire de l'exercice. C'est pendant le deuxième trimestre qu'on vous fera une échographie. Vous aurez alors une idée de l'apparence de votre bébé.

Dans ce chapitre, nous discuterons :

* *du travail prématuré et de l'accouchement;*
* *de votre emploi;*
* *de l'enflure;*
* *des maux de dos.*

Nous avons aussi prévu des endroits où vous pourrez noter de nouveaux renseignements sur vous et votre bébé.

Votre corps se transforme

Pendant le deuxième trimestre, vous vous sentirez probablement mieux et plus calme. Le placenta, qui a continué de se développer dans votre utérus, s'occupe maintenant de presque toute la production des hormones de grossesse (vous trouverez plus d'information sur le placenta à la page 4). C'est aussi par le placenta que le cordon ombilical du bébé est attaché à votre utérus. À ce stade de la grossesse, vos niveaux d'hormones devraient commencer à se stabiliser.

Vous allez aussi remarquer que la forme et la taille de votre corps vont commencer à changer. Ces changements causeront d'autres malaises physiques qui sont liés à bien des facteurs, et non seulement à la taille du bébé. Les remarques de votre famille ou de vos ami(e)s au sujet de votre taille trop petite ou trop grosse pourraient vous inquiéter. Essayez de ne pas vous en faire. Si vous êtes allée régulièrement à vos consultations prénatales, vous savez que le bébé grossit bien.

Alors, qu'est-ce qui détermine votre grosseur pendant la grossesse? Votre taille, votre charpente et votre poids normal, soit avant votre grossesse, et le fait que ce soit ou non votre première grossesse auront un impact sur la façon dont votre corps se développe et change. Les femmes de petite taille ont tendance à paraître plus rondes, alors que les femmes plus grandes ou de plus grosse ossature paraissent plus minces. À la deuxième grossesse, le ventre est plus gros parce que les muscles du ventre et de l'utérus ont déjà été étirés.

La couleur de votre peau (pigmentation) est peut-être différente à cause du changement des hormones. Une ligne verticale brunâtre, appelée *linea nigra*, pourrait apparaître au centre de votre abdomen. Chez certaines femmes, des marques brunâtres irrégulières apparaissent autour des yeux, sur le nez et sur les joues. Habituellement, ces marques disparaissent lorsque le niveau hormonal redevient normal après la naissance du bébé.

Le 2e trimestre

Les seins aussi se préparent à nourrir le bébé. Vous remarquerez peut-être qu'un peu de ***colostrum*** s'écoule de vos mamelons. Le colostrum est un liquide clair et gluant que les seins produisent pour nourrir le bébé à ses premières tétées, avant qu'ils commencent à produire le lait maternel. Il contient de nombreux anticorps qui protègent votre bébé contre les infections.

Pour vous préparer à l'accouchement, des hormones dans votre corps amolliront les ligaments et le cartilage de votre bassin et de votre dos.

Bébé se développe

À environ la 18e semaine, on vous fera une échographie. Vous verrez que votre fœtus ressemble vraiment à un bébé, parfaitement formé avec tous les organes bien en place, qui fonctionnent bien et qui se rapprochent de la maturité. Les vaisseaux sanguins sont à fleur de peau et donnent à celle-ci une couleur rouge. Une petite quantité de gras commence à se former sous la peau et une couche épaisse et blanchâtre, semblable à du fromage (qu'on appelle ***vernix caseosa***) recouvre le corps en entier.

À la 26e semaine, les paupières peuvent s'ouvrir et se fermer. Les ongles ont poussé et chez bon nombre de bébés, la lisière des cheveux est visible. On peut voir les sourcils et des cheveux à la fin de la 20e semaine et même les cils vers la 24e semaine. La poche des eaux est remplie d'une grande quantité de liquide amniotique contenant des nutriments favorisant la croissance et de petites quantités de l'urine du bébé. Le cordon ombilical est épais, solide et très ferme, ce qui empêche la formation de nœuds.

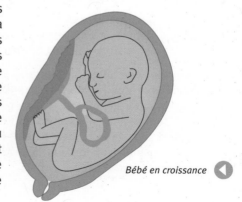

Bébé en croissance

Le travail prématuré

On appelle travail préterme ou prématuré le travail qui commence trop tôt, soit plusieurs semaines avant la date à laquelle le bébé devrait naître. Ce ne sont pas toutes les femmes qui saisissent l'importance de mener une grossesse à terme. Un certain nombre de femmes espèrent une naissance prématurée, croyant qu'un bébé de petit poids sera plus facile à accoucher.

Les bébés prématurés sont plus fragiles et le travail prématuré est un des problèmes les plus courants de la grossesse. Il cause 75 % de tous les décès chez les bébés nés sans autres problèmes graves. Un bébé né avant terme peut avoir toute sa vie des problèmes liés à la prématurité. En général, plus un bébé naît prématurément, plus les problèmes sont graves. Les bébés nés avant la 25e semaine ne survivent habituellement pas sans problèmes.

Il est important de pouvoir reconnaître les premiers signes du travail prématuré parce qu'on peut parfois l'arrêter ou le retarder. Plus vous les remarquerez tôt, plus on aura de temps pour vous donner des médicaments qui pourront aider le bébé et traiter les troubles qui pourraient avoir causé le travail prématuré.

Qu'est-ce qui cause le travail prématuré?

On ne le sait pas vraiment. Environ la moitié des femmes qui entrent prématurément en travail pour des raisons inconnues semblaient avoir une grossesse tout à fait normale. Toutefois, certains facteurs semblent augmenter le risque de travail prématuré.

En lisant ce guide, vous avez appris que la meilleure façon d'avoir une grossesse saine et de mettre au monde un bébé en santé est d'éviter les risques et de prendre soin de votre santé.

RISQUEZ-VOUS D'ENTRER PRÉMATURÉMENT EN TRAVAIL?

En lisant cette liste, cochez tous les énoncés qui s'appliquent à vous.

☐ *Je ne reçois pas de soins prénataux réguliers.*

☐ *Ma tension artérielle est élevée.*

☐ *Je vis un niveau élevé de stress.*

☐ *Je suis victime de violence physique ou émotionnelle de la part de mon conjoint ou d'une autre personne que j'aime.*

☐ *Je porte plus d'un fœtus.*

☐ *J'ai déjà eu un accouchement avant terme.*

☐ *Je pèse moins de 45,5 kg (100 lb).*

☐ *J'ai une maladie chronique.*

☐ *Je fume.*

☐ *J'ai arrêté de fumer, mais seulement après ma 32e semaine de grossesse.*

☐ *Je travaille de longues heures (plus de 8 heures par jour) ou je fais du travail posté (quarts de travail irréguliers).*

☐ *Mon travail exige beaucoup d'effort physique.*

Si vous avez coché au moins l'une des cases, vous êtes à risque de travail prématuré. Vous devriez demander à votre fournisseur de soins de santé ce que vous pouvez faire pour aider à prévenir le travail prématuré.

SIGNES DE TRAVAIL PRÉMATURÉ ET AUTRES SIGNES DE DÉTRESSE

TOUTES LES FEMMES PEUVENT ENTRER PRÉMATURÉMENT EN TRAVAIL, MAIS IL Y A DES MOYENS DE PRÉVENIR LE PROBLÈME. VOICI QUELQUES SIGNES DE TRAVAIL PRÉTERME :

- *contractions régulières de l'utérus avant la date prévue de l'accouchement;*
- *douleur sourde au bas du dos;*
- *pression dans le bas du ventre, le bassin ou le bas du dos.*

APPRENEZ À RECONNAÎTRE LES SIGNES DE TRAVAIL PRÉMATURÉ. AGISSEZ IMMÉDIATEMENT ET TROUVEZ LE MOYEN DE VOUS RENDRE EN TOUTE SÉCURITÉ À L'HÔPITAL LE PLUS PROCHE SI VOUS REMARQUEZ UN DES SYMPTÔMES SUIVANTS :

- *saignement;*
- *écoulement ou jet de liquide par le vagin;*
- *douleur abdominale que vous ne pouvez pas expliquer;*
- *diminution des mouvements du bébé;*
- *maux de tête inhabituels et persistants;*
- *vision brouillée, présence de taches devant les yeux;*
- *étourdissements;*
- *douleur sourde au bas du dos qui ne disparaît pas;*
- *vous êtes victime d'un accident d'auto.*

En France, une étude à long terme a démontré que le taux de naissances prématurées avait diminué lorsque :

- des campagnes d'information du public sur le travail prématuré et l'importance, pour la société en général, de mettre au monde des bébés à terme et en santé avaient été menées;
- des sièges à bord des autobus et des places de stationnement avaient été réservés aux femmes enceintes;
- les femmes enceintes avaient été encouragées à prendre leurs propres notes sur l'évolution de leur grossesse (dans un document semblable au présent guide).

Voici certains facteurs qui augmentent le risque de travail prématuré et des conseils pour réduire ce risque :

Le tabagisme

Il est préférable de ne pas fumer pendant la grossesse, mais il n'est jamais trop tard pour arrêter. Vous donnez de meilleures chances à votre bébé si vous arrêtez de fumer avant d'atteindre la 32e semaine. (Lisez la section sur le tabagisme à la page 31.)

Un travail trop exigeant

Les longues heures de travail, un travail très fatiguant physiquement et le fait d'être tout le temps fatiguée peuvent entraîner un accouchement prématuré. (Consultez l'encadré sur le travail physique à la page 88.)

La violence physique et émotionnelle

Lorsque quelqu'un vous fait mal, il peut également faire du tort au bébé que vous portez. Même la violence émotionnelle peut causer un accouchement prématuré en élevant votre niveau de stress. Si votre conjoint ou quelqu'un que vous aimez vous maltraite, demandez de l'aide en appelant le Centre d'aide familiale dans votre région. (Lisez la section sur la violence pendant la grossesse à la page 70.)

L'incompétence cervicale

On parle d'incompétence cervicale lorsque le col de l'utérus commence à se dilater (s'ouvrir) trop tôt pendant la grossesse. Le col est supposé s'ouvrir lorsque le bébé est à terme et prêt à naître. Toutefois, dans de rares cas, il s'ouvre trop tôt et cause un accouchement prématuré. La mère pourrait ne pas être consciente du problème, mais il est parfois découvert pendant un examen vaginal ou lorsque le col est mesuré pendant une échographie. Parfois, le problème peut être réglé en faisant une suture qui entoure le col. Cette suture est enlevée lorsque le bébé est à terme.

Les fibromes utérins

Les fibromes sont des bosses qui apparaissent dans la paroi musculaire de l'utérus. S'ils sont assez gros, ils peuvent déformer l'utérus et causer de la douleur et un travail prématuré. Si les fibromes deviennent assez gros pour déformer l'utérus et sont découverts avant la grossesse, ils peuvent être enlevés. Habituellement, les petits fibromes ne causent pas de problèmes pendant la grossesse.

Les saignements au deuxième trimestre

Il peut se produire de légers saignements si le placenta commence à se détacher de la muqueuse de l'utérus avant le début du travail. Mais ne supposez pas que vous savez pourquoi vous saignez, même si l'on vous a déjà traité pour ce problème. Chaque fois que vous remarquez un saignement, vous devez tout de suite aller voir votre fournisseur de soins de santé.

La chirurgie abdominale pendant la grossesse

Il arrive parfois qu'on doive opérer une femme enceinte (par exemple, pour une appendicite). Toutefois, vous devriez reporter toute chirurgie qui n'est pas absolument nécessaire jusqu'après la naissance du bébé.

Les infections courantes pendant la grossesse

Les infections du vagin, du col, des reins et de la vessie sont courantes pendant la grossesse et doivent être traitées. Si vous avez mal quand

---

LORSQUE QUELQUE CHOSE NE VA PAS

- *Appelez l'hôpital et parlez à une infirmière de la salle de travail.*

  Numéro de téléphone :

- *Appelez votre fournisseur de soins de santé.*

  Numéro de téléphone :

83

vous urinez ou si vous sentez souvent le besoin d'uriner, mais ne relâchez qu'un peu d'urine, vous avez peut-être une infection de la vessie ou des reins. De même, un écoulement vaginal inhabituel, de la douleur à l'aine ou au bas-ventre ou de la fièvre peuvent être des signes d'une infection du vagin ou du col. Si vous soupçonnez une infection, communiquez avec votre fournisseur de soins de santé.

L'insuffisance du poids de la mère pendant la grossesse

Le type de traitement dépend de la cause du problème. Parfois, la femme arrive à régler le problème en mangeant régulièrement des aliments bons pour la santé. Parlez à votre fournisseur de soins de santé si votre poids vous inquiète.

Le placenta praevia

Dans les cas de placenta praevia, le placenta se fixe et se développe sur l'ouverture du col (par où le bébé doit sortir). Ceci peut causer des saignements abondants pendant le travail. La plupart du temps, on découvre le problème pendant une échographie normale. Il se peut qu'on recommande à la femme de garder le lit pendant les dernières semaines de grossesse, et le bébé est habituellement accouché par césarienne avant que le travail puisse commencer.

La rupture prématurée des membranes

C'est le cas où la membrane retenant le liquide amniotique (la « poche des eaux ») se rompt ou laisse couler du liquide amniotique avant que le bébé soit à terme. Le problème est parfois relié à des infections de l'utérus, mais les recherches n'en ont pas encore révélé la cause. Si vos membranes se brisent prématurément, le traitement dépendra de la quantité de liquide amniotique perdu et du temps qui reste avant votre date prévue d'accouchement. Si ceci vous arrive, communiquez tout de suite avec votre fournisseur de soins de santé.

L'hypertension gravidique (hypertension causée par la grossesse)

Elle peut être traitée de différentes façons, selon la gravité du problème. (Lisez la section sur ce sujet à la page 104.)

Les maladies chroniques chez la mère

Certaines maladies (comme le diabète ou l'hypertension artérielle) peuvent devenir plus graves pendant la grossesse. Dans certains cas, l'accouchement est le seul moyen d'empêcher que la maladie empire. Parfois, le travail commencera de lui-même prématurément; d'autres fois, il faut le déclencher (le provoquer) par des moyens médicaux.

Les bébés prématurés

Bien que seulement environ sept bébés sur cent naissent prématurément, ils font face à plus de problèmes que d'autres bébés et peuvent même mourir. Le travail ne devrait pas avoir lieu entre la 15e et la 25e semaine du second trimestre. Normalement, il commence après la 37e semaine de grossesse et avant la fin de la 41e semaine. Si le travail commence avant la 37e semaine, on dit que votre travail est prématuré ou préterme.

La principale raison pour laquelle les bébés prématurés ont des problèmes, est que leurs organes ne sont pas encore prêts à fonctionner tout seuls, parce qu'ils ne sont pas arrivés à maturité. Par exemple, les poumons d'un bébé ne sont habituellement pas prêts à commencer à fonctionner avant presque la fin de la grossesse. Les bébés nés avant que leurs poumons soient « prêts » peuvent avoir toute leur vie des problèmes respiratoires légers ou graves. De même, quand l'estomac et les intestins n'ont pas atteint leur maturité, des problèmes alimentaires peuvent s'ensuivre. Lorsque le système immunitaire de votre bébé ne peut pas fonctionner tout seul, votre bébé court plus de risques d'avoir des infections.

Les bébés prématurés peuvent aussi avoir des problèmes avec leurs yeux et leurs oreilles. Ils sont plus maigres à la naissance que les bébés nés à terme et leur peau est plus rouge parce que leurs vaisseaux sanguins sont à fleur de peau et qu'ils ont peu de gras sous la peau. Sans réserves de gras, ces bébés ont de la difficulté à garder leur chaleur. Les bébés prématurés sont aussi plus souvent mis au monde par césarienne. Il est donc préférable pour vous et pour votre enfant à naître de faire tout ce que vous pouvez pour empêcher que votre bébé naisse prématurément.

COMMENT SENTIR ET COMPTER LES CONTRACTIONS (SERREMENTS)

1. *Étendez-vous.*

2. *Du bout des doigts, palpez légèrement toute la partie inférieure de l'abdomen.*

3. *Lorsque vous remarquez une contraction (un serrement ou une compression) sur la surface de l'utérus, utilisez une horloge ou une montre pour voir combien de temps elle dure et le nombre de minutes qui se passent avant la contraction suivante.*

Si vous êtes enceinte de deux bébés ou plus, vous et votre fournisseur de soins de santé allez travailler ensemble pour vous assurer que les bébés naissent le plus près possible du terme. Pour en savoir plus long sur les naissances multiples, consultez le chapitre deux.

Pour savoir s'il s'agit de travail prématuré

Le travail commence lorsque votre utérus se contracte (se resserre) à intervalles réguliers. Lorsque le travail commence et que votre corps se prépare pour permettre au bébé de descendre dans le passage d'expulsion (vagin) :

- le col de l'utérus commence à s'amincir (effacement) et à s'ouvrir (dilatation);
- le bouchon muqueux, formé pendant la grossesse pour protéger l'entrée de l'utérus, peut se détacher et causer des pertes de sang;
- la poche des eaux peut se rompre, c'est-à-dire que le sac rempli de liquide amniotique dans lequel baigne votre bébé se brise soudainement.

Le seul moyen de savoir si vous êtes entrée en travail prématuré est de vous faire examiner par une infirmière, une sage-femme ou un médecin. Ils détermineront quel type de contractions vous avez et si le col s'ouvre. Votre fournisseur de soins de santé vous fera un examen complet. Il effectuera peut-être une échographie pour vérifier la grosseur et la position de votre bébé et pour mesurer la longueur de votre col. Lorsque le col se raccourcit, c'est un signe de travail prématuré possible. Certains hôpitaux utilisent un test spécial qui consiste à chercher une substance dans le liquide vaginal qui indique si une femme est en travail prématuré.

Si l'on confirme que le véritable travail (et non le faux travail) a commencé et selon que vous êtes plus ou moins éloignée du terme de votre grossesse, vous devrez, avec votre médecin, décider si vous allez essayer d'arrêter le travail ou si vous allez le laisser se poursuivre. Le fournisseur de soins de santé vous recommandera probablement de prendre un médicament pour aider les poumons du bébé à se développer pour qu'il puisse respirer. La plupart du temps, le mieux est de laisser le bébé se développer aussi longtemps que possible dans votre utérus.

Ce que vous pouvez faire pour prévenir le travail prématuré

Voici les principales mesures que vous pouvez prendre pour essayer d'empêcher que votre bébé vienne au monde trop tôt.

Arrêtez de fumer

Essayez de comprendre pourquoi vous fumez et obtenez de l'aide pour trouver d'autres façons de gérer les facteurs qui vous amènent à fumer. Renseignez-vous sur les programmes d'abandon de la cigarette dans votre communauté. Informez-vous auprès de votre fournisseur de soins de santé au sujet des programmes pouvant vous aider à arrêter de fumer.

Mangez sainement

Consultez une diététiste professionnelle au sujet de vos habitudes alimentaires. Planifiez vos repas pour y inclure les principales catégories d'aliments et évitez la malbouffe. Buvez beaucoup de lait. Assurez-vous de manger assez de protéines ainsi que des aliments riches en acides gras oméga-3 (voir la page 23).

Demandez de l'aide si vous êtes victime de violence

Vous avez le droit de vous sentir en sécurité. Si vous êtes victime de violence, téléphonez à la maison d'hébergement pour femmes battues de votre localité et demandez comment vous pouvez obtenir de l'aide.

Reposez-vous beaucoup

Prévoyez des moments pour vous reposer pendant la journée et ne vous en sentez pas coupable. C'est très important de se reposer pendant la grossesse.

En lisant cette liste, cochez les affirmations qui s'appliquent à vous.

Lorsque je suis au travail...

☐ *Je me baisse ou me penche plus de dix fois par heure.*

☐ *Je dois grimper à une échelle plus de trois fois par quart de travail de huit heures.*

☐ *Je dois me tenir debout pendant plus de quatre heures d'affilée.*

☐ *Je dois monter des escaliers plus de trois fois par quart de travail.*

☐ *Je travaille plus de 40 heures par semaine.*

☐ *Je travaille par quarts.*

☐ *Je devrai soulever des poids de plus de 23 kg (50 lb) après ma 20e semaine de grossesse.*

☐ *Je devrai soulever des poids de plus de 11 kg (24 lb) après 24 semaines.*

☐ *Je devrai me baisser ou me pencher ou grimper à une échelle après ma 28e semaine de grossesse.*

☐ *Je devrai soulever des poids lourds après ma 30e semaine de grossesse.*

☐ *Je devrai me tenir debout sans bouger pendant plus de 30 minutes de chaque heure après ma 32e semaine de grossesse.*

Si vous avez coché au moins une des cases ci-dessus, certaines parties de votre travail pourraient être trop exigeantes pour vous pendant votre grossesse. Votre fournisseur de soins de santé pourrait vous recommander fortement de changer de travail jusqu'à la naissance du bébé. (Vous trouverez plus d'information sur le travail pendant la grossesse aux pages 30 et 90.)

Apprenez à réduire le stress

Partagez de vos sentiments avec une personne en qui vous avez confiance. Familiarisez-vous avec des techniques de relaxation, comme la méditation et l'automassage. Trouvez vos propres moyens sains de réduire le stress. Suivez un cours de yoga si vous croyez que ceci vous plaira.

Évitez le travail trop fatigant

Lisez l'encadré sur ce qui constitue un travail trop physiquement exigeant (dur) pour une femme enceinte. Évitez ces actions pendant votre grossesse.

Évitez les entraînements intensifs

Même si vous êtes très en forme, vous ne devriez pas rendre vos entraînements plus intensifs à certains moments pendant la grossesse. (Vous trouverez plus de renseignements à ce sujet à la page 48.)

Reconnaissez les signes pouvant annoncer un travail prématuré

Les cours prénataux offerts par votre hôpital ou centre communautaire sont un excellent moyen d'apprendre à reconnaître les signes du travail prématuré. (Pour en savoir plus long sur les signes, lisez la page 81.) Parlez-en à votre fournisseur de soins de santé.

Connaissez les mesures à prendre si vous croyez que le travail a commencé prématurément

Demandez à votre fournisseur de soins de santé ce que vous devriez faire dans ce cas et notez les numéros de téléphone des personnes que vous devriez appeler. (Voir la page 83.)

Visitez votre fournisseur de soins de santé régulièrement

C'est une des choses les plus importantes que vous pouvez faire pour éviter le travail prématuré. Votre fournisseur de soins de santé aura ainsi la possibilité de trouver ou de prévenir les problèmes qui pourraient causer un accouchement prématuré.

Le diabète gestationnel

Chez certaines femmes, les hormones de grossesse changent la façon dont leur organisme utilise l'insuline. Elles peuvent alors développer un type de diabète lié à la grossesse, qu'on appelle **diabète gestationnel**. Votre fournisseur de soins de santé pourrait vous soumettre à un test de dépistage du diabète gestationnel autour de la 24e à la 28e semaine de grossesse. La plupart des femmes enceintes ayant ce problème pourront contrôler le taux de sucre dans leur sang en suivant un régime spécial et en faisant de l'exercice. Quelques-unes pourraient avoir besoin d'injections d'insuline pour contrôler leur taux de sucre. Après la naissance du bébé, le diabète gestationnel disparaît dans la plupart des cas, mais certaines femmes souffriront peut-être de diabète plus tard. Dans presque tous les cas, les femmes qui souffrent de diabète gestationnel peuvent avoir une grossesse normale et un bébé en santé si elles sont bien informées et bénéficient d'un contrôle strict et de l'appui professionnel d'une équipe de soins de santé.

(Pour vous renseigner sur les besoins spéciaux des femmes ayant le diabète de type 1 ou insulino-dépendant au moment où elles deviennent enceintes, voir les pages 64 et 65.)

Au sujet des mouvements du bébé

Le fœtus remue ses bras et ses jambes pour faire de l'exercice et pour trouver une position plus confortable. S'il s'agit de votre première grossesse, vous ne sentirez peut-être pas le bébé bouger avant environ la 19e semaine. Si c'est votre deuxième enfant ou plus, vous sentirez probablement les mouvements plus tôt, vers la 17e semaine. Par la suite, vous devriez sentir le bébé bouger tous les jours et à différents moments de la journée. Rappelez-vous qu'il y a des moments pendant la journée où le bébé dort, et d'autres où il est très actif. On vous demandera peut-être de tenir compte des mouvements de votre bébé en comptant le nombre de coups que vous ressentez. (Voir la page 102 pour apprendre comment compter les mouvements.)

LES CONGÉS PARENTAUX ET DE MATERNITÉ

Chaque province a des règles différentes sur la durée des congés parentaux et de maternité. Pour plus de renseignements sur ces congés dans votre province ou territoire, visitez le site Web de Ressources humaines et Développement des compétences Canada à :

www.hrsdc.gc.ca.

Les femmes enceintes peuvent avoir accès à des programmes gouvernementaux liés aux congés de maternité. Si cela est nécessaire, votre fournisseur de soins de santé peut vous conseiller d'arrêter de travailler pour des raisons de santé. Vous devriez quand même être payée pendant votre absence.

Au sujet de votre emploi

Lorsqu'une grossesse se déroule normalement, le type de travail que la mère fait n'est habituellement pas un problème. Toutefois, un travail physiquement exigeant ou qui demande qu'on se tienne debout pendant de longues périodes est associé à une légère augmentation de certains problèmes, comme la naissance de bébés de faible poids, le travail prématuré et les fausses-couches. Pour savoir si votre travail est trop exigeant pour une femme enceinte, répondez aux questions dans l'encadré à la page 88.

Vous courez peut-être aussi des risques si vous entrez en contact avec certains produits chimiques dans le cadre de votre travail. Les gouvernements ont établi des règles pour limiter l'exposition des travailleurs et travailleuses aux produits chimiques toxiques. Pour vous renseigner sur les risques environnementaux pendant la grossesse, visitez le site Web *Motherisk* à www.motherisk.org et consultez les règlements gouvernementaux sur la santé et la sécurité au travail.

Les malaises courants du deuxième trimestre

Les maux de dos

À mesure que votre ventre grossit, vous devrez vous pencher vers l'arrière pour trouver votre centre de gravité, ce qui fera travailler les muscles de votre dos. Le poids de l'utérus dans votre bassin et le déplacement et l'assouplissement des articulations peuvent aussi causer des maux de dos pendant la grossesse. Pour les prévenir :

- essayez de toujours vous asseoir bien droit;
- évitez les talons hauts;
- pliez les jambes et prenez la position accroupie plutôt que de vous plier à partir de la taille pour soulever des objets lourds;
- évitez de rester debout pendant de longues périodes.

Votre fournisseur de soins de santé vous recommandera peut-être de consulter un massothérapeute, un physiothérapeute ou un chiropraticien agréé. Le yoga, les étirements et les exercices de relaxation peuvent aussi aider. Lisez l'information sur les exercices de bascule du bassin à la page 52. Assurez-vous de changer de position souvent et de prendre le temps de vous étendre, d'élever les jambes et de relaxer. Essayez la chaleur, les compresses froides ou les massages pour calmer la douleur.

La constipation

Pendant la grossesse, la nourriture se déplace plus lentement dans vos intestins. Ce ralentissement peut entraîner la constipation (selles irrégulières ou difficiles à évacuer). Les suppléments de fer peuvent aussi vous constiper, en plus de donner à vos selles (déchets produits par votre corps) une couleur noire. Pour empêcher que vos selles deviennent sèches et dures, vous devriez boire au moins huit verres de liquides (jus, eau ou lait) chaque jour. Ce qui aidera aussi, c'est de faire régulièrement de l'exercice et de manger une bonne quantité de fibres. Les aliments contenant beaucoup de fibres comprennent :

• les graines de lin moulu;
• les pains et céréales à grains entiers;
• les légumes crus;
• les fruits secs et crus;
• le psyllium.

Si nécessaire, votre fournisseur de soins de santé peut vous suggérer un laxatif pour ramollir les selles.

Les hémorroïdes

Bon nombre de femmes enceintes souffrent d'hémorroïdes (des veines gonflées ou dilatées dans le rectum). Elles apparaissent souvent pendant la grossesse parce que l'utérus exerce beaucoup de pression sur ces veines en grossissant. Si la femme doit faire un effort pour évacuer des selles dures, la situation s'aggrave et les hémorroïdes « sortent » autour de l'anus. Parfois, elles sont douloureuses et elles saignent. Essayez de manger des aliments qui réduiront la constipation (voir ci-dessus). Votre fournisseur de soins de santé vous suggérera peut-être des onguents pour aider à rapetisser les hémorroïdes.

EXERCICES LORS DU REPOS AU LIT

FLEXIONS DES JAMBES (VOUS POUVEZ LES FAIRE COUCHÉE SUR LE CÔTÉ OU INCLINÉE SUR VOTRE DOS)

Avec les deux mains, agrippez l'arrière de votre jambe et étendez la jambe. Expirez en tenant la jambe allongée pendant deux secondes. Ensuite, fléchissez l'autre jambe et recommencez l'exercice. Alternez entre la jambe gauche et la jambe droite et faites trois répétitions (de 20 flexions) au moins trois fois par jour. Terminez cet exercice en tenant votre jambe étendue en comptant jusqu'à 12 pour étirer vos muscles ischio-jambiers (derrière la cuisse).

EXERCICE POUR LE HAUT DU CORPS (EN UTILISANT UNE BANDE ÉLASTIQUE DE FAIBLE RÉSISTANCE)

Mettez-vous en position inclinée. Si vous êtes à la maison, adossez-vous contre des oreillers. Pliez les genoux légèrement et placez le milieu de la bande élastique en-dessous de vos pieds. En tenant les bouts de la bande à la hauteur des épaules, levez les bras au-dessus de votre tête (développé des épaules). Puis, abaissez vos bras et relevez-les en croix de chaque côté de votre corps (élévation latérale des bras). Enfin, ramenez vos bras le long de votre corps et terminez l'exercice en repliant les avant-bras vers vos épaules, toujours en tenant les bouts de la bande (flexion des biceps).

Les infections des voies urinaires (IVU)

Les *voies urinaires* comprennent les reins, les uretères, la vessie et l'urètre. Les infections des voies urinaires sont fréquentes pendant la grossesse.

Voici comment les voies urinaires fonctionnent :

- Les deux reins fabriquent l'urine.
- L'urine coule goutte à goutte de chaque rein le long de canaux (uretères) jusque dans la vessie.
- Lorsque la vessie est pleine, l'urine est évacuée du corps par un canal appelé l'urètre.

Il est parfois difficile de déceler l'infection de l'urètre. L'infection des voies urinaires basses (vessie) se manifeste habituellement par les signes suivants :

- de la douleur lorsque vous urinez;
- avoir à uriner plus souvent que d'habitude;
- évacuer l'urine en très petites quantités, même si vous avez l'impression que votre vessie est pleine.

Cette infection se traite facilement au moyen d'antibiotiques.

L'infection des voies urinaires supérieures (qui touchent les reins) est plus grave. Elle peut causer des frissons, de la fièvre, des nausées, des vomissements, des maux de dos ou aux côtés et de la douleur dans le bas-ventre.

Les femmes qui sont sujettes aux infections urinaires doivent se montrer très prudentes pendant la grossesse. On croit que ces infections sont une des causes du travail prématuré. Assurez-vous d'informer votre fournisseur de soins de santé des symptômes que vous avez qui ressemblent à une grippe parce qu'ils pourraient, en fait, indiquer une maladie plus grave.

L'indigestion et les brûlures d'estomac

Une sensation de brûlement à l'arrière de la gorge, vers le bas de l'œsophage (le canal qui mène de la bouche à l'estomac) ou dans l'estomac peut indiquer que vous souffrez d'indigestion. Les hormones de grossesse et la pression que votre utérus de plus en plus gros exerce sur votre estomac peuvent en être la cause.

Pour vous soulager, essayez de :

• manger de plus petites quantités d'aliments plus souvent;
• manger lentement;
• bien mâcher vos aliments;
• boire entre les repas plutôt que pendant les repas;
• éviter la caféine et les aliments gras ou épicés qui donnent des gaz;
• rester assise bien droit après un repas pour donner le temps à la nourriture de passer de l'estomac à l'intestin;
• porter des vêtements amples.

Ne prenez pas d'antiacides avant d'en avoir parlé à votre fournisseur de soins de santé. Les antiacides peuvent avoir un effet négatif en amenant votre estomac à produire encore plus d'acide après que les antiacides n'ont plus d'effet. En plus, les antiacides qui contiennent de l'aluminium peuvent nuire à l'absorption de certains minéraux présents dans les aliments.

Les douleurs à l'aine

À mesure que le bébé grossit, l'étirement du ligament rond qui retient l'utérus en place peut causer des spasmes. L'étirement produit parfois une douleur vague, ou encore, une sensation comme un coup de poignard sur un ou les deux côtés du bas-ventre. Ces douleurs semblent plus fréquentes pendant le deuxième trimestre. Elles peuvent inquiéter les femmes enceintes qui croient parfois qu'il s'agit de travail prématuré. Évitez de tourner la taille trop rapidement. Lorsque vous ressentez cette

---

POUR VOUS SOULAGER DE L'INDIGESTION ET DES BRÛLEMENTS D'ESTOMAC

CE QUE VOUS POUVEZ FAIRE :

• *évitez de vous étendre entre une et deux heures après avoir mangé;*
• *soulevez la tête de votre lit (30 degrés ou 6 pouces);*
• *portez des vêtements amples, surtout autour de la taille;*
• *évitez de faire de l'exercice après avoir mangé;*
• *mangez de plus petites quantités d'aliments plus souvent;*
• *mangez lentement et mâchez bien votre nourriture;*
• *buvez entre les repas plutôt que pendant les repas.*

ALIMENTS À ÉVITER :

• *les aliments gras ou frits;*
• *les desserts riches, comme le gâteau au fromage;*
• *les aliments épicés;*
• *les oignons et l'ail;*
• *les agrumes, comme les oranges, le pamplemousse et le citron;*
• *les tomates;*
• *les menthes verte et poivrée;*
• *le café et le thé;*
• *le chocolat;*
• *les boissons gazeuses (soda, boissons avec des bulles).*

- *Faites régulièrement de l'exercice qui fait bouger vos jambes (comme la natation, la marche, etc.).*

- *Ne croisez pas les jambes lorsque vous êtes assise.*

- *Portez des collants de maternité et évitez les bas à bande élastique serrée.*

- *Ne restez pas debout pendant de longs moments.*

- *Aussi souvent que vous le pouvez, élevez vos jambes au-dessus du niveau du cœur.*

- *Buvez 8 verres de liquides (jus, eau ou lait) par jour. Ceci vous aidera à éviter la déshydratation (manque d'eau dans l'organisme). La quantité de liquides dont vous avez besoin dépend de bien des facteurs, comme votre niveau d'activité. Au moins 8 verres par jour seraient un bon début. Si votre urine est jaune (un signe de déshydratation), buvez plus. Votre urine devrait être pâle.*

- *Ne réduisez pas le sel dans votre régime.*

douleur, penchez le haut du corps en direction de la douleur pour relâcher la tension exercée sur les muscles. Étendez-vous et reposez-vous. Si la douleur persiste ou augmente et si elle ne disparaît pas lorsque vous changez de position, consultez votre fournisseur de soins de santé ou présentez-vous au service d'obstétrique de votre hôpital.

Les étourdissements lorsque vous êtes étendue sur le dos

Le fait de vous coucher sur le dos peut diminuer la quantité de sang qui se rend à votre cerveau, ce qui peut causer des étourdissements. Cela peut se produire à cause de la pression exercée sur la veine cave, un des plus gros vaisseaux sanguins du corps. Cette veine ramène le sang de la partie inférieure du corps vers le cœur. Elle se trouve le long de la colonne vertébrale. Si elle est coincée contre votre colonne vertébrale par l'utérus devenu plus gros, la quantité de sang qui se rend à votre cœur, vos poumons et votre cerveau peut diminuer. Trouvez une position, soit sur l'un ou l'autre côté ou sur un plan incliné, qui est confortable pour vous. Ne vous inquiétez pas si vous vous étendez sur le dos et ne croyez pas que vous devez vous coucher uniquement sur votre côté gauche. La meilleure position est celle que vous trouvez confortable et qui vous permet de vous reposer.

L'enflure des jambes, des chevilles et des pieds

Pendant la grossesse, il est normal que vos jambes, chevilles et pieds enflent un peu. Ce genre d'enflure augmente tout au long de la journée et devrait avoir à peu près disparu le lendemain matin. Le problème peut s'aggraver par temps chaud. Assurez-vous de boire beaucoup de liquides (8 verres par jour) et ne réduisez pas le sel dans votre régime puisque votre corps en a besoin pour bien fonctionner. Une enflure des mains ou du visage peut indiquer un problème différent et plus grave, comme de l'hypertension artérielle (voir la page 104).

Les vergetures

Au cours de la grossesse, bon nombre de femmes voient apparaître des marques rouges, qu'on appelle vergetures, sur leurs seins, leur ventre et leurs cuisses. Personne ne sait vraiment si les huiles ou les crèmes aident à réduire les vergetures, mais de nombreuses femmes appliquent de l'huile (surtout à base de vitamine E ou de lanoline) sur leur ventre. Que cela soit efficace ou non contre les vergetures, masser votre peau lors de l'application d'huile et de crème est relaxant pour vous et pour votre bébé. Cela ne peut certainement pas vous faire du tort.

La peau sèche et les démangeaisons

Évitez d'utiliser des savons puissants, parce qu'ils ont tendance à éliminer les huiles naturelles de la peau. Si vous devez utiliser du savon, choisissez-en un à la glycérine. Évitez de rester trop longtemps dans la baignoire, car cela peut aussi assécher votre peau. Pour réduire les démangeaisons, ajoutez un produit adoucissant à base d'avoine ou de l'huile à l'eau du bain. Si vous utilisez des huiles de bain, faites attention de ne pas glisser en sortant de la baignoire. Les huiles peuvent la rendre très glissante. Après le bain ou la douche, appliquez une lotion pour le corps sur la peau encore humide. Cela aidera à la garder souple, douce et hydratée.

JE SUIS L'ÉVOLUTION DE MA GROSSESSE

Date :

Semaine de grossesse :

Tension artérielle :

Poids :

Rythme cardiaque du fœtus :

QUESTIONS À POSER À MON FOURNISSEUR DE SOINS DE SANTÉ :

• Est-ce que je risque d'entrer en travail prématuré?

• Est-ce que mon travail est trop physiquement exigeant?

• Autres préoccupations :

Mon journal de grossesse
De la 16e à la 24e semaine

Comme lors de la dernière visite prénatale, l'examen comprendra la vérification de votre poids et l'évaluation de la croissance du bébé.

Pendant la consultation prénatale de la 16e à la 18e semaine, votre fournisseur de soins de santé recommandera peut-être une échographie. Les images obtenues au moyen de l'échographie lui permettent de mesurer la taille de votre bébé et aident à confirmer la date d'accouchement prévue de votre bébé.

Résultats de mes tests :

Test de diabète gestationnel :   (normal = 3,8 – 7,8 mmol/L)
Résultats de l'échographie :
Autres résultats :

CHAPITRE 4

Sprint final : le troisième trimestre

Introduction

Bienvenue à votre troisième trimestre. Après 25 semaines, vous aurez hâte que votre bébé arrive (et que votre grossesse prenne fin). Si vous commencez à vous sentir un peu inquiète et fatiguée, ne vous en faites pas. C'est normal à ce stade.

Alors, voyons comment le reste de ce guide vous aidera pendant les dernières étapes de votre grossesse et la naissance de votre bébé. Dans le chapitre quatre, nous allons vous donner quelques conseils de plus sur certains problèmes courants comme l'hypertension (communément appelée « haute pression »). Nous vous aiderons à préparer un court « plan de naissance » dans lequel vous indiquerez vos besoins au moment où votre bébé décidera d'arriver (imaginez ça, un bébé qui sait déjà ce qu'il veut!).

Pendant le dernier mois de votre grossesse, vos visites prénatales seront plus fréquentes. Vous devez vous attendre à voir votre fournisseur de soins de santé chaque semaine pendant le dernier mois. Cela permettra de vérifier votre tension artérielle, votre urine et la position du bébé. Le but de ces examens est d'évaluer votre santé générale et celle de votre bébé.

Nous ne parlerons pas du Grand jour avant un ou deux chapitres encore, mais vous vous demandez sûrement ce qui se passera à l'hôpital et ce chapitre vous préparera pour l'événement. Nous parlerons aussi de l'allaitement maternel pour vous aider à décider comment vous allez nourrir votre bébé.

Vous pouvez jeter un coup d'œil sur les quatre derniers chapitres qui traiteront de vos quelques premières semaines en tant que parents. Les deux prochains chapitres porteront sur les six dernières semaines avant le Grand jour et sur l'accouchement lui-même. Le chapitre suivant parlera de VOUS et du retour à la « normale ». Nous terminons par un chapitre d'information qui vous aidera à entamer votre vie avec le nouveau membre de votre famille.

Votre corps se transforme

Durant le troisième trimestre, votre grossesse deviendra encore plus apparente. Le haut de l'utérus ira du haut de votre nombril pour atteindre votre cage thoracique (vos côtes). Votre ventre va ressortir de plus en plus. Vous pourriez trouver cette croissance encore plus incommodante. Vous ressentirez de la pression sur vos côtes et dans la région du bassin. Vous sentirez que vos muscles abdominaux sont étirés. Vous pourriez ressentir des douleurs aiguës dans l'aine ou le vagin à mesure que la tête de votre bébé descendra dans le bassin.

Bébé se développe

Votre bébé a fini de se former pendant le deuxième trimestre et il continuera maintenant à grossir petit à petit. À 25 ou 26 semaines, le poids du bébé aura atteint de 700 à 900 grammes (1 1/2 à 2 livres). À la 35e ou 36e semaine, ce même bébé pèsera environ 2 500 grammes (5 1/2 livres). À votre date prévue d'accouchement, son poids devrait se situer entre 3 000 et 4 000 grammes (6 1/2 à 9 livres).

L'accouchement prématuré demeure toujours une source de préoccupation. Bien que tous les organes soient formés, ils doivent poursuivre leur maturation avant de pouvoir fonctionner sans aide. Entre la 20e et la 21e semaine, les mouvements « respiratoires » de votre bébé deviennent réguliers et entre la 26e et la 29e semaine, le bébé pourrait respirer de l'air s'il venait au monde. Les jambes et les bras du bébé sont repliés contre son corps. Le bébé commence maintenant à avoir très peu de place dans l'utérus. Vous devriez quand même le sentir bouger tous les jours, même si le fœtus (comme un nouveau-né) a des périodes pendant lesquelles il est actif, et d'autres pendant lesquelles il se repose.

Le 3e trimestre

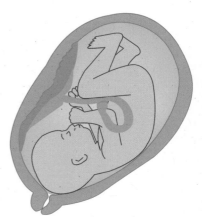

Le bébé en croissance

Vos soins prénataux

Pendant les examens, on continuera de vérifier votre poids et votre tension artérielle, votre urine, ainsi que la position et la croissance de votre bébé. Vers la fin du troisième trimestre, on vous fera probablement des examens vaginaux pour s'assurer que votre col se prépare à l'accouchement (c'est ce qu'on appelle la « maturation »).

On vous posera des questions sur les mouvements de votre bébé. Ces détails donnent à votre fournisseur de soins de santé de l'information importante sur la santé de votre bébé. On vous demandera peut-être aussi de compter chaque jour les mouvements du fœtus (voir ci-dessous).

Il se peut aussi que votre fournisseur de soins de santé commande d'autres tests pour votre bébé. Les tests les plus fréquents qui servent à déterminer le bien-être d'un fœtus sont :

Le comptage des mouvements du bébé : Un des meilleurs moyens de savoir si votre bébé est en santé consiste à mesurer son degré d'activité. Vous pouvez compter ses mouvements à la maison. Le meilleur temps pour le faire est en début de soirée pendant que vous êtes confortablement allongée (mais pas à plat). Détendez-vous tranquillement pendant un moment. À l'aide d'une horloge, prenez note du temps qu'il vous faut pour compter six mouvements. Si vous ne comptez pas six mouvements en deux heures, communiquez immédiatement avec votre fournisseur de soins de santé ou l'hôpital. On vous recommandera peut-être de passer d'autres tests.

Vous êtes la mieux placée pour juger si votre bébé bouge moins souvent ou d'une manière différente. Les bébés qui ne sont pas encore nés à la date prévue d'accouchement ont très peu de place dans l'utérus. Il se peut que leurs mouvements vous paraissent plus faibles qu'ils ne l'étaient plus tôt pendant votre grossesse. Quoi qu'il en soit, vous devriez quand même sentir des mouvements tout au long de la journée, chaque jour. Votre fournisseur de soins de santé vous demandera peut-être de prendre en note les mouvements du bébé que vous avez comptés.

L'échographie : L'échographie aide votre fournisseur de soins de santé à surveiller la santé de votre bébé en vérifiant sa croissance, ses mouvements et la quantité de liquide amniotique. Les résultats de cet examen sont souvent comparés à ceux des échographies précédentes.

L'examen de réactivité fœtale : Ce test enregistre le rythme cardiaque (les battements de cœur) de votre bébé. Vous pouvez le passer à la clinique de votre fournisseur de soins de santé ou à l'hôpital. On mesure le rythme cardiaque pendant 20 à 30 minutes. Si le bébé est en santé, le test montrera que le rythme cardiaque du bébé augmente lorsqu'il bouge.

Le décollement des membranes

Vos consultations prénatales peuvent aussi comprendre certaines interventions simples, comme le décollement des membranes. Vous devez aussi vous attendre à passer des tests pour déceler des problèmes possibles, comme l'hypertension artérielle (« haute pression ») et le streptocoque du groupe B.

Le décollement des membranes est un geste médical simple qui sert à décoller les membranes (« poche des eaux ») du col, sans rompre les membranes. Cette intervention aide votre corps à se préparer à accoucher. C'est une pratique courante et acceptable qui facilite la maturation du col et peut aider à éviter une grossesse prolongée. Après vous avoir parlé de cette intervention et avoir obtenu votre consentement, votre fournisseur de soins de santé introduit un doigt dans votre col (un peu comme on mettrait un doigt dans le trou d'un petit beigne), puis fait glisser le doigt à l'intérieur du col pour détacher la membrane de la paroi de l'utérus. Cette intervention courante est habituellement pratiquée après la 38e semaine et peut se dérouler dans le cabinet de votre fournisseur de soins de santé. Après l'intervention, la plupart des femmes ont quelques crampes pendant une courte période, et de légers saignements.

Votre fournisseur de soins de santé vérifiera si votre tension artérielle est élevée (supérieure à 140/90) et s'il y a des protéines dans votre urine. Il vous enverra ensuite au laboratoire pour des examens hématologiques (analyses du sang) et possiblement, pour vérifier la vitalité du fœtus.

EST-CE QUE JE RISQUE DE DÉVELOPPER DE L'HYPERTENSION PENDANT MA GROSSESSE?

Cochez les affirmations qui s'appliquent à vous :

☐ *C'est ma première grossesse.*

☐ *Je faisais de l'hypertension avant de devenir enceinte.*

☐ *Je suis diabétique.*

☐ *Je souffre d'une maladie du rein.*

☐ *Je porte plus d'un bébé.*

☐ *J'ai 40 ans ou plus.*

Si vous avez coché au moins une de ces affirmations, vous risquez de développer de l'hypertension pendant la grossesse.

LES SIGNES DE PRÉ-ÉCLAMPSIE

Si vous avez un de ces symptômes, vous pourriez faire de l'hypertension grave. Appelez immédiatement votre fournisseur de soins de santé :

• *douleur à la partie supérieure droite du ventre;*

• *maux de tête aigüs, persistants ou variables;*

• *vue brouillée ou présence de taches devant les yeux;*

• *enflure inhabituelle, surtout au visage.*

L'hypertension pendant la grossesse

L'hypertension (communément appelée la « haute pression ») est assez courante pendant la grossesse. Votre fournisseur de soins de santé vérifiera souvent votre tension artérielle et pourrait aussi vérifier si vous avez des protéines dans votre urine. Il pourrait aussi vous prescrire des analyses de sang pour voir si votre hypertension est un problème.

Pendant la grossesse, les types d'hypertension les plus courants sont :

• l'hypertension préexistante (qui apparaît avant la 20e semaine de grossesse), et
• l'hypertension gravidique (qui apparaît après la 20e semaine de grossesse).

Environ 5 à 10 % des femmes enceintes développent une forme d'hypertension liée à la grossesse qu'on appelle pré-éclampsie, ou toxémie. Lorsque cela se produit, votre tension artérielle est élevée et vous pouvez aussi avoir des protéines dans votre urine. De graves maux de tête, de la douleur dans la région du foie, de l'irritabilité, de l'enflure au visage, des troubles de la vision ou des éblouissements sont aussi des symptômes possibles. Les analyses de votre sang pourraient révéler certains changements dont votre fournisseur de soins de santé voudra discuter avec vous.

Les femmes qui risquent le plus de développer la pré-éclampsie sont celles qui portent plusieurs fœtus, ont déjà souffert de pré-éclampsie ou ont un problème médical comme l'hypertension ou une maladie du rein (voir les autres facteurs de risque importants dans l'encadré). La pré-éclampsie peut causer des fuites des vaisseaux sanguins dans les reins. Ceci produit une protéine qu'on trouve dans l'urine et des degrés d'enflure élevés (voir l'information sur l'enflure normale à la page 94). Les pires complications comprennent les hémorragies cérébrales, les crises d'épilepsie, les dommages au foie et les problèmes de coagulation du sang.

Tous les types d'hypertension sont inquiétants pour votre bébé. L'hypertension peut ralentir la croissance du bébé et peut même nécessiter un accouchement prématuré.

Le traitement de l'hypertension pendant la grossesse

On peut traiter certaines formes d'hypertension pendant la grossesse par le repos au lit. Si vous développez de l'hypertension, on vous demandera peut-être d'arrêter de travailler pour que vous ayez plus de temps pour vous reposer à la maison. Votre fournisseur de soins de santé pourrait aussi prescrire des médicaments contre l'hypertension pour maintenir votre pression à un niveau sûr pour vous et votre bébé.

Le streptocoque du groupe B

Vers la 36e semaine, vous serez probablement soumise à un test pour déceler les bactéries de streptocoque du groupe B. Ces bactéries ne sont pas les mêmes que celles qui causent l'angine streptococcique, ou infection streptococcique de la gorge.

La bactérie streptocoque du groupe B se trouve habituellement dans le vagin ou le rectum. Elle peut infecter la vessie, les reins et l'utérus. Ces infections ne sont pas généralement graves pour la mère, mais peuvent l'être pour le bébé. Ceci dit, ces bactéries peuvent facilement être traitées aux antibiotiques. Si vous transmettez la bactérie à votre bébé pendant l'accouchement, il y a un faible risque que le bébé soit aussi infecté. Le streptocoque du groupe B peut causer des troubles légers ou graves du sang, du cerveau, des poumons et de la colonne vertébrale chez les bébés infectés.

Le dépistage du streptocoque du groupe B

Les prélèvements par frottis du vagin et du rectum avec des cotons-tiges sont le moyen le plus courant de dépistage de la bactérie chez une femme. Les cotons-tiges sont ensuite placés dans un liquide spécial pour voir si la bactérie va se reproduire. C'est ce qu'on appelle

---

VOUS COUREZ UN RISQUE PLUS ÉLEVÉ DE TRANSMETTRE LE STREPTOCOQUE DU GROUPE B À VOTRE BÉBÉ SI :

- *votre travail commence avant la 37e semaine;*

- *votre grossesse est à terme, mais votre poche des eaux se rompt plus de 18 heures avant le moment prévu de l'accouchement;*

- *vous faites un peu de fièvre sans raison apparente;*

- *vous avez déjà eu un bébé atteint du streptocoque du groupe B;*

- *vous avez ou avez eu une infection de la vessie ou des reins causée par le streptocoque du groupe B.*

L'accouchement n'est pas une maladie, mais plutôt une expérience normale de la vie.

ÉVALUATION DES SOINS DE MATERNITÉ DE VOTRE HÔPITAL

En lisant la liste, cochez chaque affirmation concernant votre hôpital qui est vraie. Mon hôpital :

☐ *tiendra compte du plan de naissance que j'ai préparé ou offre un plan de naissance standard que je pourrai adapter à mes besoins;*

☐ *m'encouragera à avoir un(e) accompagnant(e) ou offre un service professionnel de soutien pendant le travail;*

☐ *encourage le contact peau contre peau (méthode kangourou) tout de suite après la naissance;*

☐ *encourage l'allaitement tout de suite après l'accouchement;*

☐ *ne me séparera pas de mon bébé sauf pour des raisons médicales;*

☐ *considère que l'accouchement est un événement naturel et normal, pas une maladie;*

☐ *tentera d'assigner la même infirmière à mes soins pendant le travail et l'accouchement (si possible);*

(suite de l'encadré à la page 107)

« faire une culture ». Parfois, le fournisseur de soins de santé fait aussi analyser votre urine pour déterminer si la bactérie s'y trouve.

Le traitement du streptocoque du groupe B

Si les résultats des analyses effectuées vers la 36e semaine sont positifs, on vous fera prendre un antibiotique pendant le travail. Si vous n'avez pas subi de test de dépistage de la bactérie et que vous faites partie d'un groupe à risque élevé (voir le texte dans l'encadré à la page 105), on pourrait vous administrer des antibiotiques pendant le travail.

Ce qui se passera à l'hôpital

Au Canada, les soins donnés en obstétrique ont beaucoup changé depuis que votre mère vous a mise au monde, et encore plus depuis le temps où sa mère était « en couches » comme on appelait alors l'accouchement. Vous pourriez avoir de la difficulté à le croire, mais à un moment donné, l'accouchement était traité comme une maladie.

Pendant les 20 dernières années, les médecins, les sages-femmes, les infirmières et les mères se sont efforcés de changer la façon dont les soins obstétriques (liés à la grossesse, à l'accouchement et à la période qui suit) sont donnés au Canada. Les soins à la mère axés sur la famille ont remplacé l'approche strictement médicale. On a étudié les pratiques courantes employées dans les hôpitaux pour s'assurer qu'elles aidaient réellement les femmes et répondaient à leurs besoins. Certaines d'entre elles, comme les lavements et les épisiotomies systématiques (faits à toutes les femmes), ont été abandonnées. D'autres, comme l'utilisation de chambres de naissance, ont été adoptées.

Dans les hôpitaux modernes, les services d'obstétrique se sont adaptés aux besoins des femmes. Ils sont plus chaleureux et accueillants pour les femmes et leurs conjoints, un endroit réconfortant qui offre néanmoins d'excellents soins médicaux lorsqu'ils sont nécessaires.

Les soins sont habituellement adaptés aux besoins uniques de la femme. C'est pourquoi on encourage les femmes à préparer un plan de naissance qui reflète leurs choix et leurs désirs.

Aujourd'hui, la plupart des hôpitaux au Canada favorisent une approche axée sur la famille. Ceci rend l'accouchement plus sécuritaire pour la mère et l'événement plus agréable pour tous. Lorsque les programmes de soins de maternité des hôpitaux incluent tous les membres de la famille, ils aident les familles à devenir plus fortes et plus saines. Votre conjoint et les autres membres de la famille pourront vous offrir plus de soutien s'ils sentent qu'on a besoin d'eux et qu'on leur permet de participer au processus de l'accouchement. Bien qu'il soit habituellement préférable que les enfants en bas âge n'assistent pas au travail et à l'accouchement, ils peuvent accueillir le nouveau membre de la famille peu après sa naissance.

Le soutien pendant le travail

Les personnes qui vous entourent et vous soutiennent pendant le travail jouent un rôle important. Bien sûr, les risques de complications pendant le travail et l'accouchement seront moindres si un professionnel expérimenté en soins de santé vous suit de près. L'idéal pour la plupart des femmes, c'est que l'obstétricien, l'infirmière ou la sage-femme s'occupe aussi de vous et de votre bébé après l'accouchement. Toutefois, certaines études démontrent qu'il y a plus de chances que votre travail et votre accouchement se déroulent normalement si une personne de soutien, autre qu'un professionnel des soins de santé, vous accompagne. Cette personne peut être votre conjoint, un membre de la famille, un(e) ami(e) ou une doula professionnelle.

La cohabitation

Quand les soins sont axés sur la famille, la plupart des bébés « cohabitent ». Cela veut dire qu'ils restent dans la même chambre d'hôpital que leur mère et non pas dans la pouponnière. Dans la plupart des cas, il est bon et sain que la mère et le nouveau-né partagent la même chambre de la naissance jusqu'à la sortie de l'hôpital.

Autrefois, on considérait les pouponnières comme des endroits plus propres, donc plus sécuritaires pour les bébés que la chambre de leur mère. En fait, c'est le contraire. Lorsque le nouveau-né habite dans la

ÉVALUATION DES SOINS DE MATERNITÉ DE VOTRE HÔPITAL (SUITE)

☐ *respecte mes croyances religieuses et fait tout ce qui est possible pour satisfaire mes besoins culturels;*

☐ *me permet de participer aux décisions sur les interventions, les positions de travail, les positions d'accouchement et les mesures de contrôle de la douleur;*

☐ *a des heures de visites souples pour les membres de ma famille.*

Si vous avez coché la plupart de ces affirmations, votre hôpital offre des soins de maternité axés sur la famille. Si ce n'est pas le cas, la plupart des travailleurs des soins de santé feront quand même tout leur possible pour répondre à vos besoins.

PLAN DE NAISSANCE

N'entrez pas trop dans les détails et évitez la complexité. Personne ne peut prévoir comment se dérouleront le travail et l'accouchement, alors il est important que votre plan soit flexible. N'oubliez pas que le but, c'est que l'accouchement se termine par une mère et un bébé en santé.

même chambre que sa mère, c'est elle qui s'en occupe presque tout le temps, ce qui réduit le risque d'infection provenant des autres bébés et des autres personnes qui s'occupent de lui.

Écrire votre plan de naissance

Le plan de naissance est un document qui dit à votre fournisseur de soins de santé et au personnel de l'hôpital :

- le genre d'accouchement que vous désirez;
- les soins que vous souhaitez que votre enfant reçoive après sa naissance.

Bon nombre d'hôpitaux offrent maintenant un modèle de plan de naissance. Vous pouvez également utiliser l'exemple fourni par la Société des obstétriciens et gynécologues du Canada sur son site Web :

http://www.sogc.org/health/pregnancy-birth-plan_f.asp.

Comment écrire un plan de naissance

Le mieux, c'est qu'il soit simple et court. Il ne devrait pas avoir plus d'une page. Essayez d'être réaliste et tenez compte du fait que vous allez partager votre expérience de l'accouchement avec l'équipe de soins de santé, votre conjoint, le bébé et votre famille. Le plan sera plus efficace si vous écrivez ce que vous voulez et ce que vous préféreriez si les choses ne se passent pas comme prévu. Par exemple, vous pourriez écrire : « Je préfère ne pas avoir d'injection intraveineuse pendant le travail. Par contre, si le personnel juge que j'en ai besoin pour une raison médicale claire, alors j'accepte qu'il m'en donne, mais seulement si et au moment où cela devient nécessaire. »

À quel moment écrire le plan de naissance

La plupart des femmes rédigent un plan de naissance après en avoir discuté avec leur fournisseur de soins de santé et s'être renseignées sur les pratiques courantes et les soins offerts par l'hôpital. C'est préférable aussi d'en discuter avec le conjoint et les membres de la famille lorsqu'ils participent à l'accouchement de quelque façon. Toutefois, il s'agit de votre corps et votre famille doit comprendre que vous êtes seule à pouvoir prendre certaines décisions plus personnelles (lorsqu'il s'agit, par exemple, de soulager la douleur).

Points fréquemment inclus dans un plan de naissance

Nous avons fait une liste des points les plus communément mentionnés par les femmes dans leur plan de naissance. Vous n'êtes pas obligée de tous les inclure dans votre propre plan. Vous pouvez laisser tomber les points qui n'ont pas trop d'importance pour vous. Par contre, si vous tenez à un point qui n'a pas été mentionné, n'hésitez pas à l'inclure dans votre plan.

L'accompagnant(e)

Les études démontrent que l'expérience de l'accouchement d'une femme est plus positive lorsqu'elle a le soutien continu d'une personne qui s'occupe d'elle (un(e) accompagnant(e) formé(e)). L'hôpital vous assignera une professionnelle (infirmière d'obstétrique) qui deviendra votre soutien pendant le travail, l'accouchement et après la naissance du bébé.

Les lavements

Aujourd'hui, les fournisseurs de soins de santé ne donnent habituellement pas de lavements aux femmes en travail. Un *lavement* est un liquide qu'on met dans le rectum pour vider l'intestin. Un certain nombre de femmes trouvent qu'un lavement soulage la pression exercée sur le gros intestin, ce qui est très utile si elles étaient constipées avant le travail.

Le rasage de la région pubienne

La plupart des hôpitaux ne rasent plus la région pubienne des femmes en travail.

Les lignes intraveineuses

Dans la plupart des hôpitaux, on n'installe pas de ligne intraveineuse (une aiguille qui est insérée dans une veine et reliée à un tube par lequel on injecte des liquides dans le corps), à moins que votre grossesse soit considérée à risque ou qu'il y ait une raison médicale de le faire. Parfois, une ligne intraveineuse est la meilleure façon de vous donner des médicaments, comme des antibiotiques ou des médicaments pour déclencher le travail. Certaines femmes bénéficient des liquides supplémentaires qu'elles peuvent recevoir par voie intraveineuse. Cela peut aider à prévenir la déshydratation pendant le travail. Si vous voulez une anesthésie épidurale (voir la page 148), on devra vous la donner par voie intraveineuse. Parlez à votre fournisseur de soins de santé pour obtenir d'autres renseignements ou pour décider si vous allez utiliser une ligne intraveineuse.

Les prises de sang

Lorsque la grossesse est normale et à faible risque, on ne fait habituellement pas de prise de sang au moment de votre arrivée dans la salle de travail. Parfois, il faut faire des analyses (par exemple, du taux de sucre dans le sang si vous êtes diabétique) pour s'assurer que tout va bien.

Le travail provoqué

Si le travail n'a pas commencé à la fin de la 41e semaine de grossesse, ou si vous avez d'autres problèmes médicaux, votre fournisseur de soins de santé pourrait suggérer de *provoquer* le travail (faire en sorte qu'il commence en utilisant des moyens médicaux). On ne doit jamais provoquer le travail sans une bonne raison. (Lisez la section sur la grossesse prolongée à la page 129.)

L'accélération du travail

Si votre travail progresse trop lentement, votre fournisseur de soins de santé peut suggérer de rompre les membranes ou de vous injecter de l'oxytocine par intraveineuse. L'oxytocine est une hormone qui est presque identique à l'hormone naturelle qui déclenche les contractions. Elle a pour effet de rendre les contractions plus fortes ou plus régulières.

La surveillance du fœtus

On a maintenant la preuve qu'au cours d'un travail normal, il est préférable de vérifier l'état du fœtus à intervalles réguliers, mais sans limiter vos mouvements. Si vous avez des besoins spéciaux, on devra peut-être surveiller l'état du bébé en utilisant des moniteurs de surveillance continue, mais cela se fait seulement si c'est nécessaire (voir l'encadré aux pages 137, 138 et 139).

Le mouvement pendant le travail

De nos jours, dans la plupart des hôpitaux, on encourage les mères à se promener librement pendant les premières phases du travail. Des études ont prouvé qu'un exercice léger de ce genre aide à accélérer le travail.

Manger et boire pendant le travail

Au tout début du travail, vous pouvez prendre de la nourriture et des boissons en petites quantités pour ne pas vous déshydrater et pour conserver vos forces. Toutefois, la plupart des femmes n'ont pas envie de manger lorsqu'elles sont en période de travail actif. Vous pouvez quand même boire de petites quantités de liquide clair. Dans certaines situations à risque élévé, il se peut qu'on ne vous permette pas de boire ou de manger quoi que ce soit.

Le soulagement de la douleur

Il y a plusieurs moyens différents de vous aider à supporter la douleur du travail et de l'accouchement. Ils varient des respirations particulières jusqu'à l'anesthésie épidurale. Quand on arrive à maîtriser la douleur chez la mère, celle-ci peut participer plus activement à l'accouchement. C'est bien de choisir l'accouchement naturel (sans médicament contre la douleur), mais vous pouvez aussi changer d'avis si vous n'arrivez plus à endurer la douleur. Au chapitre six, on traite de différentes façons de rendre le travail moins pénible.

Les poussées d'expulsion

Vers la fin du travail actif, vous ressentirez fortement le besoin de pousser pour faire sortir votre bébé. Le corps veut naturellement faire quelques courts efforts d'expulsion pendant chaque contraction. N'oubliez pas d'inspirer et d'expirer entre chaque poussée. On a prouvé que c'est avec cette méthode que le bébé reçoit le plus d'oxygène. Dans certains hôpitaux, le personnel peut vous demander de pousser d'une façon différente. On vous encouragera peut-être à prendre une grande respiration et à la garder pendant que vous faites un effort d'expulsion prolongé se terminant par une grande inspiration. On a prouvé que cette méthode peut accélérer l'accouchement, mais qu'elle peut aussi diminuer, à la longue, l'oxygène que le bébé reçoit.

Parfois, le col n'est pas tout à fait prêt à laisser passer le bébé. On pourrait alors vous dire de ne pas pousser. Dans ce cas, on vous dira ce que vous devez faire pour ne pas pousser (replier les genoux vers la poitrine ou respirer d'une façon particulière).

Les positions d'accouchement

Les positions assise ou semi-assise sont les meilleures pour accoucher. Ces positions semblent réduire le temps nécessaire pour expulser le bébé. La position étendue sur le côté est aussi une position naturelle d'accouchement qui présente de nombreux avantages. La position accroupie a l'avantage d'améliorer l'angle du bassin, de sorte que le bébé a plus d'espace pour sortir. De plus, on utilise ainsi la force de gravité pour permettre au bébé de glisser et de sortir plus rapidement. Vous n'avez pas à vous inquiéter qu'on vous attache les jambes aux étriers. De nos jours, cela ne se fait plus dans les hôpitaux.

L'épisiotomie

Rien ne prouve qu'il y a des avantages à faire une *épisiotomie* à toutes les femmes (faire une incision pour élargir l'ouverture du vagin). En fait, il y a plus d'avantages à NE PAS en faire :

- la femme a moins mal après l'accouchement;
- son fonctionnement sexuel est meilleur par la suite;
- il y a moins de relâchement des muscles pelviens.

Une épisiotomie est parfois quand même nécessaire pour réduire la pression ou accélérer la naissance si le bébé est en souffrance.

La ligature du cordon ombilical

Attendre au moins deux minutes après la naissance du bébé pour couper le cordon ombilical peut améliorer l'approvisionnement en sang de votre bébé. Ceci peut être avantageux, surtout pour les bébés prématurés. On peut prendre des arrangements pour que le père du bébé coupe le cordon, s'il le désire.

Le contact peau contre peau

Des études ont démontré que les câlins et les contacts peau contre peau immédiatement après la naissance sont importants pour que votre bébé s'ajuste à la vie à l'extérieur de l'utérus et pour faciliter l'allaitement. C'est ce qu'on appelle la méthode kangourou.

Les croyances culturelles et religieuses

Sentez-vous bien à l'aise d'indiquer vos besoins dans ce domaine. Vous avez peut-être des coutumes, des croyances et certaines choses que vous voulez pour vous-même, le bébé et votre famille.

La cohabitation

Les études démontrent qu'il est préférable pour vous et votre bébé de partager la même chambre. Lorsque les bébés cohabitent avec leur mère, c'est surtout elle qui s'en occupe. Dans la pouponnière, plusieurs personnes s'occupent des bébés. Pour les nouveau-nés, le risque d'infection est donc plus grand dans la pouponnière. De plus, la cohabitation vous permettra de tisser des liens avec votre bébé.

La césarienne

Si une césarienne est prévue (voir la page 157), vous voudrez sans doute indiquer quelle méthode d'anesthésie vous préférez et si vous désirez que votre conjoint assiste à l'intervention. Si vous aviez besoin d'un accouchement d'urgence, quels seraient vos choix? Indiquez-les dans votre plan de naissance.

Le début de l'allaitement

Selon les recherches, le mieux est de commencer à allaiter dans les 30 à 60 minutes suivant l'accouchement, alors que le bébé est le plus éveillé. C'est le meilleur moment pour commencer à créer des liens et avoir des contacts peau contre peau avec votre nouveau-né. Vous pouvez demander qu'on place le bébé sur votre ventre tout de suite après la naissance pour que vous ayez tous deux un bon départ. Ce contact peau contre peau améliore les chances que l'allaitement se déroule bien. Beaucoup de bébés savent d'instinct comment se nourrir au sein lorsque leur peau est en contact avec celle de leur mère.

L'horaire d'allaitement

Selon les études, il est préférable de nourrir le bébé dès qu'il a faim plutôt que de lui imposer un horaire. C'est ce qu'on appelle l'allaitement sur demande. En observant votre bébé, vous allez apprendre à reconnaître les signes de la faim, comme sucer son poing, tourner la tête pour trouver le sein ou pleurer. Les bébés doivent se nourrir au moins huit fois par période de 24 heures. Vous devrez peut-être réveiller votre bébé pour l'allaiter s'il est trop endormi pour vouloir téter.

Uniquement du lait maternel

Les études démontrent que les bébés de 0 à 6 mois nourris au sein n'ont besoin de rien d'autre que le lait maternel. Il n'est pas nécessaire de leur donner de l'eau au biberon.

Obtenir de l'aide

Il y a bien des façons d'obtenir de l'aide pour l'allaitement naturel. Parfois, on vous en offrira; d'autres fois, vous devrez en demander. Plusieurs communautés offrent des programmes d'aide à domicile pour l'allaitement, un soutien à l'allaitement par l'intermédiaire de cliniques de santé communautaire, des cliniques pour l'allaitement naturel et des consultants professionnels en allaitement.

Les banques de sang de cordon ombilical

Après que votre bébé est né et que le cordon ombilical a été coupé et clampé (comprimé au moyen d'une pince) le reste du cordon ombilical est toujours relié au placenta. On trouve dans ce cordon une petite quantité de sang. On en utilise une partie pour déterminer le groupe sanguin du bébé et faire d'autres analyses vitales. Le reste du sang et le placenta (une fois qu'il a été expulsé) sont considérés comme des déchets biomédicaux et sont jetés.

Le sang dans le cordon ombilical contient des cellules spéciales, appelées *cellules souches*, qui peuvent servir à traiter les enfants ayant le cancer ou d'autres maladies de la moelle épinière, comme la leucémie ou le lymphome. En d'autres mots, ces cellules peuvent sauver des vies.

Si vous choisissez d'utiliser ou de donner le sang du cordon ombilical, vous devriez en informer votre fournisseur de soins de santé. Indiquez-le dans votre plan de naissance. Le sang de cordon ombilical doit être pris après la naissance, mais avant l'expulsion du placenta. Ce sang peut être mis en banque pour être utilisé dans un proche avenir, mais il n'y a aucune preuve qu'on peut l'entreposer pendant une longue période et l'utiliser par la suite pour traiter le cancer ou d'autres maladies. Les banques de sang de cordon exigent que les donneurs subissent des tests de dépistage. Vous devrez communiquer avec votre banque locale avant la 34e semaine de grossesse pour subir le processus de dépistage.

Au Canada, il y a un nombre limité de banques publiques de sang de cordon ombilical qui assurent l'entreposage du sang pour le bien public.

L'alimentation de votre bébé

Au cours des 20 dernières années, on a fait beaucoup d'études sur l'allaitement maternel. Les recherches démontrent qu'il y a de nombreux avantages pour la mère et son bébé. En se fondant sur ces preuves scientifiques, la Société des obstétriciens et gynécologues du Canada (SOGC), la Société canadienne de pédiatrie (SCP), l'Organisation

---

Vous trouverez plus d'information sur la mise en banque de sang de cordon ombilical sur les sites Web suivants :

- La Société des obstétriciens et gynécologues du Canada : www.sogc.org

- L'Alberta Cord Blood Bank : www.acbb.ca

- Héma-Québec : www.hema-quebec.qc.ca

L'ALLAITEMENT COMMENCE
PAR LE COLOSTRUM

La plupart des bébés sont prêts à téter dans l'heure qui suit leur naissance. Jusqu'à ce que votre production de lait augmente (habituellement entre deux et quatre jours après la naissance), vos seins produiront une substance jaunâtre semblable à du lait, qu'on appelle colostrum. Ce colostrum contient des anticorps, des acides gras oméga-3 et la combinaison de nutriments, de minéraux, de vitamines et d'oligo-éléments qui est idéale pour votre bébé.

Votre bébé viendra au monde avec des réserves d'eau et de gras qu'il utilisera jusqu'à ce que la quantité de lait que vous produisez augmente. Entre-temps, le colostrum est parfait pour le bébé et répond à tous ses besoins.

La plupart des bébés perdent du poids après leur naissance parce qu'ils utilisent leurs réserves de gras et d'eau. Cette perte de poids ne devrait pas dépasser 7 % du poids du bébé à la naissance.

Le mieux est d'allaiter votre nouveau-né chaque fois qu'il donne signe qu'il a faim (en suçant son poing, en faisant des mouvements de succion, en essayant de sucer tout ce qui approche de sa bouche). Il ne faut pas donner d'eau aux bébés.

mondiale de la santé (OMS) et le Fonds des Nations Unies pour l'enfance (UNICEF) s'entendent pour dire que le lait maternel est le meilleur aliment pour les six premiers mois de vie. Après n'avoir donné que du lait maternel à votre bébé pendant six mois, vous pouvez commencer à lui donner d'autres aliments. C'est une bonne idée de continuer d'allaiter votre bébé jusqu'à ce qu'il ait deux ans ou plus.

L'allaitement maternel : la façon naturelle et saine de nourrir votre bébé

Les femmes ont toujours allaité leurs bébés. L'allaitement maternel demeure la façon la plus saine et la plus naturelle de nourrir votre bébé. Aujourd'hui, 85 % des mères canadiennes allaitent leurs bébés.

Le lait maternel, y compris le premier lait que vos seins produisent (appelé colostrum), contient des anticorps qui renforcent le système immunitaire du bébé et aident à combattre la maladie. Un bébé qui a un système immunitaire fort court moins de risques d'avoir des infections comme des rhumes, des infections d'oreille, des grippes intestinales, des infections des reins, la pneumonie et la méningite. Les bébés nourris au sein courent aussi moins de risques d'avoir certains problèmes intestinaux comme la maladie cœliaque ou la maladie de Crohn. Le lait maternel a même pour effet de réduire le risque d'avoir l'appendicite, l'asthme, des allergies et l'eczéma.

Le lait maternel est plus facile à absorber et à digérer que les préparations pour nourrissons. C'est pourquoi beaucoup de bébés nourris au sein ont moins de problèmes de constipation et d'indigestion. Les cas de bébés allergiques au lait maternel sont extrêmement rares. Toutefois, plusieurs peuvent avoir des réactions allergiques légères ou graves aux préparations pour nourrissons. Le lait maternel contient aussi des protéines actives qui favorisent le développement des intestins et des nerfs de votre bébé ainsi que des cellules qui luttent contre les maladies.

L'allaitement est aussi très bon pour vous, la mère. Il déclenche la production de certaines hormones qui aident votre utérus à revenir à sa taille normale. L'allaitement protège aussi contre le cancer du sein, des ovaires et de l'utérus. L'allaitement favorise l'intimité et la création d'un lien affectif privilégié entre vous et votre bébé. Enfin, le lait maternel est gratuit et n'exige aucune préparation. Les préparations pour nourrissons peuvent coûter 1 500 $ ou plus pendant la première année.

Parlez à d'autres femmes et communiquez avec des organismes comme le Service de renseignements sur l'allaitement de la Ligue La Leche Canada (1-800-665-4324) ou avec l'infirmière en santé publique de votre localité pour en savoir plus. Si vous avez besoin d'aide, certaines localités offrent des cliniques d'allaitement et des consultations privées avec des expert(e)s en allaitement, appelées consultant(e)s en allaitement.

Certaines femmes choisissent de ne pas allaiter. Si vous décidez de ne pas allaiter (vous trouverez plus d'informations à la page 208), votre équipe de soins de la santé respectera votre choix et vous appuiera.

Les mythes au sujet de l'allaitement : vrai ou faux

1. L'allaitement maternel est facile, naturel et se fonde sur l'instinct humain.

   Vrai. Une fois que vous et votre bébé aurez trouvé comment faire et que vous aurez établi votre propre routine, l'allaitement deviendra facile et la façon la plus naturelle de nourrir votre bébé. Comme bien d'autres choses nouvelles que vous devez apprendre à faire avec votre nouveau bébé, il faudra peut-être un peu de temps pour y arriver. Soyez patiente. Demandez de l'aide. N'abandonnez pas. L'effort en vaut la peine.

2. Je ne devrais pas commencer à allaiter parce que je ne suis pas certaine de pouvoir le faire pendant plus de deux ou trois mois.

Faux. Cela vaut la peine d'allaiter votre bébé, même si ce n'est que pour quelques jours. De cette façon, votre bébé obtiendra les bienfaits du lait maternel et vous vous gardez les portes ouvertes. Alors, même si vous ne savez pas combien de temps vous allez allaiter, ça vaut la peine de commencer.

3. Les mères qui allaitent sont « prisonnières » de leurs bébés.

Vrai. Mais toutes les nouvelles mères sont « prisonnières » de leurs bébés! Que vous allaitiez ou non, votre nouveau-né devra être nourri et recevoir des soins souvent. Il est vrai que les mères qui allaitent doivent rester près de leurs bébés, mais c'est naturel. Vous vous sentirez bien, sachant que vous êtes là pour allaiter et réconforter votre bébé. En allaitant, vous n'aurez pas besoin de passer du temps à préparer les formules spéciales qui seraient nécessaires pour nourrir votre bébé au biberon. Pendant les premiers mois, emportez le bébé avec vous lorsque vous sortez. Vous trouverez probablement que l'allaitement peut être pratique et souple. Certaines nouvelles mères s'ennuient et regrettent de ne pas voir régulièrement d'autres adultes. Assurez-vous de rester en contact avec vos ami(e)s, ou de faire la rencontre de nouvelles personnes.

4. Toutes les mères produisent suffisamment de lait pour nourrir leur bébé.

Vrai. L'allaitement stimule votre production de lait afin que vous puissiez répondre exactement aux besoins de votre bébé. Il arrive parfois qu'une mère croie ne pas produire assez de lait. Dans la plupart des cas, elle pourra se rassurer en parlant à une personne formée en allaitement. Si vous croyez que vous ne produisez pas assez de lait, parlez à votre fournisseur de soins de santé ou trouvez dans votre collectivité un programme de soutien des mères qui allaitent. Habituellement, le problème peut être réglé ou expliqué. Parfois, une mère peut donner plus de son propre lait à son bébé en retirant du lait de ses seins. Dans de rares cas, une femme peut avoir à offrir un supplément à son bébé (préparation pour nourrissons) jusqu'à ce que le problème soit réglé.

5. Les bébés tètent différemment au sein qu'au biberon.

Vrai. Les bébés nourris au biberon doivent apprendre à téter différemment. La différence entre la tétine d'un biberon et votre mamelon peut créer de la confusion chez le bébé.

6. L'allaitement va changer l'apparence de mes seins.

Vrai. Pendant les quelques premières semaines d'allaitement, attendez-vous à ce que vos seins prennent du volume. Quand vous allez arrêter, vos seins pourraient avoir une forme différente de ce qu'elle était avant votre grossesse. Ceci est attribuable aux hormones de grossesse et à l'âge, pas à l'allaitement.

7. Si j'allaite, je ne devrais pas utiliser le biberon du tout.

Pas nécessairement. Au début, vous avez plus de chances de réussir l'allaitement si vous ne donnez aucun biberon au bébé. De cette façon, la différence entre les mamelons et les tétines ne sèmera pas la confusion chez votre bébé. De plus, votre organisme adaptera sa production de lait aux besoins de votre bébé. Une fois que votre production de lait et la technique du bébé seront bien établies (au moins six semaines après la naissance), vous pourrez, de temps à autre, donner un biberon au bébé. Le meilleur lait à mettre dans ce biberon est votre propre lait que vous aurez retiré (extrait) de vos seins. Le fait de donner un biberon à votre bébé à n'importe quel moment augmente les risques que le bébé arrête de boire au sein de sa mère prématurément.

8. On devrait sevrer les bébés à l'âge de six mois.

Faux. Le lait maternel est le meilleur pour les bébés et les tout-petits. L'Organisation mondiale de la santé (OMS) recommande aux mères de ne rien donner d'autre que leur propre lait à leurs bébés pendant les six premiers mois de vie et de continuer de les allaiter jusqu'à l'âge de deux ans ou plus. Si l'allaitement vous convient, il n'y a pas de raison pour ne pas continuer jusqu'à ce que l'enfant soit prêt à arrêter de lui-même.

9. Il y a des mères qui ne devraient pas allaiter.

Vrai, mais ceci est très rare. Dans certains cas, un fournisseur de soins de santé pourrait conseiller à une mère de ne pas allaiter. Par exemple, une femme pourrait avoir à prendre des médicaments qui pourraient nuire au bébé si elle l'allaitait. Parlez à votre fournisseur de soins de santé de l'allaitement et la prise de médicaments.

10. Les femmes qui ont des implants mammaires ne peuvent pas allaiter.

Faux. De nombreuses femmes peuvent allaiter même si elles ont des implants.

11. Le lait « bleu » et clair n'a pas de valeur nutritive.

Faux. L'apparence peut changer à mesure que le sein se ramollit pendant une tétée. À mesure que le sein se dégonfle, la quantité de gras dans le lait augmente. Tous les types de lait maternel ont une valeur nutritive pour votre bébé.

12. La petite quantité de colostrum est suffisante pour votre bébé au cours des premiers jours.

Vrai. Le colostrum fournit l'eau et le sucre ainsi que les protéines, les minéraux et des anticorps importants (protection contre les maladies) que votre bébé ne peut pas obtenir ailleurs.

13. On doit donner une suce au bébé qu'on allaite au sein pour qu'il apprenne à téter.

Faux. Avec une suce, le bébé peut mal apprendre à téter. Les suces peuvent aussi vous empêcher de reconnaître les signes de la faim chez votre bébé et elles peuvent transmettre des maladies. Vous trouverez plus de détails à ce sujet dans le chapitre huit.

14. Il est préférable d'allaiter le bébé dès qu'il semble avoir faim.

Vrai. L'allaitement sur demande satisfait mieux les bébés et assure le succès de l'allaitement. La plupart des bébés boivent au moins huit fois par période de 24 heures.

15. Tous les bébés, qu'ils soient allaités ou nourris au biberon, ont besoin d'eau.

Faux. Le lait maternel contient assez d'eau pour satisfaire les besoins de votre bébé. L'eau n'a aucune valeur nutritive, et le fait de lui en donner peut faire en sorte qu'il ait moins faim au moment de la tétée.

16. Si j'allaite, il va falloir que je mange bien.

Vrai. Mais d'une façon ou d'une autre, vous devez bien manger pour répondre à vos propres besoins! Que vous allaitiez ou non, c'est toujours une bonne idée de bien s'alimenter. Une saine alimentation vous aidera à vous remettre de l'accouchement et aidera votre corps à guérir.

17. Je dois sevrer mon bébé avant de retourner au travail.

Faux. Plusieurs choix s'offrent aux mères qui retournent au travail. Certaines allaitent lorsqu'elles sont à la maison et, lorsqu'elles sont au travail, extraient leur lait pour le donner au bébé le lendemain. D'autres allaitent lorsqu'elles sont à la maison et utilisent leur lait maternel congelé ou une préparation pour nourrissons lorsqu'elles sont à l'extérieur.

Date :

Semaine de grossesse :

Tension artérielle :

Poids :

Fréquence cardiaque du fœtus :

QUESTIONS À POSER À MON
FOURNISSEUR DE SOINS DE
SANTÉ :

Questions sur l'allaitement :

Questions sur mon plan de naissance :

Prise de poids/nutrition :

Autres préoccupations :

Mon journal de grossesse
De la 24e à la 32e semaine

Pendant votre examen, votre fournisseur de soins de santé vérifiera votre poids et évaluera la croissance de votre bébé. Comme lors de la dernière consultation médicale, il passera en revue les symptômes du travail prématuré et les moyens que vous prenez pour réduire les risques. Mangez-vous bien et faites-vous régulièrement de l'exercice? Votre bébé est-il à l'abri des effets de la cigarette et de l'alcool? Est-ce que votre travail est stressant ou est-ce qu'il vous fatigue beaucoup? Est-ce que vous vous reposez suffisamment?

Si vous avez subi des tests ou des examens échographiques depuis votre dernière visite, votre fournisseur de soins de santé en examinera les résultats avec vous.

Ensemble, vous allez aussi passer en revue vos plans pour l'accouchement et ce à quoi vous pouvez vous attendre. Grâce à ces discussions et aux lectures que vous faites, vous aurez une meilleure idée de vos choix pour l'accouchement. Vous allez commencer à réfléchir à la façon dont vous voulez que les choses se déroulent, en vous fondant sur ce qui vous paraît préférable pour vous, votre bébé et votre conjoint.

Mon journal de grossesse
De la 32ᵉ à la 36ᵉ semaine

Vous aurez une consultation prénatale toutes les deux ou trois semaines. Votre fournisseur de soins de santé vérifiera votre poids et évaluera la croissance du bébé, et il continuera à être attentif aux signes pouvant annoncer un travail prématuré. Pendant ces·visites, on se préoccupera avant tout de la santé et de la croissance de votre bébé.

Pendant cette consultation, vous et votre fournisseur de soins de santé allez passer en revue votre plan de naissance (voir la page 108) et parler de toute inquiétude que vous pourriez avoir au sujet de l'accouchement.

Manger sainement demeure très important, parce que votre bébé se développe rapidement.

_____

_____

_____

_____

_____

_____

_____

_____

_____

JE SUIS L'ÉVOLUTION DE MA GROSSESSE

Date :

Semaine de grossesse :

Tension artérielle :

Poids :

Fréquence cardiaque du fœtus :

QUESTIONS À POSER À MON FOURNISSEUR DE SOINS DE SANTÉ :

Questions sur l'allaitement :

Questions sur mon plan de naissance :

Prise de poids/nutrition :

Autres préoccupations :

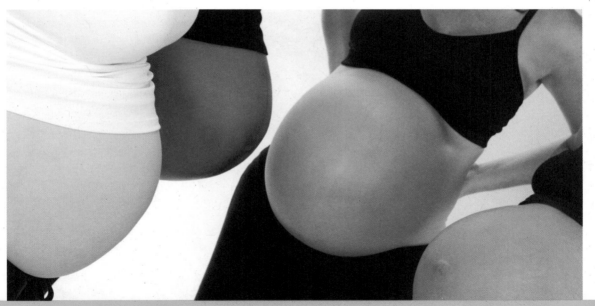

CHAPITRE 5

Se préparer à donner naissance

POINTS IMPORTANTS À CONSIDÉRER AVANT LE DÉBUT DU TRAVAIL :

- *Quand votre travail commencera, pourrez-vous facilement prévenir la personne qui vous accompagnera pendant le travail?*

- *Avez-vous une autre personne que vous pouvez contacter?*

- *Comment vous rendrez-vous à l'hôpital?*

- *Qui vous conduira à l'hôpital? Vous ne devriez pas conduire vous-même. Vous devrez vous concentrer sur vous-même. Comme vous serez en travail, vous pourriez ne pas pouvoir conduire en toute sécurité.*

- *Si vous utilisez votre propre voiture, est-elle fiable? Établissez un plan de rechange, au cas où votre voiture tomberait en panne.*

- *Si vous prévoyez prendre un taxi, assurez-vous que vous avez l'argent nécessaire. Communiquez avec les services sociaux si vous avez besoin d'argent pour vous aider à vous rendre à l'hôpital.*

- *Habitez-vous loin de l'hôpital? Il est préférable de faire le trajet en voiture et d'utiliser une montre pour voir combien de temps il vous faut pour vous rendre.*

(suite de l'encadré à la page 127)

Introduction

Commencez-vous à être un peu fatiguée de porter votre bébé? Dites-vous que votre bébé a probablement aussi hâte de venir au monde que vous avez hâte d'accoucher! Nous vous invitons donc à parcourir une liste des derniers points à vérifier avant l'accouchement, un peu comme le font les pilotes avant de décoller. Qui va manier la caméra vidéo? Avez-vous votre brosse à dents? Et le stationnement? Et croyez-vous que votre bébé se prépare lui aussi à sa façon?

Nous allons parler des malaises courants du dernier trimestre que vous ressentez peut-être. C'est aussi le temps de parler des bébés nés après terme et de quelques-uns des symptômes et préoccupations d'une grossesse prolongée.

La fin de votre grossesse approche rapidement et vous pourrez très bientôt tenir dans vos bras un nouveau membre de votre famille.

Votre corps se transforme

Les os de votre bassin sont plus mobiles et peuvent causer de la douleur, surtout dans le dos. Vous remarquerez peut-être que vos seins sécrètent du colostrum qui forme des croûtes sur vos mamelons (bien que plusieurs femmes ne produisent pas de colostrum avant la naissance du bébé). Vos seins sont peut-être gonflés et lourds. Vous aurez besoin d'un bon soutien-gorge de maintien pour les prochains mois, surtout si vous allaitez. Votre ventre peut devenir tellement étiré que votre nombril pointe. Vers la fin de votre grossesse, vous remarquerez peut-être que la couleur de votre peau (pigmentation) devient plus brunâtre et apparente.

Votre utérus commencera à « s'exercer » en produisant des « fausses contractions » (appelées « contractions de Braxton Hicks ») qui peuvent ou non être douloureuses, mais qui sont irrégulières. Comme l'utérus exerce des pressions sur les vaisseaux sanguins du bassin, vous verrez peut-être que vos pieds et chevilles sont plus enflés. L'enflure des mains et du visage peut annoncer un problème plus sérieux, comme l'hypertension gravidique (voir la page 104). Si cela se produit, communiquez avec votre fournisseur de soins de santé.

Vers la fin de la grossesse, la plupart des bébés se placent la tête en bas dans la position appelée « engagée ». On appelle quelques fois cet événement la « descente » du bébé ou l'« allégement ». Chez certaines femmes, cela se produit peu avant le début du travail, et c'est tout à fait normal.

Lorsque le bébé se place dans le bassin, sa tête s'appuiera sur le col de votre utérus. Vous éprouverez une sensation différente et semblerez porter le bébé plus bas qu'auparavant. La bonne nouvelle, c'est qu'une fois le bébé descendu, vous sentirez moins de pression sur vos côtes. Votre respiration sera plus facile. Parfois, ce poids lourd porté plus bas peut augmenter la fatigue musculaire et les maux de dos.

Votre bébé en fin de terme

Le bébé à terme est rond et dodu. Il mesure de 46 à 51 cm (de 18 à 20 po) et pèse de 3 à 4 kg (de 6 1/2 à 9 lb).

Le bébé a les yeux fermés quand il dort et ouverts lorsqu'il est éveillé. Ses poumons fabriquent maintenant une substance appelée surfactant qui les prépare à leur première respiration. Le système immunitaire du bébé à terme n'est pas encore à point. Pour remédier à ce problème, le bébé reçoit les anticorps que vous lui fournissez par le placenta avant sa naissance. Il en recevra encore par les tétées (colostrum) après sa naissance. Le placenta mesure maintenant environ 20 cm (8 à 10 po) de diamètre et près de 2,5 cm (1 po) d'épaisseur.

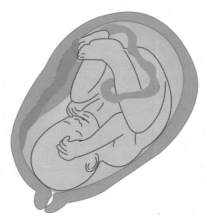

▶ Votre bébé à terme

Les malaises courants à la fin de la grossesse

Les crampes aux jambes, aux mollets et aux pieds

Pendant les trois derniers mois de leur grossesse, bon nombre de femmes ont des crampes, surtout la nuit. Il s'agit de crampes qui surviennent soudainement aux jambes, aux mollets et aux pieds. Lorsque vous avez une crampe, voici ce que vous pouvez faire :

- Malgré la douleur, pointez les orteils vers les genoux. Ceci aidera à étirer le muscle.
- Gardez le pied dans cette position et dessinez lentement de petits cercles avec le bas de la jambe.
- Ensuite, massez le muscle pour stimuler la circulation du sang dans cette partie de votre corps.

Les problèmes de sommeil

Les femmes enceintes ont souvent de la difficulté à dormir, surtout pendant le dernier trimestre. Ce n'est pas facile de trouver une position confortable avec un ventre qui a tellement grossi, et les fréquents allers-retours à la toilette pendant la nuit n'aident pas. Essayez d'utiliser deux ou trois gros oreillers pour soutenir vos jambes, votre ventre et votre dos (mais ne vous couchez pas sur le dos). Demandez à votre conjoint de vous masser le dos pour vous aider à vous endormir. Un bon bain chaud avant le coucher peut aussi vous aider. Gardez la chambre à coucher fraîche. Ne prenez pas de somnifères (pilules pour dormir) sans le consentement de votre fournisseur de soins de santé.

Les pertes vaginales

Il est normal que les pertes vaginales augmentent pendant la grossesse et qu'elles deviennent encore plus abondantes pendant le dernier trimestre. Les pertes ne doivent pas :

- être blanches ou teintées de sang (à moins que le col de votre utérus ait commencé à s'ouvrir et que vous ayez perdu le bouchon muqueux, ce qui peut se produire quelques jours avant le début du travail);

• être liquides (il pourrait s'agir de liquide amniotique);

• sentir mauvais (ce qui pourrait être un signe d'infection).

Les pertes ne doivent pas causer de douleur, de démangeaisons ou d'irritation à la région vaginale. Communiquez tout de suite avec votre fournisseur de soins de santé si vous avez un de ces symptômes ou si vous croyez qu'il pourrait y avoir un problème.

Les contractions du prétravail

Les contractions du prétravail (parfois aussi appelées contractions de Braxton Hicks) ne causent habituellement pas de douleur et sont irrégulières. Elles sont normales. On croit que ce sont les muscles de l'utérus qui se préparent pour le vrai travail. Bon nombre de mères ne les sentent même pas. Elles sont différentes des contractions du vrai travail qui commencent lentement et deviennent ensuite plus fréquentes, plus fortes et plus régulières. Vous trouverez plus d'information sur le « vrai travail » et le « faux travail » dans l'encadré. Cependant, si vous pensez que votre travail pourrait avoir commencé, demandez à un fournisseur de soins de santé de vous examiner.

La grossesse prolongée

Environ 10 % des femmes n'auront pas encore accouché à la fin de leur 41e semaine de grossesse ou dans la semaine suivant la date prévue de l'accouchement. Après 42 semaines, on parle d'une **grossesse prolongée** et d'un bébé qui naît **après terme**. Pour pouvoir dire qu'une grossesse est réellement prolongée, la date prévue d'accouchement doit être précise. Elle doit avoir été calculée tôt pendant la grossesse, en utilisant les dates de vos dernières règles et les résultats de votre première échographie. On peut difficilement se fier à la date prévue d'accouchement lorsque celle-ci est calculée à un moment plus avancé de la grossesse, à partir de dates incertaines pour les règles et de résultats d'échographies subies plus tard pendant la grossesse.

VRAI TRAVAIL ET FAUX TRAVAIL

Pour vous aider à déterminer s'il s'agit de vrai ou de faux travail, notez la durée et la fréquence des contractions, leur force et à quel point elles sont régulières. Notez le nombre de minutes écoulées à partir du début d'une contraction jusqu'au début de la prochaine. Notez aussi la longueur de chacune. Essayez de le faire pendant une heure.

1. À QUEL POINT LES CONTRACTIONS SONT-ELLES FORTES?

VRAI TRAVAIL

• *Les contractions deviennent de plus en plus fortes.*

• *Vous sentez votre utérus devenir dur.*

FAUX TRAVAIL

• *Les contractions ne deviennent pas de plus en plus fortes.*

• *Elles peuvent devenir plus faibles à certains moments et même disparaître temporairement.*

(suite de l'encadré à la page 130)

VRAI TRAVAIL ET FAUX TRAVAIL
(SUITE)

▶ 2. EST-CE QUE LE COL DE VOTRE
UTÉRUS CHANGE?

VRAI TRAVAIL

- *Votre col utérin commence à changer; il se ramollit, raccourcit et s'ouvre.*

- *Si le col ouvre de 3 à 4 cm à la suite de contractions régulières, il s'agit de travail actif.*

FAUX TRAVAIL

- *Le col de votre utérus ne change pas.*

- *Il ne se ramollit pas, ne raccourcit pas, ne s'amincit pas et ne s'ouvre pas.*

col fermé   col ouvert

▶ 3. À QUEL POINT LES CONTRACTIONS
SONT-ELLES RÉGULIÈRES?

VRAI TRAVAIL

- *Les contractions deviennent habituellement très régulières. Vous pouvez prévoir la prochaine.*

- *Lorsqu'il s'agit de vrai travail, les contractions durent de 30 à 70 secondes et sont espacées de cinq minutes ou moins.*

FAUX TRAVAIL

- *Les contractions sont irrégulières et n'ont pas toujours les mêmes caractéristiques.*

Un placenta qui vieillit

Un petit nombre de bébés nés après terme auront des problèmes de santé. On ne connaît pas la cause des problèmes chez ces bébés, mais on soupçonne le vieillissement du placenta. En vieillissant, le placenta commence à perdre sa capacité de faire son travail. Lorsque cela se produit, il se peut que votre bébé reçoive moins de nutriments, de sang et d'oxygène. Dans certains cas, le niveau de stress du bébé peut s'élever et sa croissance peut s'en trouver ralentie.

Pour assurer la sécurité du bébé lorsque la grossesse se prolonge

Si votre bébé n'est pas encore né à la fin de la 41e semaine de grossesse ou dans la semaine suivant la date prévue d'accouchement, vous et votre fournisseur de soins de santé devrez décider s'il faut provoquer le travail (vous trouverez beaucoup plus de détails à ce sujet au chapitre six). Pour vous aider à prendre cette décision, vous devrez suivre de près ce que le bébé fait, comme lorsque vous avez compté les mouvements du bébé (voir la page 102). Vous subirez peut-être aussi un test qui mesure les battements de cœur du fœtus (test de réactivité fœtale) et une échographie.

Mon journal de grossesse
De la 36ᵉ à la 42ᵉ semaine

Au cours des quatre à six dernières semaines de la grossesse, vous aurez une consultation prénatale toutes les semaines. À chaque examen, votre fournisseur de soins de santé vous examinera soigneusement, vous et votre bébé, pour s'assurer que vous allez bien tous les deux et que votre corps se prépare pour le grand événement : l'accouchement.

JE SUIS L'ÉVOLUTION DE MA GROSSESSE

Date :

Semaine de grossesse :

Tension artérielle :

Poids :

Rythme cardiaque du fœtus :

QUESTIONS À POSER À MON FOURNISSEUR DE SOINS DE SANTÉ :

L'heure est arrivée

Introduction

Vous voilà arrivée au moment que tout le monde attendait. Dans ce chapitre, nous allons parler des signes du travail, puis des quatre stades du travail. On traitera de la rupture des membranes, de la respiration, des positions, du soulagement de la douleur et des techniques d'aide à l'accouchement. Nous avons même inclus une section sur la création de liens entre vous et votre bébé.

Comme d'habitude, nous allons aussi parler des risques et problèmes possibles. Un de nos buts est de vous éviter le plus grand nombre possible de surprises. Et parce que cela arrive, nous allons aussi parler de ce qui peut arriver de pire.

Alors, après des mois d'attente (et peut-être au moment où vous vous y attendez le moins), vous allez commencer à sentir le début du travail. Comme la plupart des femmes, vous ressentirez peut-être de la surprise, de l'excitation et même un peu de crainte. Mais c'est vous qui tenez le rôle principal dans le dernier acte de cette pièce miraculeuse de neuf mois, c'est-à-dire le développement d'un ovule fécondé qui était plus petit que le point sur l'« i » dans le mot « vie » en un être humain bien vivant. Vous êtes sur le point de connaître la joie d'ajouter un nouveau membre à votre famille.

Lorsque le travail commence

Personne ne peut vraiment prédire quand votre travail débutera. Il n'y a pas un seul facteur qui déclenche le travail, bien que nous croyions que les hormones jouent un rôle important. Dans cette section, nous allons donc vous décrire les signes du travail et vous aider à vous préparer à y réagir.

Les signes du travail

Certaines femmes savent tout de suite que le travail a commencé. D'autres n'en sont pas aussi certaines. Parfois, même les experts ont de la difficulté à le confirmer. Dans le doute, rendez-vous à l'hôpital.

Les pertes : Pendant la grossesse, un bouchon muqueux se forme à l'entrée du col de l'utérus. Lorsque le col commence à ouvrir (ou se dilater), ce bouchon se dégage.

Vous remarquerez peut-être des pertes vaginales épaisses. Elles peuvent contenir un peu de sang, ou être claires ou rosées. Ce signe peut se manifester plusieurs jours avant le début du travail, alors attendez d'avoir d'autres signes indiquant que le travail a commencé.

La rupture des membranes : Vous avez peut-être déjà entendu dire que vos « eaux vont crever ». Dans le milieu médical, on parle de la rupture des membranes. Dans les deux cas, on parle du moment où la poche contenant le liquide amniotique dans lequel votre bébé baigne commence à laisser échapper du liquide ou se rompt complètement. Ceci peut se produire plusieurs heures avant le début du travail ou à n'importe quel moment pendant le travail. Si cela se produit, rendez-vous à l'hôpital.

Les contractions : Le travail commence souvent par des contractions de l'utérus; ce dernier se contracte, puis se détend. Les contractions font ouvrir votre col et poussent le bébé vers le passage d'expulsion. (Consultez les pages 129 et 130 pour voir comment déterminer s'il s'agit de vrai ou de faux travail.)

Les contractions du vrai travail sont douloureuses, régulières et durent entre 30 et 70 secondes.

Le rôle important de votre accompagnant(e)

Pendant le travail, la présence d'un(e) proche vous rassurera. Vous pouvez choisir qui vous voulez pour vous accompagner pendant le travail, comme votre conjoint, le père du bébé, un(e) ami(e), un membre de la famille ou une doula professionnelle (une accompagnante formée). L'accompagnant(e) vous apporte le soutien émotionnel dont vous avez besoin, vous masse le dos si cela aide, vous rappelle les techniques de respiration apprises pendant les cours prénataux et vous tient la main

---

J'AI DES CONTRACTIONS. EST-CE QUE LE TRAVAIL A COMMENCÉ?

Plusieurs facteurs vous aideront à déterminer si votre travail a commencé. Si vous n'êtes pas certaine, consultez un fournisseur de soins de santé.

Dès les premières contractions, prenez en note les principaux facteurs suivants :

- *La fréquence des contractions : mesurez et notez la durée des contractions, à partir du début d'une contraction jusqu'à la fin, ainsi que leur fréquence. Par exemple, les premières contractions durent 30 secondes et sont espacées de 10 minutes.*

- *La force des contractions : Est-ce que vous pouvez sentir votre utérus « durcir » et est-ce que les contractions causent de l'inconfort ou de la douleur (habituellement dans le bas du ventre ou dans le dos)?*

- *La durée : Depuis combien de temps avez-vous des contractions? Par exemple, est-ce que vous en avez depuis une heure ou deux, depuis le début de l'après-midi, etc.?*

pendant les moments les plus difficiles. Il y a, dans certains hôpitaux, des bénévoles qui aident les mères pendant le travail.

Aider votre accompagnant(e) à se préparer

Les accompagnant(e)s doivent se préparer, surtout s'il s'agit de leur premier accouchement. Ils peuvent se demander comment ils feront pour vous aider pendant le travail. Certains ont peur d'être nerveux ou d'avoir mal au cœur ou de ne pas pouvoir donner tout le soutien nécessaire.

Voici quelques suggestions pour votre accompagnant(e) :

« Bonjour, accompagnant(e). Le travail qui vous attend est difficile. Si vous êtes nerveux, c'est normal, surtout si c'est la première fois que vous assistez à un accouchement. Vous voulez faire tout ce que vous pouvez pour aider et protéger la mère. Comme elle, vous vous inquiétez de la santé du bébé. (Si vous êtes le père, c'est votre bébé à vous aussi!)

Vous sentirez peut-être que vous devez « faire quelque chose ». Parfois, vous aurez l'impression que vos efforts aident vraiment, alors qu'à d'autres moments, vous pourrez avoir l'impression de ne servir à rien. Si ceci décrit bien comment vous vous sentez, alors vous êtes normal.

Avant le début du travail, encouragez la future mère à se reposer souvent et à prendre soin d'elle. Si vous vivez ensemble, assumez sa part des tâches du nettoyage, du lavage et de la cuisine.

Si vous avez aidé à préparer le plan de naissance, vous savez quel genre d'accouchement vous désirez. Elle pourrait vous demander d'être son porte-parole auprès du personnel pendant le travail.

Il est utile de rester aussi calme que possible. Encouragez-la et faites-lui des compliments. Aidez-la à se détendre autant que possible entre les contractions. Lorsque vous l'aidez avec les respirations, laissez-la fixer son propre rythme. Parfois, son corps lui indiquera le rythme qui convient le mieux et ce ne sera pas nécessairement celui que vous avez appris et que vous vous êtes exercé à suivre ensemble.

Si elle semble perdre le contrôle d'elle-même pendant ses contractions, restez tout près d'elle, parlez-lui calmement pendant la contraction, regardez-la dans les yeux et essayez de l'amener à reprendre le contrôle pour se préparer à la prochaine.

Demeurez souple par rapport à son plan de naissance et ne vous en faites pas si les choses ne se passent pas exactement comme elle et vous les aviez prévues. Écoutez-la attentivement. Elle pourrait changer d'idée. Écoutez aussi le personnel. Ce n'est pas la première fois qu'il assiste à un accouchement.

N'oubliez pas de prendre soin de vous aussi, car l'accouchement est un processus long et exigeant. Prenez le temps de manger, de boire et de vous reposer. »

Votre équipe pour le travail et l'accouchement

Les femmes qui accouchent à l'hôpital commencent habituellement par rencontrer leur infirmière d'obstétrique (la branche de médecine qui s'occupe de la grossesse et de l'accouchement) à votre arrivée. La plupart des professionnels du travail et de l'accouchement sont des infirmières diplômées, dont certaines ont des compétences de sages-femmes. Si possible, la même infirmière vous accompagnera pendant le travail et l'accouchement. Des sages-femmes diplômées peuvent aussi assurer les soins pendant la grossesse, le travail et l'accouchement.

Les études démontrent qu'il y a des avantages à avoir une infirmière ou une sage-femme qui se concentre sur vos soins. Ces partenaires veulent vous aider à maîtriser les techniques qui facilitent l'accouchement. Comme elles ont beaucoup d'expérience, elles savent quand tout se passe bien et quand quelque chose ne va pas.

Les stades du travail

Le travail comprend quatre stades :

• Le premier stade débute lorsque les contractions commencent et deviennent régulières. Il se termine lorsque le col est complètement ouvert (dilaté) à 10 centimètres.

RENDEZ-VOUS À L'HÔPITAL LORSQUE :

• *vos membranes (la « poche des eaux ») se rompent soudainement ou laissent s'échapper du liquide de façon continue;*

• *vos contractions sont régulières et espacées de cinq minutes (et l'hôpital est situé à moins de 30 minutes de chez vous);*

• *vos contractions sont régulières et espacées de 10 minutes (et l'hôpital est situé à plus de 30 minutes).*

Si vous ne savez pas trop quoi faire ou comment mesurer la durée et la fréquence de vos contractions, téléphonez au service de maternité de votre hôpital.

LA SURVEILLANCE DE VOTRE BÉBÉ PENDANT LE TRAVAIL

Lorsque la grossesse se déroule normalement, la meilleure façon de vérifier le bien-être du bébé pendant le travail est d'écouter son cœur à travers le ventre de la mère. Une infirmière ou une sage-femme vérifie la fréquence cardiaque fœtale souvent et régulièrement en utilisant un stéthoscope ou un Doppler portatif (un appareil qui capte le son des battements de cœur du bébé).

(suite de l'encadré à la page 138)

Pendant le travail, on vérifiera la fréquence cardiaque fœtale :

- *pendant une minute complète après une contraction ou environ 2 à 4 fois l'heure pendant le premier stade du travail, et*
- *à toutes les 5 minutes à partir du début du deuxième stade, alors que vous commencez à pousser.*

Si votre grossesse est à risque élevé ou qu'un problème survient pendant le travail, l'équipe qui vous soigne devra peut-être utiliser une forme de surveillance électronique constante du bébé pour savoir comment il se porte, surtout pendant les contractions. On utilise souvent cette forme de surveillance lorsque :

- *le rythme cardiaque de votre bébé est trop lent ou trop rapide, et*
- *le bébé qui n'est pas encore né expulse du **méconium** (les premières selles que fait un nouveau-né) dans l'utérus.*

La surveillance électronique est très courante, mais elle n'est utilisée que lorsque le rythme cardiaque du bébé suscite des inquiétudes. Elle limite la capacité de la mère de marcher et de bouger pendant le travail. Deux types de surveillance du bébé mesurent et enregistrent les battements de cœur du bébé ainsi que la durée et la force des contractions de la mère.

(suite de l'encadré à la page 139)

- Le deuxième stade commence quand le col est complètement ouvert et se termine avec la naissance du bébé.
- Le troisième stade commence après la naissance du bébé et se termine lors de l'expulsion du placenta.
- Le quatrième stade est la période qui suit immédiatement la naissance, pendant laquelle on stabilise l'état de la mère après l'accouchement. C'est à ce moment que l'équipe de soins s'occupe de toute complication de l'accouchement pour la mère.

Dans le cas des femmes qui accouchent pour la première fois, la durée moyenne du travail est de 12 à 14 heures. Elle est habituellement plus courte pour les accouchements qui suivront. Rappelez-vous que ces chiffres sont des moyennes et que chaque travail est unique. Personne ne peut prédire comment votre travail se déroulera et combien de temps il durera.

Au début de la grossesse, le col de l'utérus est un passage aux parois épaisses d'une longueur d'environ 2,5 cm (un pouce). Il est fermé. Pendant les dernières semaines de la grossesse, le col devient mou sous l'effet des hormones. C'est ce qu'on appelle la **maturation** du col. Lorsque le travail commence, les contractions font en sorte que le col « mûri » se **dilate** (s'ouvre) et **s'efface** (s'amincit). À la fin du premier stade du travail, l'ouverture du col mesure 10 cm (4 po) et les parois sont très minces. À ce stade, l'utérus, le col et le vagin ne forment plus qu'un long passage continu par lequel le bébé devra sortir.

Le premier stade du travail

Le premier stade du travail est habituellement le plus long. Il est divisé en trois phases : la phase latente, la phase active et la phase transitoire.

La phase latente : de 0 à 3 cm

Pendant ce premier stade, il peut être difficile de savoir si le travail a vraiment commencé. C'est en surveillant la force et la régularité de vos contractions et en prêtant une attention particulière à toute modification de votre col que vous et votre fournisseur de soins de santé pourrez vous en assurer (voir les pages 129 et 130). Si vous vous rendez à l'hôpital pendant ce stade, on vous évaluera, puis on vous observera pendant quelques heures ou on vous dira de retourner à la maison en attendant que votre vrai travail commence.

Durant ce travail « latent » ou « précoce », continuez à boire des liquides et essayez de prendre une douche ou un bain chaud. Parfois, si vous avez des contractions irrégulières ou si vous êtes fatiguée, on pourrait vous offrir des médicaments contre la douleur pour vous aider à vous reposer et à reprendre des forces pour le vrai travail.

La phase active : de 3 à 8 cm

Vous remarquerez que les contractions sont beaucoup plus fortes. Elles reviennent toutes les 3 à 5 minutes et durent environ 45 secondes. À chaque contraction, le col se dilate et s'efface un peu plus. L'ouverture du col devrait mesurer 8 cm à la fin de cette phase. Vous commencerez peut-être à vous sentir très fatiguée et anxieuse. C'est à cette étape que vous devez vous détendre autant que vous le pouvez entre les contractions. Vous aurez peut-être mal au dos à cause de la position de la tête du bébé dans le bassin.

Phase transitoire : de 8 à 10 cm

Vous approchez maintenant de la fin du premier stade. Les contractions reviennent toutes les deux à trois minutes et durent environ de 60 à 90 secondes. Elles aident votre col à se dilater complètement jusqu'à 10 cm. Chez bon nombre de femmes, le travail ralentit pendant la phase transitoire et la dilatation des deux derniers centimètres peut être plus longue. Pendant que cela se produit, la tête du bébé descend lentement dans le bassin.

Des moyens de faciliter le travail sans l'aide de médicaments

Quand on est confiante et détendue, le travail est moins pénible. C'est pourquoi bon nombre des techniques que vous utilisez avec votre équipe soignante ont pour but de vous aider à vous détendre et à conserver la maîtrise de votre corps et de votre esprit.

LA SURVEILLANCE DE VOTRE BÉBÉ PENDANT LE TRAVAIL (SUITE)

Parfois, il faut tirer un échantillon de sang du cuir chevelu du bébé pour vérifier les niveaux d'oxygène et du pH dans le sang.

Appareil de surveillance électronique	
externe	interne
• Une ceinture est placée autour du ventre de la mère.	• Une petite électrode reliée à un appareil de surveillance est insérée par le vagin de la mère.
• La ceinture est reliée à l'appareil de surveillance par des fils.	• Une électrode est fixée sur toute partie du bébé qu'on peut atteindre par le col ouvert (habituellement le dessus de la tête).

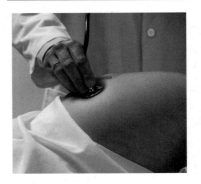

Il arrive assez souvent que le travail ne progresse pas assez rapidement. La durée du travail varie selon le nombre de bébés que vous avez déjà eus. Dans le cas d'un premier bébé, il se passe en moyenne environ 12 à 14 heures entre le début du travail actif et l'accouchement. Il se peut qu'on vous donne de l'*oxytocine*, une hormone synthétique qui rend les contractions plus efficaces. Ceci se fait lorsque la dilatation du col est lente et que les contractions ne sont pas assez fréquentes ou assez fortes. Des études ont démontré que l'utilisation d'oxytocine est utile de deux façons :

• *elle empêche que le travail dure trop longtemps (ce qui épuise la mère et peut causer du stress au bébé), et*

• *elle réduit le nombre de cas dans lesquels il faut procéder à un accouchement par césarienne.*

Pendant les semaines et les mois qui précèdent le travail, vous aurez appris et répété plusieurs techniques différentes avec votre accompagnant(e). Toutefois, une technique qui fonctionne pour certaines femmes ne vous aidera peut-être pas. Voilà pourquoi il est important de connaître et de pouvoir utiliser autant de techniques que possible.

Les techniques de respiration

La façon dont vous respirez pendant le travail peut vous faciliter la tâche et vous donnera le sentiment d'être en contrôle de votre corps et de votre esprit. Par moments, vous écouterez votre corps et respirerez comme bon vous semble. Vous pourriez aussi trouver quelques-unes des techniques suivantes utiles. Elles sont adaptées aux trois phases du premier stade du travail.

La respiration lente

La respiration lente et profonde fonctionne le mieux au début du travail parce qu'elle vous permet de vous concentrer sur autre chose que les contractions. Commencez par inspirer profondément par le nez ou la bouche. Pincez ensuite les lèvres comme si vous alliez gonfler un ballon et expirez très lentement. Chez plusieurs femmes, le rythme de ce type de respiration vient naturellement, mais il peut être utile de compter jusqu'à trois ou quatre en inspirant, puis jusqu'à trois ou quatre en expirant. Plusieurs femmes trouvent que ce type de respiration lente les aide tout au long de leur travail.

La respiration accélérée ou légère

Ce mode de respiration fonctionne le mieux pendant la phase active du travail, au moment où les contractions viennent plus rapidement et sont de plus en plus fortes. Au début de la contraction, commencez par inspirer et expirer lentement. À mesure que la contraction devient plus forte, respirez plus rapidement. Au plus fort de la contraction, inspirez légèrement et expirez rapidement, ce qui fait un bruit semblable au halètement d'un chien. Lorsque la contraction diminue, recommencez à respirer plus lentement, puis terminez par une profonde respiration de détente.

La respiration de transition (halètements)

Pendant la phase transitoire, au moment où le travail est le plus intense et que vous avez de la difficulté à respirer lentement, ce mode de respiration peut vous aider à résister à l'envie de pousser alors que le col n'est pas encore complètement dilaté. Il s'agit d'inspirer profondément, puis d'expirer en deux courts halètements et de terminer avec une dernière expiration plus longue et lente afin de vider les poumons.

COMMENT VIVRE LA PHASE LATENTE DU PREMIER STADE

VOUS POUVEZ :

- *prendre une douche ou un bain chaud;*
- *vous promener avec la personne qui vous accompagne ou visionner un film;*
- *utiliser des techniques de relaxation;*
- *respirer lentement et longuement pendant les contractions;*
- *maintenir votre énergie en mangeant et en buvant un peu.*

VOTRE ACCOMPAGNANT(E) PEUT :

- *s'assurer que le plein d'essence est fait et que la voiture est en bon état;*
- *placer votre valise dans la voiture;*
- *vous aider à vous détendre en offrant de vous masser le dos ou les pieds;*
- *si nécessaire, informer les intéressés que le travail a commencé;*
- *vous encourager à marcher, vous reposer, manger et boire;*
- *calculer le temps qui s'écoule entre deux contractions;*
- *se montrer calme et rassurant(e);*
- *vous préparer un repas léger et vous offrir souvent à boire.*

COMMENT VIVRE LA PHASE ACTIVE DU PREMIER STADE

VOUS POUVEZ :

- vous détendre et ne pas « résister » aux contractions;
- pratiquer la respiration accélérée ou légère, ou la respiration lente qui favorise la détente;
- changer souvent de positions, mais ne pas vous coucher sur le dos; le mouvement accélère le travail;
- vous attendre à ce que les contractions deviennent plus fortes après que vos eaux auront crevé;
- au besoin, demander un médicament pour soulager la douleur;
- utiliser des techniques de visualisation pour vous aider à vous concentrer;
- prendre une douche ou un bain chaud;
- au moyen d'un ballon, exercer une contre-pression sur le périnée pour aider à élargir votre bassin;
- demander de l'aide, faire connaître vos besoins.

VOTRE ACCOMPAGNANT(E) PEUT :

- masser vos muscles tendus;
- rester avec vous;
- vous aider à pratiquer vos respirations, en vous aidant à adopter le mode de respiration qui convient à votre rythme;
- vous encourager et vous aider à changer souvent de position, vous fournir des oreillers qui vous serviront d'appui, se promener avec vous, vous aider à vous asseoir si c'est ce que vous voulez faire;
- appliquer une contre-pression ferme dans votre dos lorsque vous avez une contraction et vous masser le dos entre les contractions;
- être votre porte-parole auprès du personnel;
- vous laisser vous concentrer sur le travail;
- vous encourager en vous félicitant du travail accompli;
- vous aider à supporter les contractions, une à la fois, tout en vous préparant à celle qui s'en vient;
- appuyer vos choix; ne jamais critiquer; s'assurer que le climat est paisible dans la chambre; se montrer calme et rassurant.

COMMENT VIVRE LA PHASE TRANSITOIRE VERS LE DEUXIÈME STADE

VOUS POUVEZ :

- vous déplacer autant qu'il faut pour trouver un certain soulagement;
- essayer la respiration haletante pour vous aider à résister à l'envie de pousser si votre col n'est pas dilaté à 10 centimètres;
- supporter une contraction à la fois;
- si possible, prendre une douche ou un bain;
- imaginer que votre corps s'ouvre comme une fleur pour donner naissance au bébé;
- laver votre figure et vos mains avec une serviette fraîche;
- changer de robe de nuit;
- sucer des glaçons ou prendre de petites gorgées d'eau pour éviter que votre bouche s'assèche;
- avertir votre accompagnant(e) ou l'infirmière si vous ressentez le besoin de pousser.

VOTRE ACCOMPAGNANT(E) PEUT :

- appuyer votre choix de position;
- vous aider avec les respirations; bien vous regarder dans les yeux pour que vous vous sentiez moins seule et plus en contrôle de la situation;
- vous rappeler que le travail est presque terminé et que le bébé sera bientôt là;
- se montrer calme et vous offrir un soutien positif;
- si vous le désirez, masser vos muscles tendus, surtout le bas du dos où la tête du bébé exerce une pression plus forte;
- vous aider à visualiser et à vous détendre;
- vous réconforter en caressant votre visage, vos cheveux ou une autre partie de votre corps si cela vous aide;
- vous offrir des glaçons, appliquer des serviettes fraîches sur votre front;
- lorsque vous ressentez le besoin de pousser, vous aider à pratiquer la respiration de transition (halètements) pour empêcher de pousser jusqu'à l'arrivée de l'infirmière.

Les positions pour le travail

Les positions que vous utilisez peuvent faciliter le travail. Vous devez vous sentir libre d'adopter toute position qui rend le travail plus facile et de changer de position aussi souvent que vous voulez. Utilisez des oreillers pour soutenir vos bras, vos jambes et votre ventre. Il n'est pas recommandé de vous coucher sur le dos pendant le travail parce que le poids de l'utérus risque de coincer un gros vaisseau sanguin contre votre colonne vertébrale, ce qui réduit la quantité de sang qui se rend au bébé.

La position assise

La position assise

La position la plus courante et la meilleure pour l'accouchement est de rester assise bien droite ou le dos légèrement incliné vers l'arrière. Des études ont démontré que cette position peut aider votre utérus à se contracter et peut ainsi raccourcir la durée de la deuxième phase du travail. Cette position semble aussi aider le bébé à descendre dans le passage d'expulsion. D'autres études ont démontré que les bébés nés de mères qui se tiennent assises pendant l'accouchement ont des taux d'oxygène plus élevés dans le sang. Les mères disent aimer cette position qui leur permet de mieux voir le bébé et d'établir des liens plus rapidement avec lui dès sa naissance. Dans la plupart des hôpitaux, on trouve des lits de naissance qui favorisent cette position.

La position étendue sur le côté

La position étendue sur le côté

Vous prendrez sans doute cette position à un moment ou à un autre pendant le travail, mais vous n'avez peut-être pas songé à accoucher étendue sur le côté. Certaines femmes trouvent cette position plus confortable pendant le travail. Si vous avez des troubles cardiaques, des problèmes d'articulation de la hanche ou des varices aux jambes, cette position peut aider votre médecin ou sage-femme à vous accoucher de façon sécuritaire. Si vous choisissez cette position, votre accompagnant(e) devra soutenir votre jambe supérieure pendant l'accouchement.

La position accroupie – pour l'accouchement seulement

Cette position offre deux avantages. Premièrement, elle facilite les efforts d'expulsion (les poussées) en aidant l'utérus à basculer vers l'avant sous l'effet de la gravité. Le bébé descend mieux dans le passage d'expulsion. Deuxièmement, des études ont démontré que la position accroupie aide à élargir le bassin, ce qui donne plus d'espace au bébé pour descendre et sortir. En Amérique du Nord, certaines femmes trouvent cette position inconfortable parce qu'elles n'y sont pas habituées. Dans certains hôpitaux, les lits de naissance sont munis de barreaux pour aider les femmes qui veulent utiliser cette position.

En appui sur les mains et les genoux (pour l'accouchement, ou parfois à la fin du premier stade)

Cette position fonctionne bien pour certaines femmes, bien que très peu d'études aient été menées pour évaluer son efficacité. Certains experts croient que cette position aide le bébé à tourner pour se mettre dans la bonne position pour l'accouchement lorsque cela ne s'est pas encore produit. Dans cette position, certaines femmes se balancent de l'avant à l'arrière pendant les contractions pour atténuer la douleur au dos. C'est une position qui mérite d'être essayée.

L'hydrothérapie

L'hydrothérapie consiste à utiliser l'eau pendant le premier stade du travail pour réduire la douleur et le stress.

Bon nombre de femmes trouvent les douches, les bains chauds et les bains tourbillons réconfortants pendant le travail. Bien que l'hydrothérapie ne semble pas raccourcir le travail, elle réduit le stress chez la femme et favorise la production accrue d'endorphines, des hormones qui produisent une sensation de bien-être. De plus, la réduction du stress pendant le travail augmente les taux de l'hormone appelée oxytocine qui aide à rendre les contractions plus fortes et plus régulières.

La position accroupie

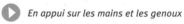

En appui sur les mains et les genoux

Demandez l'aide de votre infirmière, sage-femme ou autre accompagnant(e) avant de commencer l'hydrothérapie. L'eau trop chaude peut faire dilater les vaisseaux sanguins à fleur de peau et faire baisser votre tension artérielle, ce qui peut causer des étourdissements.

Si vous passez de longs moments dans la baignoire, vous devez boire des liquides ou sucer des glaçons afin de ne pas vous déshydrater (trop réduire la quantité d'eau dans votre organisme). Pendant l'hydrothérapie, votre infirmière ou sage-femme devra continuer de surveiller, de temps à autre, le rythme cardiaque de votre bébé. Pendant que vous êtes dans la baignoire, vous et votre accompagnant(e) pouvez essayer d'autres techniques qui rendent le travail plus facile, comme le massage, la visualisation et les techniques de respirations.

L'utilisation de votre voix pendant le travail

Vous craignez peut-être de vous mettre à crier pendant le travail. Certaines femmes le font, d'autres pas. Les infirmières, les médecins et les sages-femmes ont l'habitude d'entendre les femmes faire toutes sortes de sons et de bruits pendant le travail. De nombreuses femmes s'expriment avec leur voix pendant le travail. D'autres chantent lentement, gémissent, balancent la tête ou le corps d'un côté à l'autre ou pleurent. Ce sont toutes des façons normales de passer à travers le travail. Vous ne devez jamais vous sentir mal à l'aise d'utiliser votre voix pendant le travail.

La neurostimulation transcutanée

Ceci est un moyen sécuritaire de gérer la douleur. Il ne fait pas appel à des médicaments. Il s'agit plutôt de transmettre de petites impulsions électriques aux nerfs sous votre peau en plaçant des électrodes sur votre ventre ou votre dos. On croit que la neurostimulation transcutanée fonctionne de deux façons différentes :

1. Les impulsions électriques empêchent le signal de douleur de se rendre au cerveau. Les contractions font toujours mal, mais la femme ne les sent pas parce que le message ne se rend pas au cerveau.

2. La technique stimule votre corps à libérer une plus grande quantité d'endorphines, les hormones qui suscitent un sentiment de bien-être.

Si cette méthode vous intéresse, communiquez avec le service de physiothérapie de l'hôpital qui pourra alors prendre les mesures nécessaires. Vous devriez communiquer avec le personnel de ce service avant le début du travail ou en discuter avec votre fournisseur de soins de santé au cours d'une consultation prénatale.

L'usage de médicaments pour soulager la douleur

Deux principaux types de médicaments sont utilisés pour soulager la douleur pendant le travail : les analgésiques et les anesthésiques.

- Les analgésiques sont aussi appelés des médicaments antidouleur. Ils diminuent la sensation de douleur, mais n'engourdissent pas complètement une partie ou l'autre de votre corps.
- Les anesthésiques sont des médicaments qui « gèlent ». Ils font en sorte que vous ne sentez plus du tout une partie particulière de votre corps.

Nous vous recommandons de parler à votre équipe de soins de la santé des médicaments contre la douleur que vous voulez inclure dans votre plan de naissance.

Les médicaments antidouleur (analgésiques)

Les médicaments antidouleur les plus puissants sont les narcotiques. On peut vous offrir des narcotiques comme le mépéridine ou la morphine pendant le travail. Ils sont habituellement administrés par injection (piqûre) dans les muscles de la hanche ou par perfusion (ligne) intraveineuse. Ils engourdissent le mal et vous donnent envie de dormir, ce qui vous permet de vous reposer entre les contractions. Ils peuvent aussi avoir un effet sur le bébé parce qu'ils peuvent traverser le placenta.

Habituellement, on donne les narcotiques pendant la phase latente et la phase active du travail pour s'assurer que leur effet aura eu le temps de disparaître avant la naissance du bébé. De cette façon, votre bébé naît éveillé et actif. Cependant, si vous avez besoin d'un médicament contre la douleur et que votre bébé est « somnolent » à la naissance, le médecin ou l'infirmière peut lui donner un médicament qui le réveillera rapidement pour qu'il puisse respirer sans aide.

Les médicaments qui gèlent (anesthésiques)

Une *péridurale* (aussi appelée épidurale) est un mode d'anesthésie courant qui bloque la douleur du travail et de l'accouchement. Pour recevoir ce médicament, une aiguille est insérée dans un petit espace entre les os (vertèbres) de votre colonne vertébrale et un médecin injecte le médicament dans les groupes de terminaisons nerveuses qui s'y trouvent. Le médicament engourdit les nerfs situés dans cette région du corps et bloque la douleur.

La première fois que le médecin administre le médicament dans le bas de votre colonne vertébrale, il laisse en place un petit tube de plastique (cathéter) dont le bout extérieur est fixé à votre corps avec du ruban adhésif. On pourra utiliser ce tube pour vous donner une autre dose du médicament plus tard.

Souvent, le cathéter est raccordé à une pompe qui vous donne régulièrement le médicament tout au long du travail. Si vous croyez que vous pourriez vouloir une péridurale, il est préférable d'en discuter avec votre fournisseur de soins de santé avant le début du travail.

On peut vous faire une anesthésie péridurale de façon à ce que vous puissiez garder un certain contrôle sur vos jambes, prendre différentes positions pour faire le travail et aller à la salle de bain. C'est ce qu'on appelle une péridurale « légère » ou « mobile ». Pour bon nombre de femmes, c'est la meilleure option puisqu'elle vous permet de continuer d'utiliser et de sentir votre corps pour vous aider à faire le travail. Vous pouvez aussi vous tenir en position verticale pour aider à faire avancer le travail. Vous pourrez probablement ressentir le besoin de pousser et le faire plus efficacement si vous n'êtes pas « gelée » par la péridurale. Consultez votre médecin (ou anesthésiste) concernant cette option.

L'oxyde de diazote

L'oxyde de diazote est un gaz anesthésiant qu'on vous donne au moyen d'un masque. Vous tenez le masque et commencez à inspirer le gaz juste avant le début d'une contraction. Le gaz réduira la douleur après deux ou trois inspirations. Les effets disparaissent environ cinq minutes après que vous arrêtez d'inspirer le gaz. Il est très sécuritaire et ne rendra pas votre bébé somnolent.

Le deuxième stade du travail

Le col est maintenant ouvert de 10 centimètres, et complètement dilaté. Le bébé est prêt à être poussé tout le long du passage d'expulsion. Habituellement, les contractions ralentissent pendant le deuxième stade du travail. Elles sont espacées de deux à cinq minutes et durent environ 45 à 90 secondes. Ceci permet à votre corps de récupérer entre les contractions.

Les poussées d'expulsion

La plupart des femmes sentent le besoin de pousser lorsque leur bébé est descendu à un certain niveau du bassin. C'est une façon de soulager le « stress » du travail. Il semble qu'une poussée d'expulsion fournie en même temps que la contraction libère une énergie qui vient du plus profond du corps et du cerveau de la femme. Vous pourriez vous sentir plus forte, puissante et en possession de vos moyens lorsque vous commencerez à pousser.

Quand il ne faut pas pousser

Il faut éviter de pousser dans deux situations :

- si votre col n'est pas encore ouvert de 10 centimètres;
- si le bébé n'a pas encore pris la position la plus favorable pour l'expulsion.

Parfois, l'envie de pousser est si grande qu'il est impossible d'y résister. On peut alors vous demander, avec l'aide de votre infirmière, sage-femme ou accompagnant(e), de replier les genoux tout près de votre poitrine et de respirer en haletant jusqu'à ce que le col soit complètement ouvert.

Quand vous ne ressentez aucun besoin de pousser

Certaines femmes ne ressentent pas le besoin de pousser. Elles peuvent avoir besoin d'aide supplémentaire et de conseils pour faire sortir leur bébé. Ceci peut arriver aux femmes qui ont eu une épidurale.

Chez certaines femmes, il se produit une courte période pendant laquelle les contractions arrêtent ou sont très légères et le besoin de pousser n'est pas ressenti.

Si votre col est complètement dilaté, mais que vous ne ressentez pas le besoin de pousser, détendez-vous et reposez-vous un moment. Vous le ressentirez avec le temps. Parfois, une femme qui a eu une épidurale ne peut plus pousser efficacement ou n'en ressent pas le besoin. Votre infirmière, médecin ou sage-femme vous donnera de l'aide et des conseils.

Le rythme naturel des poussées d'expulsion

Il n'y a pas de bonne ou de mauvaise façon de pousser. Bien qu'on encourage souvent les femmes à inspirer profondément et à retenir leur respiration tout en donnant une longue et puissante poussée continue, des études démontrent qu'après tout, ce n'est peut-être pas la meilleure façon de faire.

Lorsque les femmes poussent naturellement, c'est-à-dire sans instructions et à leur propre rythme, elles ont tendance à fournir de trois à cinq courtes poussées pendant chaque contraction. À mesure que le deuxième stade progresse, le nombre de poussées par contraction a tendance à augmenter. En poussant naturellement, la femme inspire profondément plusieurs fois pendant chaque poussée et expire lentement en vidant complètement ses poumons. Les études indiquent que cette façon de faire permet au bébé de recevoir le plus d'oxygène pendant le deuxième stade du travail. Avec cette méthode, le travail prend parfois quelques minutes de plus.

Agrandir le passage pour l'accouchement

La région entre l'anus et le vagin s'appelle le périnée. La peau du périnée doit s'étirer pour laisser passer le bébé. Dans bien des cas, le bébé nait sans que le périnée se déchire ou avec une petite déchirure. L'accoucheuse peut tenter de masser le périnée pour l'aider à s'étirer. Après l'accouchement, on devra faire des réparations mineures du périnée chez environ 70 % des femmes dont c'est le premier bébé. Pour faire les réparations, le médecin peut administrer une anesthésie locale pour que vous ressentiez moins de mal.

Les recherches indiquent que ces petites déchirures guérissent mieux et sont moins douloureuses qu'une incision (coupure) plus longue mesurant de 2,5 à 5 cm (1 à 2 po) qu'on appelle **épisiotomie**. On la fait à la base du vagin vers le rectum ou vers un côté. Avant de faire l'incision, le médecin utilise une anesthésie locale pour engourdir cette partie de votre corps.

Dans certains cas, une épisiotomie est nécessaire lorsqu'il faut plus d'espace pour laisser passer la tête et les épaules du bébé ou s'il est important de faire vite pour le bien-être du bébé. Les épisiotomies devraient seulement être faites au besoin et selon la situation au moment de l'accouchement.

Le troisième stade du travail

Ce stade commence à la naissance du bébé et se termine lorsque le placenta sort de l'utérus (environ 30 minutes après la naissance). Mises à part quelques légères contractions pour expulser le placenta, votre travail est terminé et cette période en est une de soulagement.

À condition que l'utérus reste ferme et rapetisse (et qu'il n'y a pas de saignement anormal), il est préférable d'attendre la sortie du placenta.

Pour suturer (coudre) les déchirures ou la coupure de l'épisiotomie, on attend que le placenta soit sorti. Enfin, votre fournisseur de

---

LE TROISIÈME STADE DU TRAVAIL

VOUS POUVEZ :

- *vous détendre. Tenir et toucher votre bébé;*

- *établir un contact peau contre peau;*

- *demander une couverture réchauffée si vous tremblez ou avez froid;*

- *aider à faire sortir le placenta lorsqu'on vous le demande (ce qui n'est pas douloureux).*

VOTRE ACCOMPAGNANT(E) PEUT :

- *tisser des liens avec le bébé;*

- *vous aider à vous installer pour allaiter;*

- *vous offrir quelque chose à boire, essuyer votre visage et vos mains avec un linge humide.*

LES PERSONNES À QUI ANNONCER
LA NAISSANCE DU BÉBÉ

soins vous fera probablement une injection (piqûre) d'oxytocine, une hormone synthétique pour aider l'utérus à rapetisser et arrêter les saignements. Les études ont démontré que l'usage de cette hormone après l'accouchement réduit de façon importante la quantité de sang que la mère perdra après la naissance, ainsi que le risque d'hémorragie postpartum (pertes de sang trop abondantes).

Pendant cette période, l'infirmière ou la sage-femme vérifie souvent la grosseur et la forme de votre utérus pour s'assurer qu'il continue à rapetisser et que le saignement diminue toujours. En même temps, vous et les infirmières allez vous occuper de votre bébé. Vous allez peut-être trembler, avoir froid ou même avoir l'impression que vous allez vomir (avoir la nausée). La nausée devrait bientôt passer et une couverture bien chaude vous réconfortera.

Les soins de votre bébé après sa naissance

On coupera et attachera le cordon ombilical de votre bébé après sa naissance. Les infirmières prendront probablement quelques minutes pour essuyer votre bébé, s'assurer qu'il respire bien et se préparer à établir l'indice d'Apgar (voir la page 154).

Les gaz sanguins du cordon ombilical

Tout de suite après la naissance, on fait une analyse des gaz sanguins du cordon ombilical. Le fournisseur de soins de santé prend un échantillon du sang du cordon après qu'il a été coupé. On vérifie les taux d'oxygène et du pH dans le sang du cordon. On utilise le taux du pH pour mesurer l'équilibre des éléments chimiques dans le sang du bébé. C'est un indicateur important du bien-être du bébé à la naissance.

Le quatrième stade du travail

Le quatrième stade commence après la sortie du placenta et dure environ deux heures. Profitez de cette période pour vous reposer et reprendre des forces. Pendant ce temps, on vous surveillera de près au cas où des problèmes surviendraient. Votre infirmière ou sage-femme vérifiera votre tension artérielle, votre rythme cardiaque, votre respiration, la hauteur de l'utérus ainsi que la quantité de sang qui s'écoule de votre vagin. C'est à ce stade, alors que vous et votre nouveau-né vous adaptez aux changements qui suivent l'accouchement, que vous aurez votre première occasion de tisser des liens avec votre bébé.

Tisser des liens entre vous et votre bébé – la méthode kangourou

Vous et votre bébé devriez rester ensemble après l'accouchement (n'oubliez pas d'inclure votre partenaire). Envisagez de garder votre bébé nu sur votre poitrine et votre abdomen découverts pour permettre le contact peau contre peau. Les infirmières et sages-femmes connaissent bien le processus et supportent la formation de liens entre les mères et leurs bébés.

- Elles baissent l'éclairage pour que le bébé puisse ouvrir les yeux.
- Elles vous suggèrent de tenir votre nouveau-né bien près de vous, à quelques pouces de votre visage, pour qu'il puisse vous voir.
- Le contact peau contre peau est la meilleure façon de créer des liens avec votre bébé et de garder le bébé bien au chaud et en sécurité tout de suite après la naissance. C'est ce qu'on appelle la méthode kangourou.
- Parlez-lui doucement avec votre timbre de voix normal. Votre bébé tournera peut-être son visage dans la direction de votre voix et ses yeux chercheront les vôtres.
- Pendant une heure ou deux après la naissance, vous et votre bébé serez tous les deux très alertes. C'est le meilleur temps pour former des liens et pour commencer l'allaitement. En allaitant votre bébé pendant cette période, vous allez améliorer la façon dont il prend votre sein.

Pendant les prochains jours, profitez de toutes les occasions pour parler à votre nouveau-né. Tenez-le tout près de vous et continuez d'avoir autant de contacts peau contre peau que possible. Allez-y doucement et lentement lorsque vous prenez et déposez votre bébé et faites attention de bien soutenir sa tête et son cou. Nourrissez-le dès qu'il semble avoir faim.

Tous les nouveaux-nés subissent des tests et des analyses pour déterminer s'ils sont en santé. On prend des échantillons de sang pendant les jours qui suivent la naissance pour déceler des maladies qui peuvent être présentes même si le bébé semble en santé. Tous les nouveaux-nés canadiens subissent des tests pour déceler des problèmes de santé qui nuisent à la digestion des aliments et à la production d'hormones (qui ont un effet sur la croissance et le développement normaux) et la fibrose kystique. Les résultats seront envoyés à votre fournisseur de soins de santé. On vous informera des résultats seulement s'il y a des problèmes.

Le dépistage des problèmes d'audition (la capacité d'entendre) se fait habituellement pendant que vous êtes à l'hôpital, et plus tard, pendant les examens de votre bébé que lui fait son fournisseur de soins de santé. Ces examens permettent d'évaluer la croissance et le développement global de votre bébé. Si on soupçonne que votre bébé entend mal, un autre test sera nécessaire. Les problèmes d'audition peuvent nuire à la capacité de votre bébé de s'exprimer par le langage et d'établir des relations avec les autres (aptitudes langagières et sociales).

L'indice d'Apgar

On fait un test simple et rapide pour évaluer la santé du nouveau-né une minute après sa naissance, et de nouveau cinq minutes plus tard. Ce test, qu'on appelle indice d'Apgar, est essentiel pour aider les fournisseurs de soins de santé à déterminer si le bébé aura besoin de soins spéciaux. Le test vérifie cinq aspects :

le rythme cardiaque du bébé;

1. sa respiration;

2. son tonus musculaire;

3. ses réflexes;

4. la coloration de sa peau.

Après avoir évalué ces aspects, on assigne une note de zéro à deux à chacun d'eux, selon la façon dont le bébé réagit. Zéro est le minimum et deux, le maximum. Le total des points est ce qu'on appelle l'indice d'Apgar. La plupart des bébés obtiennent une note se situant entre 7 et 10.

Par exemple, un bébé qui, à la naissance, a un rythme cardiaque de 140/minute (2 points), crie fort (2 points), bouge un peu (1 point), tousse (2 points) et a la peau rose (2 points) aura une note de 9.

On peut prévoir que le bébé sera en bonne santé si, cinq minutes après sa naissance, le total de ses points s'élève à plus de 7.

Indice d'Apgar			
	0 point	*1 point*	*2 points*
Rythme cardiaque	Absent	Lent (moins de 100/minute)	Plus de 100/minute
Respiration	Absente	Faible	Bonne, cri fort
Tonus musculaire	Flasque (mou)	Quelques mouvements	Mouvements actifs
Réflexes	Aucune réaction	Grimace, gémissements	Toux ou éternuements
Coloration de la peau	Bleuâtre ou pâle	Corps de couleur rosée, bras et jambes bleuâtres	Complètement rose

Les complications pendant le travail et l'accouchement

Le déclenchement du travail

La grossesse prolongée n'est qu'une des raisons pour lesquelles on peut provoquer le travail. Par exemple, si la membrane amniotique (la « poche des eaux ») se rompt sans que le travail commence tout seul, vous et votre médecin ou sage-femme devrez décider si vous allez déclencher le travail ou attendre qu'il commence de lui-même. Les deux options peuvent être les bonnes selon différents facteurs, comme le temps qui s'est écoulé depuis la rupture des membranes, le degré de maturation du col (voir ci-dessous), le risque d'infection et vos propres émotions.

Il y a d'autres raisons pour lesquelles il pourrait être préférable de provoquer le travail quand la grossesse est à 40 semaines ou moins. Le déclenchement peut être préférable :

• si la mère fait de l'hypertension qui empire;
• si la mère a une maladie comme le diabète;
• si des signes indiquent que le bébé ne se développe pas bien;
• pour d'autres raisons médicales.

Ces raisons médicales sont les seules valables pour provoquer le travail.

Comment fait-on pour provoquer le travail?

Il existe a plusieurs façons courantes de le faire.

Faire mûrir le col de l'utérus : Normalement, le col commence à devenir mou, à élargir et à raccourcir avant le début du travail. C'est ce qu'on appelle la *maturation*. Si le col ne se prépare pas de lui-même au travail et qu'il faut provoquer le travail, votre fournisseur de soins de santé essaiera peut-être de le faire mûrir. Cela se fait en plaçant un gel ou un ovule (petit solide en forme d'œuf) contenant une hormone (prostaglandine E2) sur le col de votre utérus ou dans votre vagin. Une autre méthode consiste à insérer, au centre du col, un tube de caoutchouc avec un ballonnet au bout. On gonfle ensuite le ballonnet qui est à l'intérieur du col. Il est très important que le col ait atteint sa maturation et qu'il soit mou avant qu'on commence à provoquer le travail.

Rompre les membranes : Lorsque les membranes amniotiques (la poche des eaux) ne sont pas rompues, il faut quelques fois les rompre artificiellement au moyen d'une méthode simple. On introduit un instrument spécial dans le col pour percer la membrane. L'intervention n'est pas plus incommodante qu'un simple examen du vagin. Chez la plupart des femmes, le travail commencera dans les 12 heures qui suivent la rupture des membranes, surtout si le col a atteint sa pleine maturation. Parfois, les membranes peuvent être rompues comme moyen d'accélérer un travail non provoqué, qui a commencé spontanément.

Provoquer les contractions : Pour que l'utérus commence à se contracter, votre fournisseur de soins de santé peut vous donner un médicament appelé oxytocine, qui est presque identique à l'hormone du même nom que votre corps produit naturellement.

La présentation par le siège

Le plus souvent, l'enfant se présente la tête première. Pendant le dernier mois de la grossesse, il repose avec la tête vers le canal d'expulsion. Lorsque la tête est en haut et les fesses en bas, c'est la ***présentation par le siège***.

Si vous approchez de la date d'accouchement (dernières quatre à six semaines) et que votre fournisseur de soins de santé soupçonne que le bébé se présente par le siège, on utilisera l'échographie pour déterminer la position, le poids et l'état de santé de votre bébé.

Si l'échographie confirme que le bébé se présente par le siège, on vous informera de vos choix pour l'accouchement. Dans certains cas, la façon dont les jambes ou la tête du bébé sont placées dans l'utérus fait en sorte que la méthode d'accouchement la plus sûre est la césarienne. D'autres bébés qui se présentent par le siège peuvent, dans certaines conditions, venir au monde en toute sécurité par le vagin. Vous devrez en discuter avec votre fournisseur de soins de santé. Une troisième possibilité consiste à tourner le bébé pour qu'il se retrouve la tête en bas, en utilisant une technique qu'on appelle « version céphalique externe » ou par manœuvres externes. Une fois que vous aurez toute l'information dont vous avez besoin et que vous connaîtrez toutes les options, vous pourrez choisir entre la version céphalique, l'accouchement normal par le vagin ou une césarienne planifiée.

Les accouchements assistés : l'utilisation des forceps ou de la ventouse

Parfois, il faut aider le bébé à sortir du passage d'expulsion. Un fournisseur de soins de santé peut décider d'aider le bébé à naître en utilisant les *forceps* ou une *ventouse obstétricale*. On a recours à ces méthodes lorsque le deuxième stade du travail dure depuis très longtemps, que la mère est trop fatiguée pour pousser et que le bébé a assez descendu pour être accouché naturellement, avec un peu d'aide. On utilise aussi ces méthodes lorsque les battements du cœur du bébé ont ralenti, ce qui est un signe que le bébé pourrait être en difficulté.

L'utilisation des forceps et de la ventouse est courante, sécuritaire et très efficace.

- Le *forceps* est un instrument à deux branches minces et incurvées qu'on applique sur les deux côtés de la tête du bébé à l'intérieur du passage d'expulsion. Après l'avoir mis en place, le médecin peut ajuster la position de la tête du bébé et, à chaque contraction, tirer doucement le bébé vers le bas et la sortie.
- La *ventouse obstétricale* est utilisée pour ce qu'on appelle aussi un « accouchement par succion ». La méthode consiste à appliquer une ventouse de plastique qui est maintenue par succion sur le dessus de la tête du bébé. La ventouse est reliée à un manche qui permet au fournisseur de soins de santé de tirer doucement le bébé pour l'aider à naître.

L'accouchement par césarienne

L'*accouchement par césarienne*, ou césarienne tout court, est une intervention pendant laquelle on ouvre le ventre de la femme enceinte pour retirer le bébé de l'utérus. Au Canada, environ le quart des naissances ont lieu par césarienne. Parfois, pour des raisons médicales,

ACCOUCHEMENT À L'AIDE
DE FORCEPS

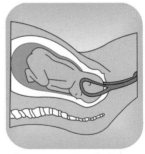

ACCOUCHEMENT À L'AIDE
DE LA VENTOUSE

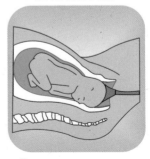

la césarienne est planifiée et pratiquée avant même le début du travail. D'autres fois, lorsque des complications surviennent pour la mère ou pour l'enfant pendant le travail, elle est pratiquée pendant que le travail est en cours.

La cause la plus fréquente d'une césarienne est la mauvaise progression du travail. Malgré des contractions fortes et régulières, le col arrête de se dilater pendant plusieurs heures ou le bébé ne s'engage pas dans le bassin pour commencer sa descente. Dans ces cas, et après avoir essayé sans succès toutes les autres méthodes, il faut pratiquer une césarienne.

L'inquiétude concernant le bien-être du bébé est la deuxième raison la plus courante pour laquelle on fait une césarienne. L'inquiétude est habituellement causée par des changements inhabituels du rythme cardiaque du bébé pendant le travail, ce qu'on confirme la plupart du temps en prenant un échantillon de sang du cuir chevelu du bébé. Si l'équipe de soins de santé a de bonnes raisons de croire que le bébé supporte mal le travail et que la naissance n'est pas sur le point de se produire, on envisage alors de faire une césarienne.

La troisième raison la plus courante pour laquelle on fait une césarienne concerne les cas où la mère a déjà accouché par césarienne. On disait autrefois qu'une première césarienne en entraînait toujours d'autres. Nous savons maintenant que ce n'est plus le cas. En fait, environ 60 à 80 % des femmes qui ont déjà eu une césarienne peuvent accoucher par les voies naturelles (par le vagin).

Si vous avez déjà accouché par césarienne, il est important de savoir que vous avez d'excellentes chances d'accoucher normalement cette fois-ci. Des études indiquent que bon nombre de femmes ne veulent pas de nouveau entreprendre un travail long et pénible qui pourrait finir par une autre césarienne. Si c'est votre cas, parlez-en à votre fournisseur de soins. Vous avez besoin d'être assurée qu'on soulagera votre douleur pendant l'accouchement.

Il y a d'autres raisons moins fréquentes de faire une césarienne :

• le bébé se présente par le siège (voir la page 156);
• le placenta s'est décollé et saigne;
• le placenta recouvre le col et saigne.

Parfois, c'est la santé de la mère qui exige qu'on fasse une césarienne, par exemple, si elle a une maladie grave comme la toxémie ou un cas grave de diabète. Lorsque la mère est atteinte d'herpès contagieux ou est séropositive pour le VIH, on fera aussi une césarienne pour éviter que le bébé soit infecté pendant l'accouchement.

L'accouchement comprend des éléments imprévisibles. Personne ne peut le gérer parfaitement, même en faisant tout ce qu'on peut pour s'y préparer. Que vous donniez naissance à votre bébé par les voies naturelles ou par césarienne, le but de la grossesse est que vous accouchiez d'un enfant en santé. La fin est ici bien plus importante que les moyens. Toutes les femmes doivent savoir qu'une césarienne pourrait être nécessaire. Assurez-vous d'inclure dans votre plan de naissance un paragraphe indiquant ce que vous voulez qu'on fasse si vous devez accoucher par césarienne.

Bon nombre de parents sont reconnaissants d'avoir eu, grâce à l'intervention sécuritaire qu'est la césarienne, des enfants en santé. Savoir que vous pourriez avoir besoin d'une césarienne en cas d'urgence est une bonne raison de vouloir accoucher dans un hôpital, en toute sécurité.

L'hémorragie postpartum

Toutes les mères ont des saignements après l'accouchement, mais de 7 à 10 % ont des saignements trop abondants, qu'on appelle l'hémorragie postpartum. L'hémorragie se produit plus souvent lorsque le bébé est gros, que le travail est long et pénible ou qu'il s'agit d'un accouchement multiple (jumeaux ou plus). Dans le passé, des femmes mouraient à cause de ces saignements, mais grâce aux soins médicaux modernes, on peut habituellement arrêter le saignement postpartum assez facilement.

Comment prévenir l'hémorragie postpartum

On peut prévenir l'hémorragie postpartum. Des études récentes ont démontré qu'on peut réduire de jusqu'à 40 % le risque d'hémorragie postpartum chez les femmes à qui on donne un médicament (oxytocine). Aujourd'hui, dans les plupart des hôpitaux, on donne ce médicament à toutes les femmes au cours du deuxième ou du troisième stade du travail. On le donne par injection (piqûre) dans un muscle ou une veine.

L'allaitement et le massage de l'utérus mou sont deux autres bons moyens de prévenir l'hémorragie postpartum, parce que les deux favorisent la contraction de l'utérus.

La durée du séjour à l'hôpital

Les avantages d'un retour rapide à la maison

Vous allez peut-être pouvoir retourner à la maison un jour ou deux après la naissance de votre bébé. La durée du séjour à l'hôpital a beaucoup diminué au cours des dernières années. Une raison est la réduction des dépenses pour les soins de santé, mais il reste qu'un retour rapide à la maison peut être préférable pour vous et votre bébé. Vous devez vous habituer à votre nouveau rôle de mère. Votre maison est un endroit plus calme et tranquille que l'hôpital et vous dormirez mieux dans votre propre lit. Vos efforts pour allaiter pourraient donner de meilleurs résultats dans le confort de votre maison et votre bébé sera moins exposé aux infections. Aussi, ce sera plus facile pour le père et pour les autres membres de la famille de passer du temps avec le bébé.

Vous devez également savoir que les infirmières de maternité et les sages-femmes sont expertes dans l'art d'enseigner aux nouvelles mamans à prendre soin du nouveau-né. Vous pouvez donc profiter de votre séjour à l'hôpital pour apprendre d'elles tout ce que vous pouvez.

N'hésitez pas à leur poser toutes les questions que vous voulez, même celles qui ne vous semblent pas si importantes. Si vous vous la posez, elle est importante!

Le suivi à domicile

Les Canadiens ont le privilège d'avoir un système de santé publique qui fournit un suivi à domicile après un accouchement. Le degré de soins de santé peut varier d'une province à l'autre. Lorsque vous quittez tôt l'hôpital, il est important que le nouveau-né soit vu peu après, pendant une visite d'une infirmière ou d'une sage-femme à la maison.

La Société des obstétriciens et gynécologues du Canada et la Société canadienne de pédiatrie ont publié une déclaration de principe commune sur la façon de déterminer les cas où la mère et son bébé peuvent quitter l'hôpital tôt et en toute sécurité (voir la déclaration de principe *Renvoi à domicile de la mère et du nouveau-né à la suite de l'accouchement*, sur le site www.sogc.org). Selon cette déclaration, il faut absolument que les mères et leurs bébés qui retournent tôt à la maison reçoivent peu après un suivi à domicile. On veut ainsi s'assurer que l'alimentation du nouveau-né est bien établie, qu'il reçoit assez de liquides et de nutriments pendant les premiers jours et qu'il n'a pas la jaunisse. Il est important d'obtenir de l'aide tôt si le bébé a l'un ou l'autre de ces problèmes.

Pendant sa visite à domicile, l'infirmière ou la sage-femme vous examinera, vous et votre bébé, et répondra à toutes vos questions sur vos soins et ceux de votre nouveau-né. Habituellement, vous aurez le temps de discuter de sujets tels votre corps, l'allaitement, les couches, le bain, les liens avec le bébé, la reprise des rapports sexuels et la contraception. Ces soins personnalisés et intimes vous donneront la confiance dont vous avez besoin pour prendre soin de votre bébé. C'est une bonne idée d'écrire vos questions avant l'arrivée de l'infirmière ou de la sage-femme. De cette façon, vous n'oublierez rien de ce que vous voulez lui demander (voir l'encadré).

RENSEIGNEMENTS SUR LE SUIVI À DOMICILE

Numéro de téléphone du centre local de santé :

_____

Date et heure de la première visite :

_____

Date et heure de la deuxième visite :

_____

Nom de l'infirmière ou de la sage-femme :

_____

Questions que je dois poser à l'infirmière ou à la sage-femme pendant sa visite chez moi :

1. _____

2. _____

3. _____

4. _____

5. _____

6. _____

7. _____

8. _____

9. _____

10. _____

Les séjours prolongés à l'hôpital

Parfois, il est préférable de rester à l'hôpital un peu plus longtemps que prévu. C'est le cas lorsqu'il y a eu des problèmes pendant l'accouchement, lorsque le travail a été long ou que vous avez eu une césarienne, ou lorsque vous et votre bébé avez besoin de soins particuliers. En plus, s'il n'y a pas de programme de suivi à domicile dans votre localité ou si vous n'avez pas assez d'aide à la maison, il peut être important de rester plus longtemps à l'hôpital. Si vous avez des craintes concernant votre retour à la maison, parlez-en à votre infirmière de maternité, votre sage-femme ou votre médecin.

Si les choses ne se passent pas comme prévu...

Malgré les progrès de la médecine moderne, certains bébés viennent au monde avec une maladie grave ou des problèmes auxquels l'équipe de soins de santé ne s'attendait pas. Il est très rare que les bébés meurent. Pendant la grossesse, tous les parents espèrent que tout se déroulera bien et la plupart ont déjà établi un lien très fort avec le bébé avant même sa naissance. Pour eux, le fœtus est une personne à part entière, le nouveau membre de leur famille.

Les parents sont complètement bouleversés lorsque le bébé nait avec une maladie, des différences génétiques ou physiques ou sans signes de vie. Bon nombre de mères sentent que leur corps les a trahies. Elles ont l'impression d'avoir laissé tomber tout le monde, en particulier le bébé et leur conjoint. Certaines femmes craignent d'avoir fait quelque chose de mal pour que cela arrive. Ce n'est presque jamais le cas.

Les parents dont le bébé nait vivant, mais atteint d'une grave maladie ou d'une anomalie de naissance peuvent être profondément déçus. Ils ont beaucoup de chagrin parce que l'enfant qu'ils avaient imaginé tout au long de la grossesse n'existe pas. Dans certains cas, il leur faudra du temps pour se faire à l'idée d'avoir un nouveau bébé qui a des problèmes de santé. Il faudra peut-être du temps avant de découvrir tous les défis.

Il y a de nombreuses ressources, tant à l'hôpital que dans la collectivité, pour aider les mères et leurs familles à s'adapter à la vie avec un bébé ayant des besoins médicaux ou autres besoins spéciaux.

Dire adieu à votre bébé

Le sentiment de perte est le plus profond et le plus intense lorsqu'il s'agit de la mort d'un bébé. Pour bon nombre de parents, une telle perte est très difficile à vivre. Cette tragédie subite les laisse profondément peinés, bouleversés, incrédules, et parfois, en colère.

Pour les parents et la famille, vivre le deuil est une étape nécessaire pour guérir. En vivant leur deuil, les parents arrivent à s'en sortir. Tous les parents peuvent bénéficier d'un soutien au deuil pour traverser cette tragique épreuve.

Bon nombre d'hôpitaux ont un service pour aider les parents en deuil. S'il n'y en a pas, un fournisseur de soins de santé communautaire peut aider les parents à trouver les ressources nécessaires pour les soutenir pendant qu'ils vivent leur deuil. Parfois, les parents peuvent prendre certaines mesures qui les aident, comme :

• dire adieu en prenant le bébé dans leurs bras. Ceci permet aux parents de créer des moments positifs à se rappeler. Vous craindrez peut-être de voir le bébé s'il a des anomalies de naissance, mais la réalité est presque toujours moins grave que ce que les parents imaginent. Vos fournisseurs de soins de santé pourront vous aider à décider si ceci est une bonne idée dans votre cas;
• organisez un service commémoratif, des funérailles ou une cérémonie intime;
• exprimez vos sentiments. Pendant les longs mois de la grossesse, le bébé a réellement fait partie de votre vie. Un soutien au deuil pour vous aider à supporter votre peine peut vous aider.

PARTAGER SA PEINE AVEC SON CONJOINT

Il se peut que la perte de votre bébé exerce des pressions sur votre relation de couple. Vous aurez peut-être de la difficulté à vous parler et même à vous regarder. Vous aurez peut-être de la difficulté à reprendre les gestes normaux de la vie quotidienne. La reprise des relations sexuelles pourrait représenter un problème. Vous ressentirez peut-être de la colère envers votre conjoint, sans savoir pourquoi. C'est peut-être que vous cherchez quelqu'un à blâmer. C'est normal de se sentir ainsi.

Soyez patients l'un envers l'autre. Dites à l'autre comment vous vous sentez et soyez aussi honnêtes et ouverts que possible. Obtenez l'aide d'un professionnel. Si votre conjoint ne peut pas parler de la mort du bébé maintenant, dites-vous que vous pourrez en reparler plus tard. Le bébé n'est pas oublié pour autant. Chaque personne vit son deuil à sa façon et à son propre rythme. Faites encore plus d'efforts pour être tendres et bons l'un envers l'autre.

LE JOUR DE NAISSANCE DU BÉBÉ

Date :

Heure de la naissance :

Poids :

Taille :

Couleur des cheveux :

Couleur des yeux :

Fournisseurs de soins de santé :

Notes :

Le journal de mon bébé

CHAPITRE 7

Prenez soin de vous

COMMENT ARRIVER À SE REPOSER

Tout de suite après l'accouchement, bon nombre de nouvelles mamans ressentent d'abord un regain d'énergie, suivi d'une grande fatigue. Au tout début, le bébé aura faim toutes les deux ou trois heures. Vous pourriez commencer à croire que tout ce que vous faites, c'est nourrir votre bébé. Ne vous inquiétez pas; c'est normal. Parce qu'il vous faut beaucoup d'énergie pour nourrir régulièrement votre bébé, vous avez besoin de beaucoup de repos.

VOICI QUELQUES CONSEILS :

- **Relaxez** *dès que vous en avez la chance. Faites une sieste, lisez, regardez la télé et* **dormez lorsque le bébé dort!**

- **Mangez** *bien et buvez beaucoup de liquides, surtout si vous allaitez.*

- **Partagez** *la responsabilité des soins de votre nouveau-né avec votre conjoint, votre famille et vos amis. Demandez de l'aide.*

- **Prenez le temps** *de profiter du bébé. Les tâches ménagères peuvent attendre (de temps à autre).*

Introduction

Bienvenue à **votre** chapitre. Bien sûr, vous avez reçu beaucoup d'attention pendant les neuf derniers mois, mais vous avez toujours eu à partager votre corps avec votre bébé. Maintenant, nous n'allons parler que de vous. Une des choses les plus importantes que vous pouvez faire pour votre nouveau bébé est de prendre soin de vous-même. C'est beaucoup plus facile de prendre soin d'un nouveau-né lorsqu'on est bien reposée et en santé. Votre corps a subi beaucoup de transformations et de stress pendant les derniers mois.

Alors, voici votre chance de vous rétablir, de prendre le temps de commencer la guérison physique et émotionnelle dont vous avez besoin pour vous remettre du stress et de la fatigue de votre grossesse. Vous devez tout de suite savoir que vous aurez probablement besoin d'environ neuf mois pour que votre corps redevienne comme il était avant votre grossesse. En plus, vous devrez vous adapter aux changements hormonaux qui se produisent après l'accouchement, ainsi qu'au nouveau membre de votre famille.

Vous devrez y mettre un peu d'effort. Ce qui est bien, c'est que vous n'aurez plus de consultations prénatales. Votre première visite de suivi aura lieu environ six semaines après l'accouchement. Vous devriez quand même continuer à prendre des notes jusqu'à cette visite. Vous avez peut-être déjà entendu parler du « baby blues » et de la « dépression postpartum », deux choses très différentes. Nous en discuterons. Et après toutes les mises en garde et les avertissements concernant les saignements et les pertes, nous parlerons de deux ou trois dernières préoccupations. Vous voulez de l'information sur la reprise des relations sexuelles? Vos menstruations? Continuez à lire. Nous traiterons aussi de quelques malaises courants, et même de la contraception.

Vous aurez besoin de temps pour vous adapter à tous les changements qu'entraîne la venue d'un bébé. Il s'agit du bon moment pour demander de l'aide à votre famille et à vos amis et d'accepter lorsqu'on vous offre un coup de main pour la préparation des repas, le ménage, la lessive ou le gardiennage des autres enfants. Prenez soin de vous.

Votre corps se transforme (après l'accouchement)

Pendant la grossesse, votre corps a subi des transformations qui se sont produites lentement sur une période de neuf mois. En fait, le retour à la normale prendra à peu près autant de temps, alors soyez patiente envers vous-même.

Après l'accouchement, vous pourrez sentir votre utérus si vous appuyez sur votre bas-ventre (à mi-chemin entre votre nombril et votre os pubien). Six semaines après la naissance, votre utérus sera presque revenu à sa taille normale et vous ne pourrez plus le sentir en appuyant sur votre ventre. L'allaitement aide l'utérus à revenir plus rapidement à sa taille normale.

Le *périnée* est la région située entre votre vagin et votre rectum. Comme il a été étiré pendant l'accouchement, il peut être enflé, meurtri et sensible. On a peut-être dû faire des points de suture pour réparer une déchirure ou une épisiotomie. Ces points disparaîtront tout seuls au bout d'un certain temps, mais vous aurez peut-être des démangeaisons pendant la guérison. Continuez de faire vos exercices de Kegel (voir la page 52) pendant plus de six semaines après l'accouchement. Ils aideront les muscles du périnée à retrouver leur tonus. Certaines femmes ressentent un engourdissement au niveau de leur périnée. Il disparaîtra avec le temps.

Le « baby blues »

Après avoir accouché, il est normal de pleurer sans raison, de vous sentir inquiète, effrayée et triste. Plus de 70 % des nouvelles mamans se sentent un peu déprimées après la naissance du bébé. Chez la plupart des femmes, cela se produit dans les deux jours qui suivent l'accouchement. Vous avez peut-être entendu quelqu'un appeler cette déprime le « baby blues ». Cette déprime peut être liée aux changements des taux d'hormones de la grossesse ou à un sentiment de perte parce que le bébé n'est plus en vous. Ces sentiments peuvent durer quelques heures ou quelques jours. Chez la plupart des femmes, ils

---

LES SYMPTÔMES DE LA DÉPRESSION POSTNATALE

- *La déprime dure encore après deux semaines.*
- *Je ne me sens pas comme d'habitude.*
- *Je me sens très triste ou coupable.*
- *Je me sens souvent très anxieuse ou inquiète.*
- *J'ai de profonds sentiments d'impuissance et de désespoir.*
- *Je n'arrive pas à dormir, même quand je suis fatiguée.*
- *Je dors tout le temps, même quand mon bébé est éveillé.*
- *Je ne peux rien manger même quand j'ai faim.*
- *Je n'arrive pas à manger parce que je n'ai jamais faim ou que je me sens malade.*
- *Je m'inquiète trop pour le bébé. C'est une véritable obsession.*
- *Je ne m'inquiète pas du tout du bébé. C'est comme si ça ne me faisait rien.*
- *J'ai des crises d'anxiété ou de panique.*
- *J'éprouve de la colère envers le bébé.*
- *J'ai envie de me blesser ou de blesser le bébé.*

Si vous avez l'un de ces symptômes, demandez tout de suite de l'aide. Si vous connaissez une nouvelle maman qui a des symptômes de dépression, obtenez de l'aide pour elle. On peut aider à chasser ces sentiments par du counseling et des traitements. N'attendez pas que ça aille mieux. Appelez tout de suite votre fournisseur de soins de santé ou votre ligne locale d'intervention d'urgence.

Normalement, les saignements devraient diminuer de jour en jour. Si c'est ce qui se passait, mais que vous avez soudainement un saignement abondant d'un rouge vif (assez abondant pour tremper une ou deux serviettes hygiéniques épaisses en moins de deux heures et qui ne diminue pas lorsque vous prenez le temps de vous reposer), rendez-vous tout de suite à l'hôpital. Si le saignement n'a pas arrêté complètement après six semaines, prenez un rendez-vous avec votre fournisseur de soins de santé.

Ce n'est pas normal :

- *de passer de gros caillots de sang;*

- *d'avoir des pertes vaginales inhabituelles;*

- *d'avoir une très mauvaise odeur qui se dégage de votre vagin.*

Si cela se produit, vous avez peut-être une infection vaginale liée à l'épisiotomie (là où l'on vous a fait des points de suture). Il peut s'agir d'un problème grave et vous devrez discuter des mesures à prendre avec votre fournisseur de soins de santé.

disparaissent en moins de deux semaines, sans que des traitements soient nécessaires.

Vous pouvez passer par toute une gamme d'émotions. Vous vous sentez très heureuse et, l'instant suivant, vous êtes triste. Vous vous sentez très fatiguée, et tout à coup, vous avez un regain d'énergie. Vous pouvez avoir de la difficulté à dormir ou à prendre des décisions. Vous vous sentez tour à tour confiante, puis anxieuse. Vous pouvez avoir l'impression que votre vie ou votre corps ne sera plus jamais comme avant. Vous pourriez avoir perdu complètement votre appétit sexuel. Tous ces sentiments sont tout à fait normaux. C'est maintenant que vous devez vous adresser à votre conjoint, votre famille et vos amis pour obtenir leur soutien.

Lorsque le « baby blues » devient dépression

Quand le « baby blues » semble devenir plus grave au lieu de s'améliorer ou s'il dure plus de deux semaines, il se peut qu'il soit devenu une dépression postnatale ou postpartum. Un petit nombre de nouvelles mamans en souffrent. Certains symptômes vous avertiront qu'il est temps de demander de l'aide, et cette aide existe.

Vous pouvez être triste. Vous pouvez vous sentir abattue, ressentir du désespoir et n'avoir aucune idée comment vous allez vous en sortir. Le fait d'avoir à être disponible tous les jours, 24 heures par jour, peut vous irriter. Vous aimez peut-être toute l'attention que le bébé reçoit, mais vous ressentez de la jalousie en même temps. Vous pouvez sentir que vous avez les choses bien en main, puis ressentir de la colère parce que vous devez voir à tout. Vous pouvez commencer à vous demander si vous êtes capable de prendre soin du bébé et avoir l'impression que quelqu'un d'autre le ferait mieux que vous. Vous pouvez ressentir de la frustration et même de la colère lorsque le bébé pleure et vous pouvez croire qu'il le fait exprès pour vous agacer. L'idée de vous blesser ou de blesser votre bébé peut vous venir en tête. Si vous éprouvez l'un ou l'autre de ces sentiments, demandez immédiatement de l'aide.

La dépression postnatale est un problème clinique. Vous pouvez parler de vos sentiments à votre infirmière de santé publique, votre sage-femme ou votre médecin. Ce n'est pas de votre faute. Ils comprendront et pourront vous aider.

Les pertes vaginales normales

Vous devez vous attendre à avoir des pertes vaginales après l'accouchement. On les appelle des *lochies*. Elles sont composées de sang et de tissus provenant de la membrane intérieure de l'utérus que votre corps va expulser après l'accouchement. Au début, les lochies sont d'un rouge vif et peuvent contenir de petits caillots. Il se peut que des saignements rouge vif, de courte durée, reprennent pendant et après les séances d'allaitement. Ceci se produit parce que l'allaitement cause de petites contractions de l'utérus qui aident à le débarrasser de la membrane. De plus, lorsque vous êtes couchée, le sang peut s'accumuler dans votre vagin et couler en plus grande quantité pendant une courte période quand vous vous levez. Ceci est normal pendant les premiers jours.

Après quelques jours, le saignement commencera à diminuer et à devenir plus foncé. De temps à autre, vous allez remarquer des taches de sang pendant cette période. À la longue, les pertes deviennent blanches ou jaunâtres, puis arrêtent graduellement. Elles peuvent durer entre 10 jours et cinq semaines. S'il s'agit d'un deuxième accouchement, l'écoulement sera peut-être différent cette fois-ci.

Si vos pertes sont plus abondantes que vous jugez normal, plus abondantes qu'une menstruation ou qu'il s'en dégage une très mauvaise odeur, consultez votre fournisseur de soins de santé. Il est préférable d'utiliser des serviettes hygiéniques plutôt que des tampons pendant cette période.

La reprise des relations sexuelles

La reprise des rapports sexuels est une question de choix. C'est préférable d'attendre que vous vous sentiez prête, tant sur le plan émotionnel que physique. Votre corps, votre cerveau et votre esprit doivent avoir le temps de s'ajuster aux changements apportés par l'accouchement et la maternité. Si vous êtes comme la plupart des nouvelles mamans, vous allez probablement utiliser toute votre énergie pour vous occuper du bébé. Vous pourriez être très fatiguée pendant les premières semaines.

La plupart des couples n'ont pas de rapports sexuels avant quatre à six semaines après l'accouchement. C'est le temps qu'il faut pour que votre vagin et votre utérus reprennent leur forme et leur taille normales et pour que vous vous sentiez à l'aise. Chez certains couples, les soins à donner au bébé font qu'ils trouvent difficilement l'énergie nécessaire pour avoir des relations sexuelles aussi souvent qu'avant. N'oubliez pas que votre conjoint n'a pas été enceinte pendant neuf mois et pourrait ne pas comprendre parfaitement dans quel état physique (et émotionnel) vous vous trouvez. Vous devrez donc vous ajuster tous les deux aux changements occasionnés par l'arrivée du bébé et PARLER, TOUS LES DEUX, de vos sentiments et de vos frustrations.

Vous vous sentez peut-être épuisée par toute l'agitation, les boires de nuit du bébé et la responsabilité supplémentaire. Il se peut aussi qu'une légère dépression cause une diminution d'intérêt pour le sexe (ce qui fait partie du « baby blues »). Mais certaines nouvelles mères éprouvent de l'insécurité, n'aiment pas leur image corporelle et peuvent se sentir moins désirables pendant un certain temps. Ces sentiments et ces inquiétudes sont normaux. Si la reprise des rapports sexuels avec votre conjoint vous inquiète, prenez rendez-vous avec votre fournisseur de soins de santé pour un examen médical.

Pour ce qui est de l'aspect physique et pratique, n'oubliez pas de prévoir des moyens de contraception (voir les pages 175 à 177 sur vos choix de méthodes). Vous **pourriez** de nouveau devenir enceinte! Si les rapports sexuels sont douloureux, il existe des crèmes et des gels spécialement faits pour rendre votre vagin moins sec. Vous pouvez aussi essayer différentes positions pour voir laquelle est la plus confortable. Si vous ressentez de l'inconfort pendant une longue période, parlez-en à votre fournisseur de soins de santé.

Les malaises fréquents après l'accouchement

Les seins sensibles

Lorsque vos seins vont commencer à produire du lait, entre deux et quatre jours après la naissance du bébé, ils seront probablement gonflés, sensibles et durs (vous trouverez plus de renseignements sur les difficultés courantes de l'allaitement à la page 205). Si vous allaitez, donnez souvent le sein au bébé pour aider à vider les glandes lactifères (qui produisent le lait). L'application de serviettes tièdes sur les seins peut aussi vous soulager. Appliquez des compresses froides entre les boires et des compresses tièdes pendant deux ou trois minutes juste avant l'allaitement.

Si vous n'allaitez pas, des compresses de glace peuvent réduire l'engorgement. Dans la plupart des cas, il ne faut pas extraire du lait de vos seins parce que cela les fera produire encore plus de lait. Si vous n'êtes pas certaine que votre bébé se nourrit bien, parlez à votre fournisseur de soins de santé. Il est important de donner un bon soutien à vos seins s'ils sont sensibles, par exemple, en portant un soutien-gorge bien ajusté, même la nuit. Dans certains cas, votre fournisseur de soins de santé vous recommandera peut-être de prendre un médicament contre la douleur.

Les douleurs vaginales

Il est normal que le périnée (la région autour de l'anus et du vagin) soit enflé, meurtri et sensible après l'accouchement. Chez certaines femmes, la douleur dure jusqu'à six semaines. Si on vous a fait des points de suture, l'inconfort pourrait être encore plus grand. Voici un petit truc : imbibez d'eau une grande serviette hygiénique propre et mettez-la au congélateur. Fixez la serviette congelée dans votre sous-vêtement.

Ceci devrait aider à réduire l'enflure. Un bain tiède soulage parfois la démangeaison causée par la cicatrisation des points de suture. Pour éviter les infections, gardez la région du vagin très propre. Reposez-vous autant que possible en gardant les pieds élevés pour soulager la pression. Si vous croyez que vous avez besoin de médicaments contre la douleur, mais que vous allaitez, consultez votre fournisseur de soins de santé. Certains médicaments peuvent se retrouver dans votre lait et être transmis à votre bébé.

Les crampes

On appelle *tranchées* les douleurs qui ressemblent à de fortes crampes menstruelles. Elles sont causées par la contraction de l'utérus qui reprend sa forme normale. Les douleurs peuvent être plus vives pendant l'allaitement. Les femmes qui accouchent pour la première fois peuvent ne pas en ressentir. Si vous en avez, essayez de prendre un bain tiède ou appliquez de la chaleur sur tout le ventre. Les médicaments contre la douleur peuvent aider. Le meilleur choix serait probablement ceux qu'on prend contre les crampes menstruelles. Cependant, parlez toujours à votre fournisseur de soins de santé avant de prendre des médicaments pendant que vous allaitez. Les techniques de respiration profonde et de relaxation que vous avez apprises pendant la grossesse peuvent aussi aider.

Les selles

Vous pourriez ne pas aller à la selle (vider votre gros intestin) pendant deux ou trois jours après la naissance de votre bébé. Les muscles de votre ventre qui aident à expulser les selles ont été étirés et ne fonctionnent pas aussi bien. De plus, si vous n'avez pas beaucoup mangé ou si on vous a administré des médicaments contre la douleur pendant ou après votre accouchement, vos intestins seront paresseux.

Faites ce que vous pouvez pour éviter d'avoir des selles dures, parce qu'elles peuvent causer des hémorroïdes (nous en parlons un peu plus loin). Buvez beaucoup de liquides et de jus de fruits, mangez des aliments riches en fibres comme les muffins au son, les céréales de son, des fruits frais et des légumes. Vous trouverez à la pharmacie des médicaments à base de psyllium ou de fibres naturelles (comme les graines de lin moulues gros) pour ramollir les selles.

Les hémorroïdes

Les hémorroïdes sont des bosses semblables à de petits raisins situées autour de l'anus. Souvent, elles sont douloureuses et causent des démangeaisons. Si vous êtes constipée, elles peuvent secréter un peu de sang.

Comme pour les problèmes du vagin ou du périnée, vous pourrez aider à réduire l'enflure en congelant une serviette hygiénique propre que vous aurez imbibée d'eau, puis en la fixant à votre sous-vêtement.

Restez couchée plutôt qu'assise pour diminuer la pression sur la région autour de l'anus jusqu'à ce que les hémorroïdes guérissent. Il existe des crèmes, des vaporisateurs et des onguents qui aident à diminuer l'enflure des hémorroïdes. Demandez à votre pharmacien ou à votre fournisseur de soins de santé de vous recommander un remède qui pourrait fonctionner pour vous.

De la difficulté à uriner

Tout de suite après l'accouchement ou pendant quelques jours par la suite, vous pourriez avoir de la difficulté à vider votre vessie, surtout si on a mis en place un cathéter, qu'on vous a fait des points de suture ou que vous avez une petite déchirure dans votre vagin. Pour encourager le flot de l'urine, écoutez le son de l'eau qui coule du robinet dans le lavabo de la salle de bain. Pour réduire la sensation de brûlure, essayez d'uriner en prenant une douche ou un bain, ou encore, pressez de l'eau tiède d'une bouteille sur le périnée pendant que vous urinez.

Dans les jours qui suivent, vous constaterez peut-être que vous devez aller aux toilettes plus souvent ou que vous avez de la difficulté à déterminer le moment où l'urine commence à couler. Une toux, un éternuement ou l'activité physique pourrait occasionner des pertes d'urine. Ce problème s'appelle l'**incontinence urinaire**. Il est causé par l'étirement des muscles du plancher pelvien, résultat courant d'une grossesse et d'un accouchement. Les exercices de Kegel (voir la page 52) peuvent aider à renforcer ces muscles. Chez la plupart des femmes, ce problème finit par disparaître.

La forme de votre corps après la grossesse

Les muscles de votre ventre se sont beaucoup étirés pendant la grossesse et ils ne reprendront pas tout simplement leur forme tout de suite après la naissance du bébé. Ces muscles ont besoin de temps pour se resserrer doucement et retrouver leur tonus d'avant la grossesse. Quant au poids que vous avez pris petit à petit pendant la grossesse, il faudra peut-être quelques mois pour le perdre. N'essayez pas de le perdre rapidement en suivant un régime à basses calories. Il vaut mieux avoir une alimentation saine et variée, recommencer à faire de l'exercice et en augmenter petit à petit la durée et l'intensité.

Marcher d'un bon pas est excellent pour raffermir les muscles. Promenez votre bébé dans une poussette ou une voiture d'enfant. Votre bébé en profitera aussi. Les études les plus récentes sur la perte de poids démontrent qu'il suffit d'aussi peu que 20 minutes par jour de marche rapide ou d'un exercice semblable pour que votre corps « brûle » beaucoup de calories. Si vous suivez un régime sévère pour maigrir, cela aura un effet contraire à ce que vous voulez. Votre corps s'adaptera à la « situation de famine » en accumulant toute l'énergie possible sous forme de gras.

Certaines localités offrent des séances de mise en forme postnatale comprenant les exercices dont les nouvelles mères ont besoin pour retrouver le tonus musculaire et brûler les graisses. Ces séances vous donneront aussi l'occasion de rencontrer d'autres nouvelles mamans et de parler avec elles des choses qui vous préoccupent. Échanger avec d'autres mères au sujet de leurs expériences et partager des trucs vous aideront à supporter le manque de sommeil et le stress d'avoir à satisfaire tous les besoins de votre bébé.

Le manque de sommeil et le stress peuvent faire augmenter le niveau d'une hormone du stress qu'on appelle *cortisol*. Cette hormone favorise la prise de poids, surtout sur le ventre. Pour perdre du poids, il faut dormir suffisamment.

L'allaitement vous aidera aussi à perdre du poids parce que le corps doit brûler un plus grand nombre de calories pour produire le lait maternel.

Les menstruations

Si vous n'allaitez pas, vos menstruations reviendront de quatre à neuf semaines après l'accouchement. Au début, il se peut que vos règles soient plus longues, plus courtes, plus abondantes ou plus légères qu'avant la grossesse. Tout devrait revenir à la normale après quelques cycles.

Lorsqu'on allaite, il se peut que les menstruations ne reviennent qu'au bout de quelques mois, et même seulement quand on arrête d'allaiter. Toutefois, vos ovaires pourraient recommencer à fonctionner avant que vos menstruations reviennent. Cela veut dire que vous pourriez devenir à nouveau enceinte sans avoir eu de règles. Pour éviter une grossesse non désirée, vous devriez commencer à utiliser un moyen de contraception dès la reprise des rapports sexuels (habituellement de quatre à huit semaines après l'accouchement).

Les choix en matière de contraception

Si vous ne voulez pas redevenir enceinte tout de suite, vous et votre partenaire devez dès maintenant décider quel mode de contraception vous convient le mieux. Vous **pouvez** devenir enceinte même si vous allaitez et même si vous n'avez pas encore eu vos règles. C'est pourquoi vous devriez tout de suite choisir un mode de contraception qui vous convient bien, à vous et à votre partenaire, et l'avoir prêt avant de recommencer à avoir des relations sexuelles. Parlez de vos choix à votre fournisseur de soins de santé.

L'allaitement : L'allaitement réduit (mais n'élimine pas) les probabilités d'une grossesse pendant les six mois qui suivent un accouchement, surtout si :

• vous allaitez souvent (au moins toutes les quatre heures, même la nuit);
• vous ne donnez pas à votre bébé de la préparation pour nourrissons ou tout autre liquide comme complément à l'allaitement;
• vous n'avez pas recommencé à avoir vos règles.

À mesure que votre bébé grandit et que vous commencez à lui donner d'autres aliments, l'allaitement devient moins fréquent et les probabilités de devenir enceinte augmentent.

La « pilule », le « timbre » et l'« anneau » : Ce sont des contraceptifs hormonaux qui fonctionnent à peu près de la même façon et qui doivent être prescrits par un fournisseur de soins de santé. La « pilule » se prend oralement (par la bouche), le « timbre » s'applique à la peau et l'« anneau » est inséré dans le vagin.

Si vous n'allaitez pas, vous pouvez utiliser une de ces trois méthodes de trois à quatre semaines après la naissance de votre bébé. Toutefois, les mères qui allaitent doivent utiliser un type particulier de pilule contraceptive qui ne réduit pas la production de lait. Elles peuvent commencer à prendre cette pilule à progestatif seulement (la mini-pilule) tout de suite après l'accouchement.

Les contraceptifs injectables (la « piqûre ») : Ce contraceptif est aussi à base d'hormone. Un fournisseur de soins de santé vous le donnera par injection une fois tous les trois mois. Cette forme de contraception est sûre, facile et ne coûte pas trop cher. Demandez à votre fournisseur de soins de santé de vous donner plus de détails.

Le dispositif intra-utérin (DIU) : Une fois que votre utérus sera revenu à sa taille normale, environ six à huit semaines après l'accouchement, votre fournisseur de soins de santé pourra vous poser un DIU dans son cabinet.

Les condoms en latex : Ce sont les hommes qui portent ce type de contraceptif. Il protège les deux partenaires contre les infections transmissibles sexuellement. C'est un bon choix contraceptif à garder à portée de la main.

Les condoms pour femme : Assurez-vous de bien suivre les instructions.

Les spermicides : Ces produits détruisent les spermatozoïdes. Ils sont plus fiables lorsqu'ils sont utilisés en même temps que le condom en latex. Suivez bien le mode d'emploi.

Les diaphragmes ou capes cervicales : L'ouverture de l'utérus est recouverte d'un diaphragme ou d'une cape cervicale pour empêcher le sperme d'y entrer. Si vous utilisiez un diaphragme avant de devenir enceinte, vous devrez vous en faire poser un nouveau, mais vous devrez attendre huit semaines après l'accouchement. Les diaphragmes sont plus efficaces pour prévenir la grossesse lorsqu'ils sont utilisés avec un spermicide.

Pour en savoir plus long, visitez le site Web primé de la SOGC à www.masexualite.ca.

Votre famille est complète? La stérilisation

La stérilisation est une méthode de contraception permanente par laquelle on rend l'homme ou la femme infertile au moyen d'une chirurgie. Bien qu'on puisse quelques fois rétablir la fertilité, vous et votre conjoint devez bien réfléchir avant de prendre votre décision.

La vasectomie : Les hommes peuvent subir cette intervention simple dans le cabinet d'un médecin spécialisé appelé urologue. Ce dernier coupe le canal déférent, c'est-à-dire le tube par lequel les spermatozoïdes sortent des testicules. Lorsque ce tube est sectionné, les spermatozoïdes ne peuvent pas être libérés.

La ligature des trompes : Il y a deux façons de bloquer les trompes de Fallope d'une femme pour que les œufs ou ovules ne puissent pas atteindre l'utérus. La première se fait à l'hôpital, par chirurgie sous anesthésie générale. Les trompes peuvent être ligaturées au moyen de pinces, d'anneaux ou par brûlure. Une méthode plus récente, effectuée sous anesthésie locale, a recours à des ressorts en métal pour bloquer les trompes.

JE SUIS MES PROGRÈS APRÈS L'ACCOUCHEMENT

Date :

Tension artérielle :

Poids :

SUJETS À ABORDER AVEC MON FOURNISSEUR DE SOINS DE SANTÉ :

• le « baby blues », les symptômes de la dépression postnatale;

• mes sentiments à l'égard de mon bébé;

• les saignements;

• les douleurs;

• mes sentiments face aux relations sexuelles;

• la contraception;

• l'allaitement.

Autres préoccupations :

Mon journal personnel
La visite de suivi

Votre première visite de suivi a habituellement lieu six semaines après l'accouchement. On examinera probablement votre bébé deux jours après votre départ de l'hôpital et possiblement toutes les semaines ou quelques fois pendant son premier de mois de vie (voir le chapitre huit).

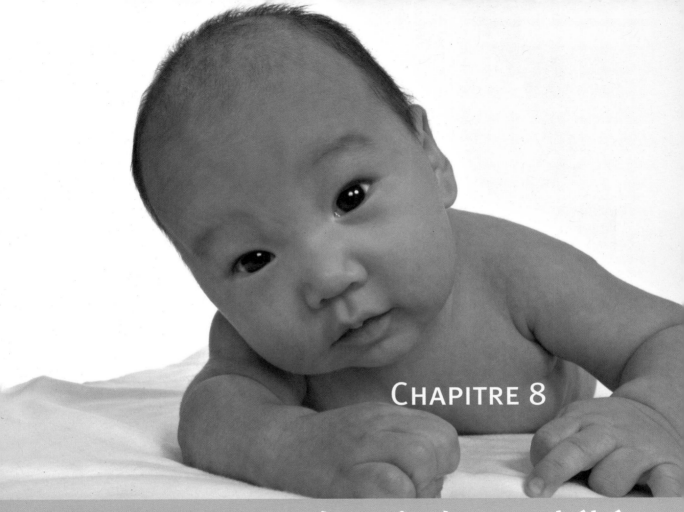

CHAPITRE 8

Prendre soin de votre bébé

Introduction

(Remarque : Ce chapitre a été revu par la Société canadienne de pédiatrie.)

Avant de commencer cet avant-dernier chapitre, vous méritez des félicitations. Après tout, vous êtes maintenant un parent! Nous espérons que nous avons aidé à répondre à vos questions et que nous vous avons bien préparée à la naissance de votre bébé. Nous espérons aussi que vous avez reçu le soutien et l'aide dont vous aviez besoin de votre accompagnant(e) et de votre équipe de soins de santé. Le Canada est un endroit merveilleux pour avoir un bébé! Les soins que vous avez reçus de professionnels spécialisés sont parmi les meilleurs au monde.

Nous allons terminer ce guide en vous présentant quelques derniers détails au sujet de votre nouveau-né, lesquels vous aideront à élever un bébé en santé. Il existe beaucoup d'information. Vous n'avez qu'à demander à votre fournisseur de soins de santé de vous faire des suggestions. Ceci dit, nous avons découvert que les parents, et surtout ceux qui le deviennent pour la première fois, se concentrent parfois tellement sur l'accouchement qu'ils peuvent ne pas être prêts à prendre soin du bébé après sa naissance.

Alors, comme nous l'avons fait pour vous aider à prendre soin de votre bébé pendant que vous le portiez, nous allons maintenant vous donner d'autres conseils pour prendre soin de lui pendant les premières semaines, jusqu'à ce que vous ayez l'occasion d'obtenir plus d'information. Sachez que les nouveau-nés passent la plus grande partie de leur temps à se nourrir, à dormir et à se faire dorloter. Ah oui, il y a aussi la petite question des couches.

*Nous allons commencer par vous décrire les nouveau-nés. Nous allons ensuite parler des soins de base, des vaccinations et de la décision de circoncire ou non votre nouveau-né, s'il s'agit d'un garçon. Nous allons aussi traiter des couches, des boires et du sommeil. De plus, même s'il se peut que **votre** petite merveille soit incapable de faire quoi que ce soit pour vous agacer, nous avons aussi inclus une section sur certains problèmes, comme la colique. Enfin, comme nous l'avons fait dans tous* *les autres chapitres de ce guide, nous allons mentionner certains risques pour votre enfant.*

Vos premières impressions de votre bébé

Ne soyez pas surprise de l'aspect de votre bébé à sa naissance et pendant les quelques jours qui suivront. Le corps de certains nouveau-nés est couvert d'une substance cireuse. Une fois que cette substance a été enlevée, la peau peut devenir sèche et peler un peu. Le dos et les épaules de bon nombre de nouveau-nés sont recouverts d'un fin duvet qui disparaît habituellement une ou deux semaines plus tard. Ils peuvent aussi avoir la peau marbrée, marquée de taches blanches, de petits bleus ou de plaques rougeâtres qui disparaissent habituellement avec le temps.

Pendant la descente dans le passage d'expulsion, les pressions exercées sur la tête du bébé peuvent lui avoir donné une forme inhabituelle. Au cours des semaines et des mois qui suivent, la tête du bébé reprendra une forme plus normale. Vous pourrez aussi sentir deux espaces de tissus mous sur le dessus et à l'arrière de la tête de votre bébé (la plupart des parents ne sentent que l'espace mou sur le dessus du crâne). Ce sont les **fontanelles**. Ce sont des espaces où les os du crâne ne sont pas complètement liés. Ceci est normal. Vous pouvez les toucher délicatement sans faire de mal au bébé. Généralement, les os du crâne se seront soudés ensemble avant que le bébé ait 18 mois.

Certains nouveau-nés naissent avec la tête complètement couverte de cheveux alors que d'autres sont presque chauves. Chez un certain nombre de bébés, les premiers cheveux sont remplacés par une repousse de couleur différente. De même, la couleur des yeux du bébé peut changer au cours des trois à six mois suivant sa naissance.

Les hormones qui sont dans votre système au moment de l'accouchement peuvent avoir un effet sur le bébé. Par exemple, il arrive qu'au cours des premiers jours, les nouveau-nés, garçons ou filles, aient les seins gonflés. Quelques gouttes de lait peuvent même s'écouler de leurs

VOUS AVEZ ACCOUCHÉ DE PLUS D'UN BÉBÉ?

C'est encore plus excitant! Vous avez peut-être déjà pris beaucoup de mesures pour vous préparer au défi supplémentaire que représente le soin de plus d'un nouveau-né. Changer les couches, allaiter, dormir, faire la lessive… toutes ces tâches deviennent encore plus exigeantes lorsqu'on a des jumeaux, des triplés ou plus. Demandez de l'aide. Personne ne s'attend à ce que vous fassiez tout vous-même. Vous pouvez établir des méthodes et des marches à suivre, mais attendez-vous à ce qu'elles soient bousculées! Prenez soin de vous. Pour obtenir plus de renseignements sur l'art d'être parent de jumeaux ou plus, visitez le site Web de Naissances multiples Canada à www.multiplebirthscanada.org.

C'EST DOUX POUR LEURS OREILLES

Commencez à parler à votre bébé et à lui chanter des chansons dès qu'il est né. Il adorera le son de votre voix et vous allez établir une base solide pour l'aider à développer sa capacité de s'exprimer, de lire et d'écrire à mesure qu'il grandira.

Dès qu'ils viennent au monde, les nouveaux-nés apprennent à décoder les signaux qui les entourent. Ils écoutent les voix, regardent les visages et lisent le langage corporel. Les bébés ont besoin d'entendre et d'utiliser les sons, les motifs sonores et le langage parlé. Ceci les aide à se préparer à parler et, plus tard, à lire les mots imprimés.

mamelons. Ne vous inquiétez pas, le lait disparaîtra de lui-même. Les hormones de grossesse de la mère peuvent aussi faire enfler les organes génitaux des bébés pendant quelques jours. Le scrotum (la poche qui contient les testicules) des bébés garçons peut être plus foncé et les bébés filles peuvent avoir un écoulement vaginal d'apparence laiteuse ou teinté de sang. Tout ceci est normal.

Comment bien tenir votre bébé

Votre nouveau-né n'est peut-être pas aussi fragile que vous pourriez le penser, mais vous devez quand même le manipuler doucement pour ne pas le blesser et pour qu'il se sente en sécurité.

Lorsque vous tenez votre bébé, soutenez bien sa tête. Les muscles du cou d'un bébé sont faibles pendant ses premiers mois de vie. Même si les muscles de son cou sont faibles, ceux du reste de son corps sont très forts! Du moins, ils sont assez forts pour lui permettre de se tortiller et de se déplacer sur une surface (d'où il pourrait tomber) ou d'agiter un poing ou déplier brusquement les jambes et faire tomber la tasse de thé ou de café que vous tenez dans votre main.

La meilleure façon d'éviter que le bébé se blesse est de le surveiller, de tendre l'oreille et de rester près de lui. Lorsque vous devez vous éloigner de votre bébé pour quelque raison que ce soit, mettez-le dans un endroit sûr, comme dans sa couchette. Gardez les numéros de téléphone d'urgence près du téléphone, juste au cas où vous en auriez besoin. Si vous voulez, vous pouvez suivre un cours de RCR (réanimation cardiorespiratoire) pour savoir quoi faire en cas d'urgence.

La sécurité à la maison

- Assurez-vous que tout l'équipement (comme les couchettes, les poussettes et les tables à langer) que vous avez pour votre nouveau-né répond aux normes nationales de sécurité. Faites le tour de votre maison pour vérifier si elle est sécuritaire pour votre bébé.

- Accrochez les mobiles assez haut pour que le bébé ne puisse pas les atteindre avec ses mains.
- Assurez-vous de fixer solidement aux murs les étagères ou autres meubles lourds.
- Installez un détecteur de fumée dans la chambre de votre bébé et vérifiez tous les détecteurs de fumée de votre domicile pour vous assurer qu'ils fonctionnent.
- Ne portez jamais votre bébé lorsque vous avez une boisson chaude dans les mains.
- Ne réchauffez pas les biberons ou les aliments pour bébé au four à micro-ondes. Ces fours créent des points trop chauds qui peuvent brûler la bouche de votre bébé. Réchauffez plutôt le biberon dans un contenant d'eau chaude et vérifiez la chaleur du lait sur votre poignet avant de le donner à boire.
- Ne laissez jamais votre bébé seul avec un animal de compagnie.
- Surveillez votre bébé lorsqu'il est en présence de ses frères et sœurs et d'autres jeunes enfants.

La sécurité en présence d'autres personnes

Lorsque vous êtes avec votre nouveau-né, évitez les foules et les endroits où il y a trop de gens. Encouragez tous les membres de votre maisonnée à se laver les mains avant de toucher à votre bébé. S'ils veulent absolument donner un bisou au bébé, dites-leur de lui en donner un sur le dessus de la tête plutôt que sur son visage.

La sécurité à l'extérieur

Ne laissez jamais votre bébé seul, que ce soit dans une automobile ou dans une poussette ou une voiture d'enfant. N'appliquez pas de crème solaire ou d'insectifuge sur la peau sensible de votre nouveau-né. Utilisez plutôt une moustiquaire et gardez votre bébé à l'ombre. Mettez-lui des vêtements légers qui protègent sa peau et ses yeux du soleil.

☐ Est-ce que le siège porte la marque nationale de sécurité?

☐ Est-ce qu'il y a un livret d'instructions?

☐ Est-ce que le siège convient au poids et à la taille de votre bébé?

☐ Si le siège porte une date d'expiration, est-ce que vous pourrez l'utiliser pendant toute la période durant laquelle vous en aurez besoin?

☐ Est-ce que le siège peut être installé correctement dans votre voiture?

☐ Est-ce que le harnais et les courroies d'ancrage sont faciles à ajuster?

Source : Protégeons nos enfants : En voiture 1-2-3-4, de Transports Canada (TP 13511) www. tc.gc.ca/securiteroutiere/conducteurssecuritaires/ securitedesenfants/Voiture/index.htm Reproduit avec la permission du ministère des Travaux publics et Services gouvernementaux Canada, 2008.

Symbole DUA

Vous allez trouver le symbole du DUA sur le siège de bébé ou d'enfant pour auto à l'endroit où il faut le fixer à la banquette du véhicule ainsi que sur la banquette à l'endroit où se trouvent les barres d'ancrage du véhicule.

En voiture

Utilisez un siège de bébé pour auto en tout temps, à partir du premier déplacement de votre enfant de l'hôpital à la maison.

Tous les sièges de bébés et d'enfants vendus au Canada doivent être conformes aux règlements de sécurité de Transports Canada. Ces règlements aident à protéger vos enfants si jamais le véhicule s'arrête soudainement ou est impliqué dans un accident. Lisez soigneusement les instructions accompagnant le siège d'enfant. Le dispositif universel d'ancrage (DUA) permet d'installer le siège de bébé sur la banquette arrière du véhicule au moyen de la ceinture de sécurité. Dans le cas d'un siège d'enfant orienté vers l'avant, vous aurez aussi besoin d'une courroie d'ancrage supérieure. Le meilleur endroit pour installer un siège de bébé pour l'auto est au centre de la banquette arrière, loin des coussins gonflables.

Si vous avez de la difficulté à installer votre siège de bébé pour auto, communiquez avec votre :

- ministère provincial des Transports;
- service local de santé publique;
- poste de police local. Certains services de police offrent des ateliers sur l'installation des sièges d'enfants ainsi que des inspections des sièges installés.

Faites très attention si vous achetez ou empruntez un siège de bébé usagé. Assurez-vous qu'il a toutes ses pièces et que vous avez les instructions pour l'installer. Vous ne devriez jamais utiliser un siège vieux de plus de dix ans.

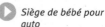 *Siège de bébé pour auto*

À quoi vous devez vous attendre lors du premier examen médical du bébé

Le premier examen médical du bébé par un fournisseur de soins de santé doit avoir lieu pendant ses premiers jours de vie si vous avez quitté l'hôpital dans les 48 heures qui ont suivi sa naissance ou si le bébé risque de faire une jaunisse (voir la page 188). Pendant cette visite, on fera un examen physique complet de votre bébé. On le pèsera et on mesurera sa taille et la circonférence de sa tête. Votre fournisseur de soins de santé vous parlera aussi des principales étapes du développement de votre bébé. C'est une bonne idée de préparer une liste de questions à lui poser.

Dans de nombreuses collectivités, une infirmière de santé publique communique avec les parents après la naissance du bébé pour répondre à leurs questions et prendre rendez-vous pour une visite à la maison. Pendant cette visite, l'infirmière peut vous donner de l'information sur la façon de prendre soin de vous et de votre bébé. Beaucoup de localités offrent aussi des haltes-accueil pour bébés bien portants où les mères et leurs jeunes bébés peuvent venir sans rendez-vous. Un fournisseur de soins de santé vous indiquera où trouver ces installations.

La vaccination de votre bébé

Les vaccins ont été conçus pour protéger les bébés et les enfants contre les infections qui peuvent causer de graves maladies, des problèmes permanents ou même la mort. Les vaccins que le système de santé publique offre à votre bébé sont très sécuritaires et efficaces. Il est important de vous assurer que votre enfant reçoit ses vaccins aux bons moments pour qu'il soit protégé.

Le tableau suivant est un calendrier des vaccins qui seront offerts à votre enfant. Il peut varier légèrement d'une province à l'autre. Parlez à votre fournisseur de soins de santé si vous prévoyez déménager d'une province à une autre. Ensemble, vous pouvez vous assurer que votre enfant aura tous les vaccins nécessaires.

QUAND FAUT-IL APPELER LE FOURNISSEUR DE SOINS DE SANTÉ OU ALLER À L'HÔPITAL?

N'attendez pas! Appelez votre fournisseur de soins de santé ou trouvez un moyen de vous rendre tout de suite à l'hôpital en toute sécurité si votre bébé :

- *fait une fièvre de plus de 38,0 °C (100,4 °F);*
- *a des convulsions (mouvements involontaires du corps, des bras et des jambes);*
- *a de la difficulté à respirer (inspire avec difficulté, a les lèvres d'un bleu gris);*
- *est pâle, a la peau froide et humide au toucher;*
- *vomit beaucoup, plus de deux fois par jour (on ne parle pas ici de régurgitation);*
- *fait de la diarrhée (selles abondantes et liquides) plus de deux fois par jour;*
- *passe du sang ou des caillots;*
- *mouille moins de six couches par jour après l'âge de cinq jours;*
- *ne s'allaite pas bien ou refuse de boire;*
- *semble faible, peut à peine pleurer;*
- *pleure plus que d'habitude, d'une façon différente, est très agité et semble inconsolable;*
- *a un comportement différent et moins alerte lorsqu'il se réveille, dort plus que d'habitude.*

Un bébé, même en santé, peut devenir malade très soudainement. Si l'état de votre bébé vous inquiète pour quelque raison que ce soit, appelez votre fournisseur de soins de santé.

Calendrier régulier de vaccination des enfants (2006)										
Âge au moment du vaccin	Diphtérie Tétanos Coqueluche Poliomyélite	Hib[1]	Oreillons Rougeole Rubéole	Tétanos Diphtérie Coqueluche	Hépatite B[3]	Varicelle[4]	Pneumocoque	Méningocoque conjuge[5]	Grippe	VPH[6]
Naissance					Première enfance ou			Première enfance (1, 2, ou 3 doses selon l'âge ou adolescence	Entre 6 et 23 mois (1 à 2 doses)	
2 mois	X	X					X			
4 mois	X	X					X			
6 mois	X	X					X			
12 mois			X			X	X			
18 mois	X	X	X[2]							
Entre 4 et 6 ans	X		ou X[2]							
Entre 9 et 13 ans					X					X
Entre 14 et 16 ans				X						

Remarques :

1. L'*haemophilus influenzae* de type b (Hib) exige une série de vaccins. Le nombre exact des doses et le moment précis de l'administration de chacune varient selon la marque de vaccin utilisée.

2. Deux doses du vaccin RRO sont administrées dans toutes les provinces et tous les territoires. La deuxième dose du vaccin RRO est administrée soit à 18 mois, soit entre quatre et six ans. Si l'enfant a dépassé l'âge auquel le deuxième vaccin RRO est recommandé, la deuxième dose peut être injectée de 1 à 2 mois après la première.

3. L'hépatite B exige une série de vaccins. Dans certaines parties du pays, ces vaccins peuvent être administrés plus tôt.

4. Ce vaccin est administré en une seule dose aux enfants de 1 à 12 ans et en deux doses, à un mois d'intervalle, aux enfants plus âgés. Il n'est pas recommandé pour les enfants de moins d'un an.

5. Le calendrier recommandé et le nombre de doses du vaccin dépendent de l'âge de l'enfant. Il existe cinq groupes de méningocoques responsables d'infections chez les humains. Le vaccin contre le groupe C est maintenant administré à tous les bébés. Un nouveau vaccin contre les groupes A, W-135, Y et C est également offert. Pour l'instant, son administration à tous les bébés n'est pas recommandée au Canada. Il est utilisé pour les personnes plus vulnérables à une infection à méningocoque. Les régimes d'assurance-maladie des provinces et des territoires n'en payent pas le coût.

6. Administré seulement aux filles. La deuxième dose est administrée deux mois après la première et la troisième, six mois plus tard.

Si vous avez accès à Internet, vous pouvez visiter le site Web de l'Agence de la santé publique du Canada pour mieux vous renseigner sur l'immunisation, obtenir le calendrier le plus récent et trouver celui qui s'applique à la province dans laquelle vous vivez. www.phac-aspc.gc.ca.

Source : Société canadienne de pédiatrie, www.soinsdenosenfants.cps.ca/immunisation/ VaccinationEnfant.htm.

Questions souvent posées sur les vaccins

Les vaccins sont-ils sécuritaires?

Oui. Les vaccins sont très sécuritaires. Les effets secondaires graves sont rares.

Pourquoi continue-t-on d'utiliser les vaccins alors que les maladies qu'ils préviennent ont disparu?

La plupart des maladies existent toujours, aussi bien au Canada que dans des pays où moins de gens sont vaccinés. Des éclosions de la maladie peuvent se produire.

Pourquoi ne pas courir la chance de ne pas faire vacciner mon enfant?

Les enfants qui ne sont pas vaccinés courent un risque beaucoup plus grand que les autres d'attraper des maladies.

LES VACCINS AU CANADA SONT SÉCURITAIRES

- *Les vaccins utilisés au Canada sont très efficaces et sécuritaires.*

- *Les réactions indésirables graves sont rares. Les dangers qu'on court en attrapant la maladie sont beaucoup plus grands que le risque que le vaccin cause de graves réactions.*

- *Les autorités responsables de la santé partout dans le monde prennent très au sérieux le besoin de s'assurer que les vaccins ne présentent aucun danger.*

- *Des comités d'experts au Canada étudient les rapports sur les effets indésirables graves.*

- *RIEN n'indique que des vaccins peuvent causer des maladies chroniques, des cas d'autisme ou le syndrome de mort subite du nourrisson. Des études scientifiques ont prouvé que, contrairement à ce que certains ont prétendu, il n'y a pas de liens entre la vaccination et l'apparition de maladie, par exemple, entre le vaccin contre l'hépatite B et la sclérose en plaques.*

Source : Agence de la santé publique du Canada. Guide canadien d'immunisation, 7ᵉ édition, 2006. www.phac-aspc.gc.ca/publicat/cig-gci/index-fra.php. Reproduit avec la permission du ministère des Travaux publics et Services gouvernementaux Canada, 2008.

Est-ce que les vaccins affaiblissent le système immunitaire?

Non. Les vaccins renforcent le système immunitaire afin de protéger les gens contre certaines maladies.

Est-ce que les infections attrapées naturellement peuvent remplacer les vaccins?

Les vaccins immunisent les gens contre certaines maladies sans causer les souffrances que ces maladies entraînent. Un grand nombre des maladies contre lesquelles on vaccine les enfants peuvent les tuer ou les handicaper, alors nous voulons éviter à autant de gens que possible d'attraper la maladie naturellement.

La jaunisse (couleur jaunâtre de la peau et du blanc des yeux)

La plupart des cas de jaunisse ne sont pas dangereux pour votre bébé. Les symptômes physiques de la jaunisse sont la peau et le blanc des yeux qui deviennent jaunâtres. Le bébé fait une **jaunisse** lorsque son sang contient trop d'une substance qu'on appelle bilirubine. D'ordinaire, la jaunisse apparaît pendant les trois à cinq premiers jours de vie. Elle disparaît ensuite, une fois que le corps de votre bébé a appris à éliminer la bilirubine. Un fournisseur de soins de santé peut vérifier si votre bébé a la jaunisse en faisant une analyse du sang qui mesure la bilirubine dans le sang de votre bébé. Il se peut que cette analyse ait été faite avant que vous ayez quitté l'hôpital avec votre bébé.

Si vous quittez l'hôpital entre 24 et 36 heures après l'accouchement, un fournisseur de soins de santé devrait vérifier si votre bébé a la jaunisse deux ou trois jours après. Dans de nombreux centres urbains du Canada, une infirmière fait cette analyse pendant une des premières visites à domicile. Si ce service n'existe pas dans votre collectivité, vous pouvez faire examiner votre bébé par un professionnel des soins de la santé dans une clinique.

Il est rare que le taux de bilirubine dans le sang de votre bébé atteigne des niveaux assez élevés pour mettre le bébé en danger, mais si vous croyez que votre bébé a la jaunisse :

- nourrissez le bébé sur demande ou toutes les deux ou trois heures, le jour comme la nuit;
- téléphonez à votre fournisseur de soins de santé.

La plupart des bébés n'ont PAS besoin d'être hospitalisés pour une jaunisse. S'ils le sont, on les exposera à une lumière spéciale (photothérapie) pour faire baisser le taux de bilirubine.

Si votre bébé a la jaunisse et est déshydraté (voir les Signes de déshydratation chez le nouveau-né dans l'encadré à la page 191), irritable, qu'il manque d'énergie, courbe le dos, ou tremble comme s'il avait des convulsions, allez directement au service d'urgence de l'hôpital.

La circoncision

La circoncision est une intervention chirurgicale (opération) qu'on pratique pour enlever la peau qui couvre le bout du pénis (prépuce). Le nourrisson doit être dans un état stable et en santé pour être circoncis. Après avoir soigneusement analysé les données scientifiques, la Société canadienne de pédiatrie ne recommande PAS la circoncision de tous les nouveau-nés de sexe masculin. Toutefois, de nombreux parents décident de faire circoncire leur nouveau-né pour des raisons personnelles, religieuses ou culturelles. Puisque la circoncision n'est pas essentielle à la santé, les parents devraient prendre la décision en se fondant sur leurs propres valeurs tout en tenant compte des avantages et des risques.

Si vous choisissez de ne pas faire circoncire votre bébé garçon, il est important et facile de nettoyer le pénis non circoncis. Au moment

MÉDICAMENTS POUR LES NOUVEAU-NÉS

Consultez votre fournisseur de soins de santé avant de donner à votre bébé :

- *des remèdes à base de plantes médicinales;*
- *des vitamines;*
- *des médicaments sans ordonnance.*

De nombreux produits de ce genre sont vendus sans ordonnance et sont considérés comme étant sûrs, mais certaines substances peuvent être nuisibles, surtout pour les nouveau-nés. N'en donnez JAMAIS à votre bébé sans avoir d'abord consulté votre fournisseur de soins de santé.

du bain, vous n'avez qu'à nettoyer doucement les parties génitales. Le prépuce ne peut pas être repoussé entièrement vers l'arrière (se rétracter) avant plusieurs années et on ne doit jamais le forcer à se rétracter. Plus tard, lorsque le prépuce pourra se rétracter entièrement, apprenez à votre fils à nettoyer soigneusement la partie de son pénis sous le prépuce.

La circoncision est une opération qui crée de l'inconfort pour le bébé. Elle comporte aussi certains risques. Après la circoncision, vous devriez communiquer avec votre fournisseur de soins de santé si :

• votre bébé n'a pas uriné depuis six à huit heures;
• le saignement dure longtemps;
• la rougeur autour du bout du pénis empire après trois jours.

Le soin du cordon

Habituellement, le bout du cordon ombilical qui reste, et sous lequel se trouve le nombril du bébé, se dessèche et tombe au bout d'une semaine ou deux. N'utilisez que de l'eau pour nettoyer le bout du cordon de votre bébé. Évitez tous les autres liquides.

Pour garder le bout du cordon au sec, pliez le devant de la couche de façon à laisser le cordon ou le nombril à découvert. Si la peau autour du bout du cordon devient rouge ou enflée, qu'il s'en dégage une mauvaise odeur ou qu'il en sort du pus, le cordon pourrait être infecté. Téléphonez à votre fournisseur de soins de santé si vous croyez que le bébé a une infection du cordon.

Le soin des yeux

Après la naissance, l'infirmière met des gouttes spéciales (ou un onguent) dans les yeux du nouveau-né pour traiter toute infection des yeux qui aurait pu être causée par des microbes au moment de l'accouchement. Si vous ne voyez pas de rougeur ou d'écoulement qui pourrait indiquer une infection des yeux, tout ce que vous devez faire pour les garder propres, c'est d'essuyer les yeux fermés avec un linge humide. Si vous pensez que votre bébé a une infection des yeux, téléphonez à votre fournisseur de soins de santé ou à l'infirmière de santé publique.

Les soins du nouveau-né

Est-ce que votre bébé élimine bien?

Il est essentiel que votre bébé élimine bien. Le nombre de fois que votre bébé salit ou mouille sa couche vous indiquera si c'est le cas (voir le tableau à la page 192). Les nouveau-nés peuvent se déshydrater très rapidement. On parle de déshydratation lorsque l'organisme du bébé manque de liquides. Ceci peut causer de graves problèmes. Voilà pourquoi il est très important de nourrir votre bébé souvent, c'est-à-dire au moins 8 à 12 fois par jour pendant les premières semaines, et de vous assurer qu'il élimine une quantité normale d'urine et de selles (les déchets qui sont éliminés lorsque l'intestin est vidé).

Les premières selles du bébé ressembleront un peu à du goudron et auront une couleur noir verdâtre. C'est ce qu'on appelle le ***méconium***.

- Le nouveau-né élimine du méconium pendant un jour ou deux après sa naissance.
- Les selles deviennent ensuite moins compactes et prennent une couleur jaune verdâtre pendant trois à quatre jours. On les appelle les selles de transition.

Lorsque l'urine du bébé est presque claire, vous savez qu'il boit assez de lait. L'urine se voit difficilement dans la couche, mais vous pouvez vérifier au toucher ou encore au poids de la couche qui sera plus lourde qu'une couche sèche. Quand l'urine est d'un jaune foncé, le bébé est probablement déshydraté et doit boire plus de lait (liquides). Vérifiez toujours si la couche du bébé est mouillée lorsque vous la changez. La quantité d'urine éliminée devrait correspondre à la quantité de liquide absorbé.

SIGNES DE DÉSHYDRATATION CHEZ LE NOUVEAU-NÉ

La déshydratation (une baisse du niveau de liquides dans le corps du nouveau-né) peut être très grave. Téléphonez à votre fournisseur de soins de santé tout de suite ou trouvez un moyen de vous rendre le plus rapidement possible à l'hôpital en toute sécurité. N'attendez pas si vous remarquez un des signes suivants chez votre bébé :

- *bébé somnolent, endormi, difficile à réveiller;*

- *moins d'urine (se mouille moins souvent ou a les couches moins mouillées). Votre bébé devrait mouiller de 6 à 10 couches par jour;*

- *urine d'un jaune foncé;*

- *bébé qui continue d'éliminer du méconium, ou des selles foncées, trois jours ou plus après sa naissance;*

- *bouche, langue ou lèvres sèches;*

- *perte de poids de plus que 10 % pendant les premiers jours;*

- *fièvre.*

1. Assemblez tous les articles dont
vous aurez besoin **avant** de déposer
votre bébé pour le changer.

   Il vous faudra :

   • des petites débarbouillettes ou
   des serviettes humides jetables;

   • une couche et, quelquefois, des
   vêtements propres;

   • un onguent pour prévenir
   l'irritation des fesses due aux
   couches.

2. Ne perdez jamais votre bébé de vue
une seule seconde!

3. Lorsque vous devez étendre le bras
pour prendre un objet, placez la
main sur le ventre de votre bébé.
Si vous ne pouvez pas atteindre ce
dont vous avez besoin, amenez le
bébé avec vous.

4. Ne faites pas attention aux
sonneries de la porte ou du
téléphone. Si vous devez y répondre,
amenez le bébé avec vous.

5. Évitez d'utiliser de la poudre. Votre
bébé pourrait l'inspirer.

6. Pour éviter de transmettre des
microbes, lavez-vous les mains
chaque fois que vous avez changé la
couche de votre bébé.

7. Gardez propre la surface sur laquelle
vous changez la couche du bébé.

Le nouveau-né qui perd plus que 10 % de ses liquides peut tomber gravement malade. Apprenez à connaître les signes de déshydratation chez le nouveau-né (voir l'encadré à la page 191). Si la situation vous inquiète, téléphonez à votre fournisseur de soins de santé.

Votre fournisseur de soins de santé voudra savoir :

• combien de couches le bébé a mouillées ou salies pendant une période donnée, et
• la quantité et la couleur des selles que vous voyez dans les couches.

Âge du bébé	Couches mouillées Nombre et état	Couches salies Nombre et couleur des selles
1 jour	Au moins 1 **MOUILLÉE**	Au moins 1 ou 2 par jour **Noires ou vertes foncées**
2 jours	Au moins 2 **MOUILLÉES**	
3 jours	Au moins 3 **MOUILLÉES**	Au moins 3 par jour **Brunes, vertes, ou jaunes**
4 jours	Au moins 4 **MOUILLÉES**	
5 jours 6 jours 7 jours 2 semaines 3 semaines 4 semaines 5 semaines	Au moins 6, urine jaune pâle ou claire **TRÈS MOUILLÉES**	Au moins 3 grosses selles molles et grumeleuses par jour **Jaunes**
6 semaines à 6 mois		Au moins 1 ou plus dans un espace de 1 à 7 jours **Jaune**

Le soin de la peau et le bain

Vous devez garder votre bébé propre, mais vous n'avez pas besoin de lui donner un bain complet tous les jours. Entre les bains, vous pouvez le garder propre en le lavant avec une débarbouillette mouillée d'eau tiède. Lavez-lui le visage et les mains souvent. Nettoyez la partie de son corps recouverte par la couche chaque fois que vous le changez.

Vous pouvez donner un bain à votre bébé même si le cordon n'est pas tombé. Vous pouvez utiliser un savon doux pour bébé. Si le bébé a la peau sèche, appliquez une crème hydratante. Faites particulièrement attention au cuir chevelu et aux replis de la peau. Il est préférable d'utiliser une baignoire pour bébé. N'utilisez pas la baignoire familiale ou un siège ou un anneau de bain dans votre baignoire ordinaire. Ils ne sont pas sécuritaires pour les nourrissons.

Lavez votre bébé dans une pièce chaude. Commencez par réunir tout ce dont vous aurez besoin et enlevez tout bijou qui risque d'égratigner votre bébé. Mettez environ deux pouces (5 cm) d'eau tiède dans la baignoire pour bébé. Vérifiez la température de l'eau avec l'intérieur de votre poignet pour vous assurer qu'elle n'est pas trop chaude. Tenez votre bébé fermement pendant le bain.

Utilisez de l'eau propre pour laver les yeux, les oreilles, la bouche et le visage. N'utilisez pas de cotons-tiges pour nettoyer le nez et les oreilles de votre bébé. Utilisez une débarbouillette propre enroulée autour de votre petit doigt pour nettoyer l'extérieur du nez et des oreilles. Le mucus ou la cire d'oreille finira par sortir tout seul. N'utilisez pas d'huile pour bébé. Elle peut rendre vos mains et la peau du bébé glissante, ce qui n'est pas sécuritaire.

Commencez par le haut du corps. Lavez d'abord le visage, puis le tronc, et ensuite les fesses. Essuyez les organes génitaux de votre bébé fille de l'avant vers l'arrière. Il n'est pas nécessaire de séparer les lèvres du vagin. Lavez soigneusement le pénis de votre bébé garçon pour qu'il

LES COUCHES ET VOTRE BÉBÉ

Comme les nouveau-nés se mouillent jusqu'à 18 fois par jour et peuvent avoir jusqu'à 10 selles par jour, vous devrez avoir une bonne quantité de couches propres en réserve. Pour que votre bébé reste propre et au sec, changez-le chaque fois que sa couche est sale ou mouillée. La plupart des parents adoptent une routine qui fonctionne bien pour eux. Par exemple :

- *certains parents changent la couche du bébé après chaque boire et avant de le mettre au lit.*

- *d'autres trouvent que changer la couche de leur bébé qui somnole après avoir bu au premier sein est une bonne façon de le réveiller assez pour qu'il prenne l'autre sein.*

On aide à prévenir l'érythème fessier (les rougeurs aux fesses du bébé) en adoptant de bonnes habitudes pour garder le bébé propre et au sec.

reste propre. Ne tirez pas sur le prépuce. Généralement, on ne doit pas le faire avant que le garçon ait entre 3 et 5 ans.

Après avoir retiré le bébé de l'eau, asséchez-le complètement en le tapotant avec une serviette. Ne laissez jamais votre bébé sans surveillance dans la baignoire, même pour un tout petit instant.

Couper les ongles de bébé

En gardant les ongles de votre bébé courts, vous aiderez à éviter qu'il s'égratigne le visage. Vous pouvez mettre de petites mitaines ou des petits bas sur les mains de votre bébé pour éviter qu'il s'égratigne, mais ce n'est pas plus difficile de lui couper les ongles. Coupez-les droit en utilisant une petite paire de ciseaux à bouts arrondis ou un coupe-ongles pour bébés. Au début, vous trouverez peut-être que c'est plus facile de limer les ongles plutôt que de les couper. Le meilleur temps pour couper les ongles du bébé est lorsqu'il dort.

Les vêtements de bébé

Votre bébé a les mêmes besoins que vous en ce qui concerne les vêtements. En hiver, il portera probablement une camisole, une chemisette, un chandail, un vêtement pour couvrir ses jambes, des bas ou des petits chaussons et un habit de neige. En été, il sera probablement plus à l'aise en couche et en t-shirt.

Le bébé devra porter plus de vêtements que vous dans les voitures et les pièces climatisées, parce qu'il ne bouge pas beaucoup et a tendance à perdre plus rapidement sa chaleur que vous.

Pensez à la sécurité et au confort du bébé lorsque vous choisissez ses vêtements. Assurez-vous que les pyjamas sont bien ajustés et qu'ils n'ont pas de cordons qui pourraient rester accrochés à une poignée ou à un autre objet. Assurez-vous aussi que les habits de neige ne sont pas si amples qu'ils vous empêchent de boucler les ceintures de sécurité aussi fermement qu'elles devraient l'être pour éviter que le bébé glisse du siège d'auto.

Irritations et troubles courants de la peau

Votre nouveau-né a peut-être quelques problèmes de peau qui vous semblent anormaux. La plupart sont très courants et n'ont pas besoin d'être traités.

L'**acné du nouveau-né** prend la forme de boutons rougeâtres sur le visage. Elle disparaît habituellement au bout de quelque temps.

Le **milium** est une série de petits points blancs sur le visage de votre bébé. Ces boutons finiront par disparaître d'eux-mêmes.

L'**érythème toxique** prend la forme de taches rougeâtres irrégulières qui apparaissent et disparaissent sur différentes parties du corps d'un nouveau-né. Elle est plus fréquente le deuxième jour de vie, mais peut se manifester à la naissance et au cours des deux premières semaines de vie. Certains nourrissons ont des bosses jaunâtres ou blanchâtres fermes, entourées de rouge. Chaque tache peut rester visible quelques heures ou quelques jours. Les taches disparaîtront petit à petit.

Le **chapeau** ressemble à des croûtes jaunâtres sur la tête du bébé. Vous remarquerez peut-être aussi des rougeurs autour des croûtes et sur d'autres parties du corps, comme dans les plis du cou et aux aisselles (dessous des bras), à l'arrière des oreilles, sur le visage et sur la peau recouverte par la couche. Le chapeau disparaît généralement tout seul.

L'**érythème fessier** est une irritation rouge de la peau du bébé qui est habituellement recouverte par sa couche. Il se produit lorsque l'urine ou les selles présentes dans la couche irritent la peau de votre bébé et la rendent sensible et rouge. Vous pouvez aider à prévenir l'érythème fessier en changeant souvent la couche de votre bébé. (Voir « Comment prévenir l'érythème fessier » dans l'encadré de cette page.)

L'**érythème fessier à *Candida*** apparaît autour des organes génitaux et des fesses. De petits points très rouges se forment sur des taches rouges plus grosses. Le *Candida* est une espèce de champignon qui peut aussi infecter la bouche de votre bébé. L'infection de la bouche

---

COMMENT PRÉVENIR L'ÉRYTHÈME FESSIER

- *Changez souvent la couche de votre bébé.*

- *Laissez votre bébé nu-fesses pendant de courtes périodes. Ceci aide la peau à sécher et aide à prévenir l'érythème fessier ou à en traiter les cas moins graves.*

- *Lorsque vous changez la couche de votre bébé, lavez-lui les fesses avec un savon doux et de l'eau tiède. Essuyez de l'avant vers l'arrière. Rincez et laissez la peau de votre bébé sécher complètement avant de lui mettre une autre couche.*

- *Appliquez de la gelée de pétrole (vaseline) non parfumée ou une crème contenant de l'oxyde de zinc sur la peau recouverte par la couche. Elle protégera et hydratera la peau.*

- *Les lingettes humides vendues en magasin peuvent assécher la peau délicate de votre bébé. Si vous les utilisez, assurez-vous qu'elles ne sont pas parfumées et qu'elles ne contiennent pas d'alcool.*

- *N'utilisez pas de talc ou de poudre pour bébé. Votre bébé pourrait en absorber en respirant.*

Source : Société canadienne de pédiatrie, www. soinsdenosenfants.cps.ca/Grossesse&bebes/ PeauSoins.htm.

COMMENT EMMAILLOTER UN BÉBÉ

L'emmaillotement (ou emmaillotage) est une façon d'envelopper votre bébé pour qu'il se sente en sécurité. Il peut aider à calmer votre bébé. Certains bébés aiment être emmaillotés les bras libres, afin qu'ils puissent les bouger. Arrêtez d'emmailloter votre bébé à environ un mois ou lorsqu'il commence à repousser ses couvertures en donnant des coups de pied. À ce moment-là, les bébés veulent et doivent bouger davantage.

Voici comment emmailloter votre bébé :

1. *Avant de commencer, assurez-vous que votre bébé n'a pas faim et qu'il n'est pas mouillé.*

2. *Placez une petite couverture de coton sur une surface plate et repliez-en le coin droit du haut d'environ 15 cm (6 po).*

3. *Placez votre bébé sur le dos, la tête sur le pli.*

4. *Tirez le coin près de la main gauche de votre bébé de façon à couvrir son corps et rentrez le bord sous son bras droit et sous son dos.*

5. *Repliez le bas de la couverture jusque sous le menton de votre bébé.*

6. *Rabattez le coin droit de la couverture sur votre bébé et rentrez-le sous son bras et son dos du côté gauche.*

par le *Candida* s'appelle le **muguet**. Si vous pensez que votre bébé a une infection à Candida, consultez votre fournisseur de soins de santé. Les éruptions à *Candida* doivent être traitées à l'aide d'une crème qu'on obtient sur ordonnance.

Les **boutons de chaleur** apparaissent habituellement par temps très chaud et humide, ou en hiver si votre bébé est habillé trop chaudement. Ce sont de petites bosses rouges qui apparaissent surtout dans les plis de la peau de votre bébé ou sur les parties de son corps où les vêtements sont très ajustés. Vous pouvez aider à prévenir les boutons de chaleur et les traiter en enlevant les vêtements en trop et en habillant votre enfant de vêtements amples et de coton léger pour qu'il reste au frais, surtout par temps chaud et humide.

La **dermatite de contact** peut apparaître lorsque la peau de votre bébé entre en contact avec une matière irritante ou à laquelle il est allergique (comme les boutons de métal ou les teintures des vêtements). D'habitude, on aperçoit les rougeurs seulement sur les parties de la peau qui sont entrées en contact avec la matière à laquelle le bébé est allergique. Si cela se produit, informez-en votre fournisseur de soins de santé. Pour en découvrir la cause, il vous demandera peut-être de lui indiquer de façon détaillée toutes les matières auxquelles le bébé est exposé.

L'**eczéma** est une maladie qui rend la peau sèche, épaisse et écailleuse ou qui cause la formation de toutes petites bosses rouges qui peuvent devenir boursouflées, couler ou s'infecter lorsqu'on les gratte. Le plus souvent, l'eczéma fait son apparition sur le front, les joues ou le cuir chevelu du bébé, mais il peut se répandre sur d'autres parties du corps. Parfois, on l'observe chez les bébés qui ont des allergies ou des antécédents familiaux d'allergies ou d'eczéma. On ne peut pas guérir l'eczéma, mais on peut le contrôler, et souvent, il disparaît après plusieurs mois ou plusieurs années. Consultez votre fournisseur de soins de santé si vous croyez que votre bébé a l'eczéma.

Moyens de prévenir la tête plate

Les bébés qui dorment toujours sur le dos, la tête tournée du même côté, peuvent se retrouver avec des zones aplaties. Ceci n'est pas dangereux et ne nuit pas au développement du bébé ou de son cerveau. Dans la plupart des cas, le problème se règle tout seul. Toutefois, vous pouvez aussi éviter qu'une partie de la tête s'aplatisse en changeant la position de la tête de votre bébé chaque jour. Vous pouvez :

- Un jour, placer la tête de votre bébé à la tête de la couchette pour qu'il soit obligé de tourner la tête dans une direction pour voir ce qui se passe dans la chambre.
- Le lendemain, placer sa tête au pied de la couchette pour qu'il soit obligé de tourner sa tête dans l'autre direction pour regarder dans la pièce. Chaque jour, alternez l'orientation de votre bébé dans sa couchette.
- Lorsque le bébé est réveillé, placez-le sur le ventre plusieurs fois par jour. Vous devez surveiller votre bébé en tout temps! Placez votre bébé sur le ventre alors que vous êtes présente et que vous lui parlez ou chantez une chanson.

Dormir dans un environnement sécuritaire

Votre bébé a besoin de beaucoup de sommeil pour être heureux, rester en santé et continuer de se développer. C'est pourquoi il est important de créer un environnement sécuritaire où le bébé dormira. Vous réduirez ainsi les risques de blessure et de **mort subite du nourrisson (MSN)**. La MSN se produit lorsqu'un bébé de moins de 12 mois meurt de manière inattendue pendant son sommeil. Personne ne connaît la cause de la MSN, mais des études ont démontré que vous pouvez prendre des moyens simples pour aider à en réduire les risques (voir l'encadré sur cette page).

Pendant les six premiers mois, une couchette installée dans votre chambre, dans laquelle vous couchez votre bébé sur le dos, est l'endroit

---

MOYENS DE RÉDUIRE LE RISQUE DE MORT SUBITE DU NOURRISSON (MSN)

- *Placez votre nouveau-né sur le dos, sur une surface ferme et plate, pour dormir. Quand votre bébé sera assez vieux pour se tourner sur le ventre par lui-même, il ne sera pas nécessaire de le forcer à dormir sur le dos.*

- *Assurez-vous qu'il n'y a pas d'oreillers mous, de douillettes, de couvertures, d'édredons, de jouets en peluche ou de bordures de protection dans la couchette. Ces articles peuvent couvrir le visage du bébé et nuire à sa respiration.*

- *Utilisez des vêtements qui garderont le bébé au chaud, mais ne l'habillez pas trop chaudement, même lorsqu'il est malade. Les pyjamas doivent être bien ajustés.*

- *Ne fumez pas et n'utilisez pas d'alcool ou de drogues en présence de votre bébé.*

- *Ne placez jamais votre bébé sur un lit d'eau.*

- *Allaitez votre bébé. L'allaitement est sain, naturel et peut protéger votre bébé contre la MSN.*

Adapté du document de principe de la Société canadienne de pédiatrie intitulé « Des recommandations pour créer des environnements de sommeil sécuritaires pour les nourrissons et les enfants, » 2004, et le feuillet d'information pour les parents « Dormir en toute sécurité » disponible à l'adresse suivante : www.soinsdenosenfants.cps.ca/Grossesse&bebes/SommeilSécuritairepourLesBébés.htm

PETIT RAPPEL :

Le colostrum que vous produisez pendant les premiers jours est parfait pour nourrir votre bébé. Bien que vos seins ne produisent qu'une petite quantité de colostrum, elle est suffisante. Le bébé n'a besoin de rien d'autre.

le plus sécuritaire pour votre bébé. Ceci facilite aussi l'allaitement de nuit et peut aider à protéger votre bébé contre la MSN.

Source : Société canadienne de pédiatrie, www.soinsdenosenfants.cps.ca/Grossesse& bebes/SommeilSécuritairePourLesBébés.htm

Compagnons de chambre ou de lit?

Faire dormir le bébé dans une couchette dans votre chambre est idéal parce que vous êtes près de votre bébé et que vous pouvez facilement l'allaiter sans dormir avec lui dans votre lit. Les lits pour adultes ne sont pas conçus pour les nourrissons. Ils peuvent ne pas être sécuritaires parce que :

- le bébé peut se trouver coincé entre le matelas et le mur ou entre le matelas et le cadre du lit;
- le bébé peut tomber du lit;
- un adulte ou un autre enfant peut se tourner sur le bébé et l'étouffer;
- le bébé peut avoir trop chaud ou s'étouffer si sa tête se retrouve sous un article de literie molle.

L'alimentation de votre bébé

Les moments que vous passerez à nourrir votre bébé seront précieux pour vous deux. Les bébés se sentent bien quand on les tient dans nos bras. Ils adorent aussi sucer et avoir le ventre plein de lait tiède. Bon nombre de nouvelles mamans sentent que des liens très étroits se développent entre elles et leur nouveau-né quand elles le nourrissent.

La Société des obstétriciens et gynécologues du Canada, la Société canadienne de pédiatrie, le Fonds des Nations Unies pour l'enfance (UNICEF) et l'Organisation mondiale de la santé (OMS) reconnaissent que le lait maternel est le meilleur et le seul aliment à donner aux nourrissons pendant les six premiers mois de vie. À partir de six mois, les parents peuvent commencer à donner d'autres aliments aux bébés, tout en continuant l'allaitement (pendant les deux premières années de la vie du bébé, et même plus longtemps). Le lait maternel contient des anticorps, des facteurs de croissance, des enzymes et d'autres composantes qui ont un effet positif sur la santé à court et à long terme du bébé. Aucune préparation pour nourrissons n'offre ces avantages.

Les bébés qui reçoivent de la préparation pour nourrissons auront les nutriments de base pour se développer. Toutefois, les parents doivent savoir qu'ils augmentent certains risques pour la santé de leur nourrisson en lui donnant ces préparations. Les biberons, les tétines et les ustensiles doivent être bien lavés pour éviter le risque d'infection au moment de la préparation des biberons. Les parents doivent savoir comment prévenir l'infection et comment préparer le lait maternisé en toute sécurité (voir, à la page 208, les détails sur le nettoyage des biberons, des pompes et d'autre matériel).

L'allaitement

Le lait maternel, y compris le colostrum produit pendant les premiers jours après l'accouchement, est l'aliment naturel pour les nourrissons. Il contient exactement les bonnes quantités de tous les ingrédients dont ils ont besoin pour se développer. Il est toujours à la bonne température, ne coûte rien et est toujours disponible. En plus, l'allaitement vous aide à perdre du poids et amène votre utérus à reprendre sa taille normale. Enfin, l'allaitement resserre les liens entre vous et votre bébé.

Au tout début, vos seins produisent du **colostrum**. C'est une substance jaunâtre et épaisse, semblable à du lait, qui contient des vitamines, des protéines et des anticorps pour protéger le bébé contre les infections. Les bébés viennent au monde avec des réserves de gras et d'eau. Ils les utilisent pendant leurs premières journées de vie. Voilà pourquoi les nouveau-nés perdent du poids après leur naissance. Le colostrum est suffisant pour votre bébé pendant les premiers jours. Il n'est pas nécessaire de lui donner de l'eau ou une préparation pour nourrissons. La quantité de lait que vous produisez augmentera dans les deux à trois jours suivants.

Il est important de manger des repas équilibrés et de boire beaucoup de liquides lorsqu'on allaite. Ne vous mettez pas au régime. Vous allez

---

LA VITAMINE D

Les bébés ont besoin de vitamine D en quantité suffisante pour favoriser la croissance. Un manque s'appelle une carence en vitamine D. Les bébés risquent de manquer de vitamine D :

- *s'ils boivent seulement du lait maternel;*
- *s'ils ne sont pas assez exposés au soleil;*
- *s'ils ont la peau foncée;*
- *s'ils vivent dans des collectivités nordiques (au nord d'une latitude de 55 degrés, environ à la hauteur de la ville d'Edmonton).*

Si la mère du bébé a une carence en vitamine D, le bébé risque d'avoir le même problème. Tous les bébés à risque devraient recevoir un supplément de vitamine D chaque jour.

Le lait maternel est le meilleur aliment pour votre bébé qui grandit, mais il contient seulement de petites quantités de vitamine D. Il se peut que votre lait n'en contienne pas assez pour répondre aux besoins de votre bébé.

- *Les bébés allaités devraient recevoir 400 UI de vitamine D par jour, dès la naissance et jusqu'à ce qu'ils en retirent assez de leur alimentation.*
- *Les bébés des collectivités nordiques ou qui ont la peau foncée devraient en recevoir 800 UI par jour entre les mois d'octobre et d'avril, alors qu'il y a moins de soleil.*

Consultez votre fournisseur de soins de santé ou votre infirmière de santé communautaire concernant les besoins en vitamine D de votre enfant et la façon d'y répondre.

perdre du poids graduellement. Rappelez-vous que vous avez pris ce poids petit à petit pendant les neuf mois de votre grossesse et qu'il vous faudra probablement neuf mois pour le perdre et retrouver votre poids d'avant la grossesse.

La première tétée

Les 30 à 60 minutes qui suivent l'accouchement sont la période idéale pour commencer l'allaitement, au moment où le bébé est très alerte et prêt à téter. L'infirmière vous demandera si vous voulez allaiter et vous aidera la première fois. À ce moment-là, le contact peau contre peau est utile pour vous et pour votre bébé : il aide à créer des liens entre vous et votre bébé et il favorise l'allaitement.

Ce ne sont pas tous les bébés qui savent tout de suite comment se nourrir au sein. C'est quand même une bonne idée de profiter de cette période pour commencer l'allaitement. Assurez-vous d'avertir à l'avance le personnel de l'hôpital que vous voulez que le bébé partage votre chambre (cohabitation) afin de pouvoir l'allaiter chaque fois qu'il semble avoir faim. Les tétées fréquentes aident à accroître la production de lait.

Positions pour l'allaitement

Il y a plusieurs positions confortables pour allaiter. Voici quelques suggestions :

Étendue

Étendez-vous sur le côté, la tête supportée par quelques oreillers. Couchez le bébé la tête près du sein le plus bas (voir illustration à la page 201).

Position madone ou berceuse

Asseyez-vous confortablement, le bébé dans les bras comme dans un berceau. Placez un oreiller sous le bras qui supporte le bébé. Approchez la tête du bébé de votre sein pendant que ses jambes sont sur votre ventre.

▶ *Position madone ou berceuse*

Texte adapté et reproduit avec la permission du Service de santé publique de la région de Peel.

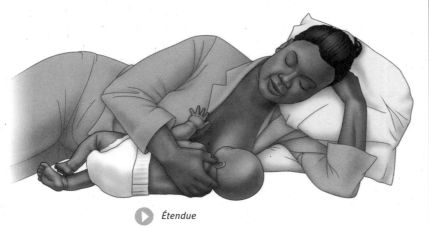

▶ *Étendue*

Texte adapté et reproduit avec la permission du Service de santé publique de la région de Peel.

▶ *Position madone modifiée*

Position madone modifiée

Asseyez-vous confortablement. Placez un oreiller sous le bras qui soutient le bébé. Soutenez la tête et le cou de votre bébé en utilisant le bras opposé au sein que vous allez lui présenter. Utilisez votre avant-bras pour soutenir le dos et les fesses du bébé. L'oreille, l'épaule et la hanche du bébé devraient être alignées (former une ligne droite) et son estomac devrait reposer contre le vôtre.

Position « ballon de football »

Asseyez-vous confortablement, le bébé dans les bras comme un « ballon de football ». Placez le bébé sous votre bras de façon à ce que ses orteils pointent vers votre dos. Utilisez un oreiller pour soutenir sa tête à la hauteur de votre sein. (Cette position a l'avantage d'exercer moins de pression sur votre abdomen si vous avez eu une césarienne.)

▶ *Position « ballon de football »*

Texte adapté et reproduit avec la permission du Service de santé publique de la région de Peel.

Comment s'y prendre

Première étape. Installez-vous confortablement

Utilisez des oreillers pour soutenir votre bras. Tenez le bébé près de vous et tournez son visage vers votre sein. Rapprochez le bébé de vous. N'allez pas au-devant du bébé, car cela pourrait vous donner mal au dos et le bébé pourrait ne pas prendre le sein de la bonne façon.

Deuxième étape. Assurez-vous que le bébé prend bien le sein

Pour allaiter avec succès et sans inconfort, il est important de s'assurer que le bébé prend bien le sein. Voici quelques conseils pour vous aider :

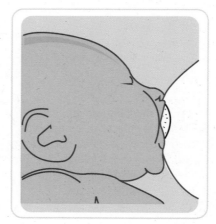

La façon de prendre le sein qui est correcte et confortable pour la mère

- Tournez le bébé vers vous et attendez qu'il ouvre la bouche.
- Pointez votre mamelon vers le nez du bébé. Lorsque vous approchez le bébé de votre poitrine, soutenez son cou et ses épaules. Ne poussez pas sur sa tête. Lorsque le bébé aura pris le sein, c'est son menton, et non pas son nez, qui touche au sein.

- Positionnez le bébé sur le sein de façon à ce que sa mâchoire inférieure soit plus basse sur l'aréole (la région plus foncée qui encercle le mamelon) et placez la plus grande partie de l'aréole dans la bouche du bébé.
- De cette façon, le bébé ne devrait pas téter à partir du mamelon, mais devrait plutôt utiliser sa mâchoire et sa langue pour appliquer une pression plus vers l'arrière. Ceci fera sortir le lait des canaux lactifères (espaces où le lait s'accumule autour du mamelon) et le fera entrer dans la bouche de votre bébé. Vous pourrez alors voir le bébé avaler le lait.

Troisième étape. Briser la succion

Pour retirer votre bébé du sein, glissez votre petit doigt dans le coin de sa bouche et poussez doucement vers le bas pour briser la succion. Vous pouvez utiliser cette méthode chaque fois que vous voulez que le bébé arrête de téter pour éviter d'avoir les mamelons endoloris. Répétez la deuxième étape si vous voulez redonner le sein au bébé.

Conseils pour l'allaitement

- Avant de quitter l'hôpital, assurez-vous que votre bébé prend le sein correctement et que vous vous sentez à l'aise durant l'allaitement. Demandez de l'aide si nécessaire.
- Au cours de la journée, buvez souvent de l'eau.
- Trouvez une position confortable avant de commencer l'allaitement.
- Offrez un contact peau contre peau au bébé au cours des premiers jours pour favoriser l'allaitement.
- Gardez votre bébé près de vous de façon à voir et à entendre le plus tôt possible les signes et les sons indiquant qu'il a faim.
- Faites faire un rot au bébé après chaque séance d'allaitement.
- Commencez par lui offrir un sein et laissez-le téter tant qu'il veut.
- Lorsqu'il aura terminé, le bébé va s'endormir, arrêter de téter ou abandonner le sein.
- Si votre bébé s'endort trop vite sur votre poitrine, essayez de comprimer votre sein pour l'aider à boire plus.

- Pendant l'allaitement, assurez-vous que votre bébé n'a pas trop chaud (porte trop de vêtements).
- Prenez une pause. Faites roter le bébé. Changez sa couche et lavez-vous les mains. (Souvent, cela aide le bébé à se réveiller et à continuer de boire.)
- Offrez l'autre sein au bébé. S'il refuse de le prendre, assurez-vous de commencer l'allaitement avec ce sein la prochaine fois.
- Essayez de ne pas commencer une séance d'allaitement par le même sein qu'à la séance précédente.
- Vous pouvez faire téter votre bébé aux deux seins à chaque repas ou donner un sein à un repas et l'autre, au repas suivant. Les deux méthodes sont bonnes. Plus il y aura de lait qui s'écoule de chaque sein à chaque repas, plus vous produirez de lait.
- Au début, allaitez votre bébé souvent pour stimuler la production de lait et pour éviter l'engorgement (voir la page 206).
- Certains bébés ont des poussées de croissance autour de la troisième, sixième et douzième semaines. Ils demanderont le sein plus souvent pendant 24 à 48 heures. C'est le moyen qu'a trouvé la nature pour augmenter votre production de lait.
- Prendre soin d'un nouveau-né est un travail exigeant. Si possible, demandez de l'aide pour les soins à donner au bébé et aux autres enfants ainsi que pour les travaux domestiques.

L'extraction du lait maternel

Il est important d'apprendre comment retirer le lait de vos seins. Vous pouvez le faire lorsque vous voulez mettre quelques gouttes de lait sur vos mamelons pour ramollir votre aréole ou faire des provisions de lait pour que quelqu'un d'autre puisse nourrir votre bébé et aux lorsque vous ne pouvez pas le faire.

- Lavez-vous les mains, trouvez une position confortable et ayez en main un contenant propre ou stérile pour recueillir le lait.
- Massez vos seins avec les deux mains.

Comment extraire votre lait

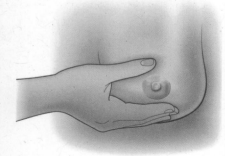

Illustrations adaptées et reproduites avec la permission du Service de santé publique de la région de Peel.

- Placez votre pouce et votre index sur le bord de l'aréole tout en soutenant votre sein avec le reste de votre main.
- Poussez doucement vers votre thorax.
- Ramenez vos doigts et votre pouce vers le mamelon tout en appliquant aussi une légère pression.
- Relâchez la pression et recommencez cette étape de façon rythmique.
- Continuez jusqu'à ce que le lait ne s'écoule plus ou presque plus.
- Faites des mouvements circulaires pour vider tous les réservoirs de lait de votre sein, puis reprenez toutes les étapes avec le deuxième sein.

Ne vous inquiétez pas si vous n'arrivez à extraire que quelques gouttes au début. Cette technique deviendra plus facile et vous deviendrez plus adroite en vous exerçant. Vous pouvez aussi extraire votre lait en utilisant une pompe manuelle ou électrique.

Fermez bien le contenant dans lequel se trouve votre lait. Collez une étiquette indiquant la date et l'heure sur le contenant. Vous pouvez conserver votre lait en toute sécurité :

- à la température de la pièce pendant environ 6 heures;
- au réfrigérateur pendant 3 jours,
- au congélateur de votre réfrigérateur pendant environ 3 mois;
- dans un congélateur coffre pendant environ 6 mois.

Les difficultés courantes de l'allaitement

Les seins sensibles et endoloris

Le fait de porter, même la nuit, un soutien-gorge d'allaitement bien ajusté qui soutient bien votre poitrine peut aider. Variez les positions d'allaitement de façon à extraire le lait de toutes les parties de vos seins. Assurez-vous d'accorder le même temps d'allaitement à chaque sein. La meilleure façon de prendre soin de vos seins est de vous assurer que vous êtes dans une position confortable et que le bébé prend le sein correctement.

Comment extraire le lait maternel

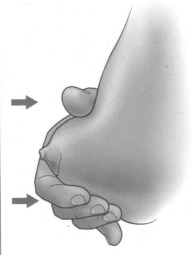

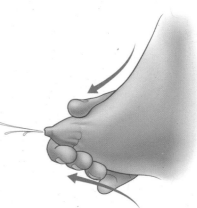

Illustrations adaptées et reproduites avec la permission du Service de santé publique de la région de Peel

Les mamelons douloureux

Pendant les deux premières semaines de l'allaitement, il est normal que les mamelons soient sensibles lorsque le bébé prend le sein. Cette sensibilité est plus grande au moment où le bébé prend le sein. Elle diminuera en quelques secondes (le temps de compter jusqu' à dix). Dès que le bébé aura bien pris le sein et que vous serez confortablement installée, la douleur devrait disparaître. Si vos mamelons continuent d'être douloureux pendant toute la tétée ou même après, ceci pourrait indiquer que quelque chose ne va pas.

Demandez aux infirmières de l'hôpital ou à votre infirmière de santé publique de vérifier votre technique d'allaitement. Assurez-vous que le bébé prend bien le sein et que vous êtes confortablement installée. Si ça ne va pas, brisez la succion et redonnez de nouveau le sein au bébé. Allaitez souvent, en offrant le sein dès que le bébé semble avoir faim. Les pleurs sont un des derniers signes que le bébé a faim. À ce moment-là, le bébé pourrait avoir trop faim pour prendre le sein correctement.

Pour soigner vos mamelons, mettez-y quelques gouttes de lait maternel et laissez-les sécher à l'air après chaque tétée. Le lait maternel contient du gras qui aide à guérir et à protéger la peau des seins. Une crème à la lanoline modifiée peut aussi être utile. N'utilisez que du savon non parfumé lorsque vous faites votre toilette quotidienne. Si vous utilisez des compresses d'allaitement, assurez-vous de les changer souvent pour que vos mamelons restent au sec.

L'engorgement

L'allaitement est une question d'offre et de demande. Les seins deviennent **engorgés** (durs, bosselés et endoloris) lorsque vous produisez plus de lait que la quantité dont le bébé a besoin. Au bout d'un certain temps, les seins réagissent en ne produisant plus que la quantité de lait qui convient au bébé. Voilà pourquoi il est important d'allaiter votre bébé de façon régulière sans sauter de repas. Les seins engorgés peuvent devenir tellement enflés que le mamelon s'aplatit. Le bébé peut alors avoir de la difficulté à bien le saisir. Dans ce cas, vous devrez extraire du lait pour soulager la pression du sein et permettre au mamelon de poindre. Si vos seins deviennent engorgés et que vous ne faites pas couler le lait pour vous soulager, vous pourriez réduire votre production de lait. Demandez de l'aide pour vous assurer que votre bébé prend le sein correctement et que vous êtes bien installée.

Pour réduire l'engorgement, utilisez des compresses froides entre les tétées. Si vous voulez permettre au lait de mieux s'écouler, utilisez des compresses chaudes et massez vos seins juste avant d'allaiter.

L'obstruction des canaux lactifères

Si une partie du sein devient enflée, sensible et chaude, il se peut qu'un de vos canaux lactifères (les canaux par lesquels le lait se rend au mamelon) soit bloqué. Dans ce cas, le mieux est de débloquer le canal avant l'allaitement en appliquant des compresses chaudes sur les seins. Ensuite, pour que le lait se rende aux mamelons, massez vos seins pendant la tétée, en commençant sous les bras. Assurez-vous que le bébé prend bien le sein et que vous êtes confortablement installée. Allaitez aussi souvent que possible pour permettre au lait de bien couler. Après la tétée, placez des compresses froides sur vos seins pour réduire l'enflure.

La mastite

La **mastite** est l'infection d'une ou de plusieurs des glandes lactifères (qui produisent le lait). Elle peut se développer lorsque le sein n'est pas complètement vidé. La plupart du temps, les femmes peuvent éviter la mastite par les moyens suivants :

- apprendre comment s'assurer que le bébé prend bien le sein de manière à tirer la quantité maximale de lait de chaque sein;
- allaiter sur demande, aussi souvent et aussi longtemps que le bébé veut boire;
- allaiter exclusivement, c'est-à-dire en ne donnant aucun autre liquide ou aliment au bébé pendant les six premiers mois;
- extraire assez de lait pour vous soulager si vous sentez que vos seins sont encore pleins ou engorgés après la tétée.

Vous devriez vérifier vos seins souvent pour voir si des bosses sont en train de se former ou s'il y a de la douleur, des rougeurs ou des points chauds. Il pourrait s'agir des premiers signes d'une mastite. Les symptômes de la mastite ressemblent à ceux de la grippe (fièvre et frissons) et vous remarquerez peut-être un point rouge et chaud sur un sein ou les deux. Téléphonez tout de suite à votre fournisseur de soins de la santé et faites vérifier la position du bébé et la façon dont il prend le sein pour vous assurer qu'il retire vraiment du lait de votre sein.

La mastite est une infection grave qui peut être traitée au moyen d'antibiotiques. Prenez beaucoup de repos. Il est important de continuer à vider le lait du sein atteint d'une mastite. Prenez des médicaments contre la douleur et continuez d'allaiter comme d'habitude. Il n'est pas dangereux d'allaiter votre bébé à partir d'un sein atteint de mastite. Si l'allaitement de votre bébé à partir du sein touché est trop douloureux, vous devriez essayer de vider votre sein par extraction manuelle ou au moyen d'une pompe.

Et si je ne peux pas allaiter au sein?

L'allaitement au sein pourrait ne pas être une option pour certaines mères. Il peut arriver que votre fournisseur de soins de santé recommande de nourrir votre bébé au moyen d'une préparation pour nourrissons, pour des raisons médicales. Ces formules fournissent au bébé les nutriments et les calories dont il a besoin.

Il est important de choisir la formule qui convient à votre bébé et de la préparer correctement. Pour en savoir plus long sur le choix et la préparation des formules, consultez votre fournisseur de soins de santé, communiquez avec votre service local de santé publique ou visitez le site www.bchealthguide.org.

Le nettoyage des biberons, des pompes et d'autres pièces d'équipement

Si vous retirez du lait de votre sein, vous utilisez peut-être des pompes, des biberons ou d'autre matériel servant à nourrir le bébé. Vous devez nettoyer tout ce matériel soigneusement avant de l'utiliser. Lavez le tout dans de l'eau chaude et savonneuse et rincez soigneusement pour enlever le savon. Laissez sécher à l'air libre.

Si votre bébé est né avant terme ou est malade, stérilisez le matériel. Pour le faire :

- couvrez d'eau le matériel que vous avez placé dans une grande marmite et
- faites chauffer l'eau jusqu'à ce qu'elle bouille et laissez-la bouillir pendant 10 minutes.

La régurgitation

La plupart des bébés « régurgitent ». Cela se produit pendant ou après une tétée, lorsqu'une partie du contenu de l'estomac du bébé remonte dans le tube qui relie sa bouche à son estomac. Les régurgitations ont tendance à diminuer après quatre mois. La plupart des nourrissons ne régurgitent plus après l'âge de 12 mois.

Toutefois, si vous remarquez l'un des symptômes suivants chez votre bébé, parlez-en à votre fournisseur de soins de santé. Votre bébé pourrait avoir le syndrome du reflux gastro-œsophagien pathologique (RGO).

- Les vomissures contiennent du sang ou un liquide vert ou jaune et le bébé prend peu de poids.
- Le nourrisson pleure intensément et est très irritable.
- Il refuse de manger et prend très peu de poids.
- Il a des problèmes respiratoires (par exemple, il ne prend pas de grandes respirations, sa peau prend une teinte bleutée, il a une toux chronique, a une respiration sifflante ou a eu la pneumonie plus d'une fois).

Pourquoi les bébés pleurent-ils?

Les coliques et les pleurs

Les bébés en santé pleurent. C'est leur façon d'exprimer leurs besoins et de communiquer avec les gens autour d'eux. La plupart du temps, les parents réagissent en leur offrant à boire, en les aidant à dormir, en changeant leur couche ou tout simplement en les caressant. Vus de cette façon, les pleurs sont très utiles aux bébés qui dépendent des autres pour répondre à tous leurs besoins.

Ceci dit, il arrive que le parent le plus attentif n'arrive pas à consoler son bébé. Vous devez savoir que ce n'est pas de votre faute.

Lorsqu'un bébé pleure longtemps et beaucoup (sans interruption) même s'il a été nourri, changé et caressé, on dit que le bébé a des « coliques ». Les gens ont longtemps cru que la colique était un problème de santé que seulement certains bébés avaient.

Toutefois, de nouvelles informations donnent à penser que ce qu'on appelait la colique est en fait quelque chose de tout à fait normal chez un bébé. Tous les bébés passent par une phase au début de leur vie où ils pleurent plus souvent.

Chaque bébé est différent. Pendant cette période de pleurs intenses (ils se produisent le plus souvent lorsque le bébé a entre trois et huit semaines), certains bébés pleurent beaucoup plus que les autres. Leurs pleurs peuvent sembler plus forts et il peut être plus difficile (et parfois même impossible!) de les réconforter.

Mais il ne faut pas désespérer. Premièrement, c'est normal et cela n'a pas d'effet durable sur votre bébé. Deuxièmement, cela ne durera pas toujours. Cette période de pleurs intenses (et inexpliqués) peut prendre fin aussi rapidement qu'elle a commencé, ou les pleurs peuvent diminuer petit à petit. Dans la plupart des cas, ces pleurs disparaissent vers l'âge de 3 ou 4 mois.

Entretemps, il y a certaines choses que vous pouvez faire pour vous aider à traverser cette période stressante. (Consultez la section à la page

211 « Qu'est-ce que les parents peuvent faire pour aider à consoler un bébé qui pleure? ».)

Pourquoi certains bébés pleurent-ils plus que d'autres?

Certains spécialistes croient que les bébés qui pleurent plus que d'autres sont tout simplement plus sensibles de nature et ont plus de difficulté à contrôler leurs pleurs. Ils peuvent avoir plus de difficulté à se calmer et à trouver leur rythme naturel lorsqu'ils sont très jeunes.

En général, les études démontrent que les bébés qui pleurent fort et longtemps n'ont pas de problèmes intestinaux. De plus, il n'y a pas de preuves solides permettant de conclure que c'est l'air qu'ils avalent en buvant, les gaz ou les allergies à certains aliments qui les font pleurer. En fait, c'est parce qu'ils pleurent que les nourrissons avalent de l'air, qu'ils éliminent en rotant ou en lâchant des gaz. Ils expulsent aussi des gaz par le rectum parce qu'ils forcent et resserrent les muscles de leur ventre.

Qu'est-ce que les parents peuvent faire pour aider à consoler un bébé qui pleure?

Chaque bébé est unique et ce qui aide à en consoler un pourrait ne pas fonctionner pour d'autres. Le défi pour les parents, c'est de trouver ce qui fonctionne pour leur bébé. Vous devez savoir qu'il peut y avoir des moments où rien ne fonctionne. Cela ne veut pas dire que vous êtes un mauvais parent.

Voici quelques suggestions qui pourraient aider à calmer votre bébé ou à prévenir les pleurs pendant les périodes où votre enfant est agité :

- Vérifiez si les pleurs indiquent que votre bébé a besoin de quelque chose (p. ex., vérifiez s'il a besoin d'un changement de couche, s'il a faim, trop chaud ou trop froid ou s'il fait de la fièvre).
- Prenez votre bébé. Vous ne risquez pas de le gâter. Certains bébés n'aiment toutefois pas qu'on les passe d'une personne à l'autre.
- Couvrez ou emmaillotez votre bébé dans une couverture douce.
- Éteignez les lumières et maintenez le calme dans l'environnement du bébé. Trop de stimulation peut déclencher ou empirer les pleurs.

- De la musique douce ou des sons calmants consolent certains bébés.
- De nombreux bébés sont apaisés par le mouvement. Marchez avec votre bébé dans un porte-bébé ou une poussette. Bercez-le dans vos bras avec des mouvements doux et rythmés. Allez faire un tour en voiture.
- Le fait de sucer aide parfois les bébés à se calmer et à se détendre. Vous pouvez donc l'allaiter ou lui offrir une sucette (suce).
- Donnez un bain chaud à votre bébé.

D'après certains rapports, des médicaments en vente libre et des produits naturels peuvent aider à soulager les coliques, mais consultez votre médecin avant de les utiliser.

La douceur et le calme doivent caractériser les moyens que vous utilisez pour réconforter votre bébé. Ne secouez jamais votre bébé. Si les pleurs de votre bébé se poursuivent malgré tous vos efforts pour le réconforter et qu'ils finissent par vous frustrer, installez-le dans un endroit sécuritaire (comme sa couchette) et prenez quelques instants pour vous calmer.

Téléphonez à votre médecin si votre bébé :

- ne se comporte pas comme d'habitude, ne mange pas ou ne dort pas;
- fait de la fièvre, vomit ou a la diarrhée;
- pourrait souffrir de douleurs causées par une chute ou une blessure;
- pleure de manière excessive après l'âge de trois mois;
- si vous craignez de blesser votre bébé.

Vers qui pouvez-vous vous tourner pour obtenir de l'aide?

Pendant les premiers temps, il peut être difficile de s'occuper d'un nouveau bébé. Vous dormez probablement très peu et vous essayez peut-être de répondre aux besoins de votre bébé à toute heure du jour et de la nuit.

Les pleurs constants d'un bébé peuvent devenir stressants. La chose la plus importante que vous devez savoir, c'est que ce n'est pas de votre faute. La situation va s'améliorer. En attendant, assurez-vous de prendre soin de vous.

NE SECOUEZ JAMAIS VOTRE BÉBÉ!

Secouer votre bébé peut endommager son cerveau. Cela pourrait même le tuer. Il ne faut jamais secouer un enfant.

 ÉLOIGNEZ-VOUS

DEMANDEZ DE L'AIDE

Faites le nécessaire pour faire garder votre enfant afin de pouvoir vous reposer. Trouvez un ami, un membre de la famille ou quelqu'un en qui vous avez confiance pour s'occuper de votre bébé pendant de courtes périodes afin de vous reposer un peu. Si on vous offre de l'aide, acceptez-la.

- Ça paraît simple, mais une bonne alimentation et un bon sommeil peuvent vous aider énormément. Essayez de dormir au moins trois heures de suite, deux fois par jour.
- Vous avez peut-être parfois des pensées négatives. Ce n'est pas grave, tant que vous ne passez pas aux actes. Si vous vous sentez déprimée ou en colère, parlez-en à quelqu'un en qui vous avez confiance et allez chercher de l'aide.
- De nombreuses ressources communautaires aident les parents, et surtout les nouvelles mères. Si vous ne savez pas où aller, parlez à votre pédiatre, à votre médecin de famille ou à une infirmière de santé publique.

Source : Société canadienne de pédiatrie, www.soinsdenosenfants.cps.ca.

Qu'en est-il des sucettes (suces)?

Au fil des temps, les parents ont utilisé les sucettes pour aider à réconforter et à calmer leurs bébés. Des études scientifiques ont permis de déterminer que l'utilisation de sucettes est associée à des troubles dentaires, des otites (infections d'oreille) et au sevrage précoce. Par contre, les sucettes réconfortent les bébés pendant les interventions douloureuses et on les associe à la réduction du risque de mort subite du nourrisson (MSN). Si vous choisissez d'utiliser une sucette, suivez ces conseils :

- evitez d'utiliser une sucette jusqu'à ce que l'allaitement soit bien établi;
- n'utilisez jamais une sucette au lieu de nourrir, de réconforter ou de caresser votre bébé;
- assurez-vous que la sucette est propre et en bon état;
- ne trempez jamais la sucette dans du sucre ou du miel;
- n'attachez jamais une sucette autour du cou de votre bébé.

(Texte adapté de la section « Les sucettes (suces) : Un guide à l'usage des parents » de la Société canadienne de pédiatrie. Pour plus d'information sur les sucettes et d'autres conseils sur les soins à donner à votre bébé, visitez le site Web de la Société canadienne de pédiatrie destiné aux parents à www.soinsdenosenfants.cps.ca).

Les ateliers à l'intention des parents

La plupart des communautés offrent des ateliers qui aident les parents à acquérir les compétences nécessaires pour bien jouer leur rôle. Ces ateliers sont bons pour tous les nouveaux parents parce qu'ils augmentent leurs connaissances et leur confiance en eux. Ce qu'ils offrent de mieux, c'est l'occasion pour les nouveaux parents de partager leur expérience avec d'autres nouveaux parents qui vivent plusieurs problèmes et joies similaires. Ils sont particulièrement utiles à ceux dont c'est le premier bébé et aux nouveaux parents qui sont très jeunes.

Au cours de ces ateliers, on vous enseignera les compétences de base d'un parent. Par exemple, on vous montrera comment nourrir votre bébé, changer sa couche et lui donner son bain. On parlera aussi d'autres sujets, comme la sécurité des enfants, la rivalité ou la jalousie entre frères et sœurs et les moyens de composer avec la frustration. Si vous et votre conjoint êtes de nouveaux arrivants au pays, les ateliers peuvent vous aider à vous renseigner sur la façon dont on élève les enfants au Canada.

Des cours de premiers soins et de réanimation cardiorespiratoire (RCR) des nourrissons sont aussi offerts. Pour mieux vous renseigner sur ces cours et savoir comment vous inscrire, communiquez avec la Croix-Rouge canadienne ou votre centre de santé publique.

Nous voilà arrivés à la fin de notre mission, qui était de vous accompagner tout au long de votre grossesse et de vous aider à partir du bon pied. Il ne reste plus qu'à vous souhaiter une longue vie en santé pour vous et le membre le plus récent de votre famille. Heureuse vie avec votre poupon!

CHAPITRE 9

Trouver de l'aide

Ressources et services principaux

La plupart des femmes se posent des questions sur leur grossesse et la croissance de leur bébé. Dans cette section, vous trouverez des services et des ressources sur la santé avant et pendant la grossesse et au cours des semaines qui suivent l'accouchement. La liste comprend des sites Web utiles, des documents, des programmes et des numéros de téléphone qui vous aideront à trouver les réponses à vos questions ou à vous renseigner encore mieux sur ce qu'il faut faire pour avoir une grossesse et un bébé en santé. Veuillez noter que certaines de ces ressources sont disponibles seulement en anglais.

Ressources sur la grossesse de la Société des obstétriciens et gynécologues du Canada

La SOGC est une société médicale nationale dans le domaine de la santé sexuelle et de la reproduction. Elle a pour mission de promouvoir l'excellence dans la pratique de l'obstétrique-gynécologie et s'efforce de favoriser la santé des femmes par le leadership, la défense des droits, la collaboration, la prise de contact et l'éducation.

Accouchement vaginal chez une patiente ayant déjà subi une césarienne (AVAC)
www.sogc.org/health/pregnancy-vbac_f.asp

Calculateur de la date d'accouchement
www.sogc.org/health/pregnancy-calculator_f.asp

Directives cliniques
www.sogc.org/guidelines/index_f.asp

Infection à streptocoques du groupe B pendant la grossesse
www.sogc.org/health/pregnancy-groupb_f.asp

Le travail préterme
www.sogc.org/health/pregnancy-preterm_f.asp

*Il n'y a pas de version française de ce site.

masexualite.ca

Ce site Web offre aux Canadiens une source centralisée d'information et d'éducation sur la santé sexuelle et de la reproduction, la contraception et les infections transmissibles sexuellement.
www.masexualite.ca

Mise en banque du sang de cordon ombilical
www.sogc.org/health/pregnancy-cord-blood_f.asp

Naissances multiples
www.sogc.org/health/pregnancy-multiple_f.asp

Nausées et vomissement de la grossesse
www.sogc.org/health/pregnancy-nausea_f.asp

Plan de naissance
Exemple du plan de naissance
www.sogc.org/health/pregnancy-birth-plan_f.asp

Remèdes à base de plantes médicinales
www.sogc.org/health/pregnancy-herbal_f.asp

Utilisation de l'échographie au cours de la grossesse
www.sogc.org/health/pregnancy-ultrasound_f.asp

Alcool et toxicomanie

Toutes les provinces et tous les territoires ont des programmes pour les personnes ayant des problèmes d'abus d'alcool et d'autres drogues. Consultez votre fournisseur de soins de santé.

Centre canadien de lutte contre l'alcoolisme et les toxicomanies
Donne accès à beaucoup d'information sur les questions liées à l'abus d'alcool et d'autres drogues.
1-613-235-4048
www.ccsa.ca

Évitez l'alcool pendant votre grossesse
Le site Web du Centre de ressources Meilleur départ donne de l'information sur la consommation d'alcool pendant la grossesse.
1-800-397-9567, poste 260
www.alcoholfreepregnancy.ca

La consommation d'alcool durant la grossesse
Le site Web de l'Agence de la santé publique du Canada fournit de l'information sur la consommation d'alcool pendant la grossesse.
www.healthycanadians.gc.ca/hp-gs/know-savoir/alc_f.html

Motherisk*

Organisme qui donne de l'information et des conseils pour les femmes enceintes ou qui allaitent concernant les risques liés aux drogues, aux produits chimiques, aux infections, aux maladies et à l'exposition à la radiation. Il fournit aussi de l'information sur la consommation d'alcool et de drogues pendant la grossesse.
1-877-327-4636
www.motherisk.org

Art d'être parent

Il y a des programmes de soutien, des programmes d'approche des femmes enceintes et des centres de ressources familiales qui offrent des programmes et services pour soutenir les familles et les parents seuls. Communiquez avec votre service de santé local ou votre infirmière de santé publique pour obtenir plus d'information.

Enregistrer une naissance au Canada
Comment faire enregistrer une naissance et demander un certificat de naissance.
www.servicecanada.gc.ca/fra/vie/enfant.shtml

Father Involvement Initiative
Ressources et information sur la participation des pères.
www.cfii.ca

Fédération canadienne des services de garde à l'enfance
Des feuillets d'information et ressources en ligne sur diverses questions liées à l'art d'être parent.

1-800-858-1412
www.cccf-fcsge.ca

Homoparentalité du Canada
Information sur les questions intéressant les familles lesbiennes, gaies, bisexuelles et transsexuelles.
1-416-595-9230
www.uwo.ca/pridelib/family/home2.html

Naissances multiples Canada*
Soutien, éducation, recherche et défense liés aux naissances multiples.
1-866-228-8824
www.multiplebirthscanada.org

Autochtones

Aboriginal Nurses Association of Canada*
La seule organisation professionnelle d'infirmières et infirmiers autochtones du Canada
1-866-724-3049
www.anac.on.ca

Réseau canadien autochtone du SIDA
Cette coalition sans but lucratif de personnes et d'organisations assure un leadership, un soutien et une défense des droits aux personnes autochtones sidatiques ou porteuses du VIH, où qu'elles habitent.
1-888-285-2226
www.caan.ca/french/

Directives cliniques sur la santé des Autochtones
www.sogc.org/guidelines/index_f.asp

Institut de la santé des Autochtones
Appuie la recherche visant à satisfaire les besoins spéciaux en santé des Autochtones du Canada.
www.cihr-irsc.gc.ca/f/8668.html

Irnisuksiiniq—Réseau des sages-femmes inuites
Ce réseau a pour but de tenir les sages-femmes et les travailleuses en soins de maternité au courant des événements et ressources liés à la profession de sage-femme.
1-877-602-4445, poste 252
www.naho.ca/inuit/midwifery/french/index.php

L'Organisation nationale de la santé autochtone
Fait la promotion du bien-être des Premières nations, des Inuits et des Métis.
1-877-602-4445
www.naho.ca/french.php

National Association of Friendship Centres*
Un organisme central unificateur du mouvement des centres d'amitié. Il cherche à faire connaître et à défendre les préoccupations des Autochtones et représente les besoins des centres d'amitié locaux.
www.nafc.ca

Pauktuutit: Inuit Women of Canada*
Favorise une meilleure connaissance des besoins des femmes inuites, milite pour l'équité et des améliorations sociales et encourage la participation des femmes à la vie communautaire, régionale et nationale du Canada
1-800-667-0749
www.pauktuutit.ca/home_e.asp

*Il n'y a pas de version française de ce site.

Programme canadien de nutrition prénatale

Des services communautaires fournissent de la nourriture, de l'information sur la nutrition, un soutien, de l'éducation, l'aiguillage à d'autres services et le counseling sur les questions de santé.
www.phac-aspc.gc.ca/dca-dea/
programs-mes/pcnp_accueil-fra.php

Santé des Premières nations, des Inuits et des Autochtones

Information de Santé Canada pour aider les peuples des Premières nations et les Inuits à améliorer leur état de santé.
www.hc-sc.gc.ca/fniah-spnia/
index-fra.php

Stratégie anti-tabac autochtone*

Ce site Web a pour but de favoriser l'utilisation sage du tabac dans les collectivités autochtones
www.tobaccowise.com

Dépression postpartum

Association canadienne pour la santé mentale

De l'information sur la dépression postpartum.
1-613-745-7750
www.cmha.ca/bins/content_page.
asp?cid=3-86-87-88&lang=2

Centre de ressources Meilleur départ

De l'information sur une campagne de sensibilisation aux troubles de l'humeur postpartum.
1-800-397-9567
www.meilleurdepart.org/
lavieavecunnouveaubebe/index.html

Groupes de soutien*

Des groupes de soutien pour les femmes ayant la dépression postpartum.
1-604-255-7999
www.postpartum.org/supportgroups.html

La santé émotionnelle pendant la grossesse

www.healthycanadians.gc.ca/hp-gs/
know-savoir/ment_f.html

Our Sisters' Place*

Du soutien pour les femmes ayant des problèmes liés à l'humeur et aux changements hormonaux.
1-866-363-6663
www.oursistersplace.ca

Société pour les troubles de l'humeur du Canada*

De l'information sur la dépression postpartum.
www.mooddisorderscanada.ca

Deuil

Fondation canadienne pour l'étude de la mortalité infantile*

Information sur le syndrome de mort subite du nourrisson (MSN) et le deuil.
1-800-363-7437
www.sidscanada.org

Parentbooks*

Une vaste sélection de livres sur la fécondité, la grossesse et l'accouchement, la perte d'un bébé, le développement du nourrisson et de l'enfant et l'art d'être parent.
1-800-209-9182
www.parentbooks.ca

Perinatal Bereavement Service Ontario*

Des services de soutien pour les familles vivant un deuil périnatal
1-888-301-7276
www.pbso.ca

Enfants ayant des besoins spéciaux

Si vous croyez que votre bébé a un trouble du développement ou une déficience, votre infirmière de santé publique peut vous aider. La plupart des communautés offrent un programme de développement du jeune enfant. Le personnel de ce programme peut vous aider en vous proposant des activités pour votre bébé qui encourageront son développement. Ils peuvent aussi vous aider à trouver des services de soutien.

Autisme

Société canadienne de l'autisme
1-866-476-8440
www.autismsocietycanada.ca/index_f.html

Centre d'excellence pour les enfants et adolescents ayant des besoins spéciaux

Son but est de faire en sorte que les jeunes des collectivités rurales et nordiques qui ont des besoins spéciaux reçoivent ce que le Canada a de mieux à offrir en matière de services.
www.coespecialneeds.ca/_
fr/?display=home

Institut national canadien pour les aveugles

La principale source de soutien, d'information et, avant tout, d'espoir pour tous les Canadiens vivant avec une perte de vision.
1-800-563-2642
www.cnib.ca

*Il n'y a pas de version française de ce site.

Société canadienne du syndrome de Down
1-800-883-5608
www.cdss.ca

Fournisseurs de soins de santé

La Société des obstétriciens et gynécologues du Canada
La SOGC est une société médicale nationale dans le domaine de la santé sexuelle et génésique. Elle a pour mission de promouvoir l'excellence dans la pratique de l'obstétrique-gynécologie et s'efforce de favoriser la santé des femmes par le leadership, la défense des droits, la collaboration, la prise de contact et l'éducation.1-800-561-2416
www.sogc.org

Association canadienne des sages-femmes
L'organisation nationale qui représente les sages-femmes et la profession de sage-femme au Canada.
1-514-807-3668
www.canadianmidwives.org

Association des infirmières en santé des femmes, en obstétrique et en néonatalogie
Fait la promotion de la santé des femmes et des nouveaux-nés.
1-800-561-2416, poste 266
www.awhonncanada.org/fr/awhonn/Page_daccueil_p474.html

Association des infirmières et infirmiers du Canada
Le porte-parole national de la profession infirmière.
1-800-361-8404
www.cna-nurses.ca

Association infirmière canadienne pour femmes et nouveaux-nés
La voix bilingue canadienne des infirmières qui prennent soin des femmes, des nouveaux-nés et de leurs familles.
www.canwn-aicfnn.ca

Canadian Fertility and Andrology Society*
Fait la promotion des études et de la recherche sur l'infertilité.
1-514-524-9009
www.cfas.ca

Collège des médecins de famille du Canada
Une organisation nationale volontaire de médecins de famille.
1-800-387-6197
www.cfpc.ca

Collège royal des médecins et chirurgiens du Canada
Pour trouver des médecins spécialistes certifiés qui sont des associés du Collège.
http://crmcc.medical.org

Doula C.A.R.E.*
Information sur les doulas (accompagnantes pendant le travail) et une liste de doulas.
www.doulacare.ca

Grossesse

Alberta Cord Blood Banking*
Banque publique de sang de cordon ombilical en Alberta.
www.acbb.ca/ACBBmain.htm

Association canadienne du diabète*
Information sur le diabète.
1-800-226-8464
www.diabetes.ca

Calculateur de l'ovulation de Baby Center*
Outil en ligne pour déterminer quand vous allez probablement ovuler.
www.babycenter.ca/tools/ovu/

Calculateur de la date d'accouchement
www.sogc.org/health/pregnancy-calculator_f.asp

Centre de santé sur la grossesse Femmes en santé
De l'information en ligne sur la grossesse.
www.femmesensante.ca/index.html

Commission canadienne des droits de la personne
1-888-214-1090
www.chrc-ccdp.ca/default-fr.asp

Congés parentaux et de maternité
Information de Ressources humaines et Développement des compétences Canada sur la durée des congés de maternité, parentaux et d'adoption prévus dans les lois sur les normes d'emploi.
www.hrsdc.gc.ca

Congés parentaux et de maternité
Information du gouvernement du Canada sur les congés parentaux et de maternité.
www.servicecanada.gc.ca/fra/ae/genres/speciales.shtml

FITMOM Canada*
Une approche sûre et efficace du conditionnement physique avant et après l'accouchement.
1-866-434-8666
www.fitmomcanada.com

Grossesse en santé
Le site Web de l'Agence de la santé publique du Canada fournit de l'information sur une grossesse en santé.
www.healthycanadians.gc.ca/hp-gs/index_f.html

*Il n'y a pas de version française de ce site.

Héma-Québec
Banque publique de sang de cordon ombilical au Québec
www.hema-quebec.qc.ca

La santé de la bouche et des dents pendant la grossesse
Information du gouvernement du Canada sur la santé de la bouche et des dents pendant la grossesse.
www.healthycanadians.gc.ca/hp-gs/ know-savoir/ora-dent_f.html

Lamaze International*
Information sur les techniques et les cours Lamaze (y compris sur le soutien à l'allaitement).
1-800-368-4404
www.lamaze.org

Ligne d'aide sur l'exercice et la grossesse de Sport C.A.R.E. du Women's College Hospital
Un service téléphonique qui répond aux questions sur l'exercice et la grossesse.
1-866-93-SPORT

Mise en banque de sang de cordon ombilical
La Société des obstétriciens et gynécologues du Canada offre de l'information sur la mise en banque de sang de cordon ombilical.
www.sogc.org/health/pregnancy-cord-blood_f.asp

Motherisk*
Information et conseils pour les femmes enceintes ou qui allaitent concernant les risques liés aux drogues, aux produits chimiques, aux infections, aux maladies et à l'exposition à la radiation.
Numéro principal : 1-416-813-6780
Consommation d'alcool et de drogues

*Il n'y a pas de version française de ce site.

durant la grossesse : 1-877-327-4636
Nausées et vomissements pendant la grossesse : 1-800-436-8477
VIH et grossesse : 1-888-246-5840
www.motherisk.org

Plan de naissance
La Société des obstétriciens et gynécologues du Canada offre un exemple de plan de naissance sur son site Web.
www.sogc.org/health/ pregnancy-birth-plan_f.asp

Pregnancy Library*
Des liens à de l'information sur la grossesse sur Internet
www.pregnancylibrary.com

Santé de la bouche et des dents pendant la grossesse
L'Association dentaire canadienne offre des conseils, de l'information et des ressources pour que les membres de votre famille aient une bonne santé buccodentaire pendant toute leur vie.
1-613-523-1770
www.cda-adc.ca

Sécurité en voiture
Information de Transports Canada sur les mesures à prendre pour être en sécurité en voiture lorsqu'on est enceinte.
1-888-675-6863
www.tc.gc.ca/securiteroutiere/ conducteurssecuritaires/ securitedesenfants/Voiture/index.htm

Société des obstétriciens et gynécologues du Canada
De l'information sur la santé des femmes, la grossesse, la contraception et la santé sexuelle.
www.sogc.org

Votre santé avant la grossesse
On trouve, sur le site Web du Centre de ressources Meilleur départ, de l'information sur la santé avant la grossesse.
www.sante-avant-grossesse.ca/future.htm

Nutrition

Étiquettes nutritionnelles
Apprenez comment lire et utiliser les étiquettes nutritionnelles sur les aliments.
www.healthyeatingisinstore.ca

Guide alimentaire canadien
www.hc-sc.gc.ca/fn-an/food-guide-aliment/index-fra.php

La consommation de poisson
Les avis les plus récents sur la consommation de poisson dans l'ensemble du Canada sur le site Web d'Environnement Canada.
www.ec.gc.ca/mercury/FR/fc.cfm?

La nutrition pendant la grossesse
Santé Canada fournit des lignes directrices sur la nutrition et une saine alimentation pendant la grossesse.
www.hc-sc.gc.ca/fn-an/nutrition/prenatal/ index-fra.php

Les diététistes du Canada*
La source la plus fiable de renseignements sur l'alimentation et la nutrition des Canadiens.
www.dietitians.ca

Programme canadien de nutrition prénatale
Des services communautaires fournissent de la nourriture, de l'information sur la nutrition, un soutien, de l'éducation, l'aiguillage à d'autres services et le counseling sur les questions de santé.
www.phac-aspc.gc.ca/dca-dea/programs -mes/pcnp_accueil-fra.php

Santé et développement de l'enfant

About Kids Health*
The Hospital for Sick Children—Le site Web AboutKidsHealth fournit aux familles de l'information fiable et d'actualité sur tous les aspects de la santé des enfants et de la vie familiale, sous une forme facile à comprendre.
www.aboutkidshealth.ca

Association canadienne des programmes de ressources pour la famille
Des ressources sur l'art d'être parent, y compris un répertoire de programmes de ressources pour les familles du Canada entier.
1-866-637-7226
www.frp.ca et
www.parentsvouscomptez.ca/index.cfm?nodeID=10&stopRedirect=1

Centres d'excellence pour le bien-être des enfants
Ce site Web fait des recommandations sur les services nécessaires pour assurer le meilleur développement possible des jeunes enfants.
1-514-343-6111, poste 2525
www.excellence-earlychildhood.ca

Centre de ressources Meilleur départ
Des ressources en ligne sur les soins prénataux et la santé des enfants.
1-416-408-2249
Numéro sans frais pour les habitants de l'Ontario :
1-800-397-9567
www.meilleurdepart.org

Coalition canadienne pour la sensibilisation et la promotion de la vaccination
De l'information sur les vaccinations pour les gens de tout âge.
1-613-725-3769, poste 122
www.immunize.ca/fr/default.aspx

Comité canadien pour l'allaitement
Protéger, promouvoir et soutenir l'allaitement au Canada comme mode idéal d'alimentation du nourrisson.
breastfeedingcanada.ca/html/sommaire.html

Grandir en santé au Canada
De l'information sur les moyens de promouvoir le bien-être des enfants et des jeunes.
www.growinghealthykids.com/francais/home/index.html

Guide canadien d'immunisation
Dresse la liste des vaccins qui sont recommandés au Canada.
www.phac-aspc.gc.ca/publicat/cig-gci/index-fra.php

Invest in Kids
Ressources et programmes pour les parents
1-877-583-5437
www.investirdanslenfance.ca

La Ligue La Leche*
Information et soutien pour les femmes qui allaitent.
1-800-665-4324
www.lllc.ca

Mother Goose Program*
Ce programme de groupe utilise des rimes, des chansons et des histoires pour resserrer les liens entre parents et enfants.
1-416-588-5234
www.nald.ca/mothergooseprogram

Programme Y'a personne de parfait
Offre un programme d'éducation et de soutien pour les parents ayant des enfants de moins de cinq ans.
www.phac-aspc.gc.ca/dca-dea/family_famille/personne-fra.php

Santé buccodentaire pour enfants
Information de Santé Canada sur les soins de la bouche et des dents des enfants.
www.hc-sc.gc.ca/hl-vs/oral-bucco/care-soin/child-enfant-fra.php

Service de santé de la région de Peel*
Information et courts vidéoclips sur l'allaitement.
www.peelregion.ca/health/family-health/breastfeeding/first-weeks/index.htm

Soins de nos enfants
De l'information sur la santé des enfants et des jeunes provenant de la Société canadienne de pédiatrie.
1-613-526-9397
www.soinsdenosenfants.cps.ca/index.htm

Soins du nourrisson
Cette page Web de l'Agence de la santé publique du Canada donne de l'information sur les soins aux nouveau-nés.
www.phac-aspc.gc.ca/dca-dea/prenatal/index-fra.php

Santé — Information générale

Agence de la santé publique du Canada
www.phac-aspc.gc.ca

Santé Canada
www.hc-sc.gc.ca

*Il n'y a pas de version française de ce site.

Santé sexuelle

Association canadienne de sensibilisation à l'infertilité
De l' information pour les femmes qui ont de la difficulté à devenir enceintes ou à mener une grossesse à terme.
1-800-263-2929
www.iaac.ca/fr/accueil

Fédération canadienne pour la santé sexuelle
De l' information et des ressources sur la santé sexuelle et de la reproduction.
1-613-241-4474
www.cfsh.ca/fr/Default.aspx

masexualite.ca
Le site Web de la Société des obstétriciens et gynécologues du Canada donne aux Canadiens une source centralisée d' information sur la santé sexuelle et de la reproduction, la contraception et les infections transmissibles sexuellement.
www.masexualite.ca

Numéros de téléphone provinciaux et territoriaux des lignes secours des ITS/VIH/sida
www.phac-aspc.gc.ca/std-mts/phone-fra.php

Société canadienne de fertilité et d'andrologie*
Fait la promotion de l' étude et des recherches sur l' infertilité.
1-514-524-9009
www.cfas.ca

Test de dépistage du VIH/sida
L' information de l' Agence de la santé publique du Canada sur les tests de dépistage du VIH/sida.

www.phac-aspc.gc.ca/aids-sida/info/4-fra.php

Sécurité des enfants

Centre d'excellence pour le bien-être des enfants
Encourage la recherche, l' élaboration de politiques et la diffusion des connaissances sur le bien-être des enfants.
www.cecw-cepb.ca/fr/home

Information sur les sièges d'auto pour enfants
De l' information du gouvernement de l' Ontario sur le choix et l' installation des sièges d' auto pour enfants.
www.mto.gov.on.ca/french/safety/carseat/choose.shtml

La sécurité des sièges d'enfants
Feuillets d' information de Transports Canada sur la sécurité des enfants en voiture.
1-800-333-0371
www.tc.gc.ca/securiteroutiere/conducteurssecuritaires/securitedesenfants/Voiture/index.htm

SécuriJeunes Canada
Le programme national de prévention des blessures SécuriJeunes collabore avec des partenaires et parents du Canada entier pour réduire les blessures accidentelles et les décès.
1-888-SAFE-TIPS
www.safekidscanada.ca/securijeunescanada/default.asp

Tabagisme

L'Association pulmonaire
De l' information sur l' asthme et la grossesse, le tabagisme et le tabac et

une ligne d' assistance téléphonique pour aider les fumeurs à arrêter de fumer.
1-888-566-5864
www.poumon.ca/home-accueil_f.php

Pregnets—Smoking and Pregnancy*
De l' information à l' intention des femmes enceintes et des nouvelles mères qui veulent arrêter de fumer.
1-416-535-8501, poste 6343
www.pregnets.org

Société canadienne du cancer – téléassistance pour fumeurs
Un service confidentiel et gratuit qui fournit un soutien, des conseils et de l' information personnalisée pour cesser de fumer ou d' utiliser le tabac.
1-877-513-5333
www.teleassistancepourfumeurs.ca/

Vivez sans fumée
Ce site Web de Santé Canada sur le tabac offre un éventail complet d' informations et de ressources sur la lutte contre le tabagisme.
www.vivezsansfumee.gc.ca

Victimes de mauvais traitements (violence)

Service d'assistance téléphonique 24 heures sur 24 pour les victimes de violence familiale
1-800-363-9010

Shelternet—Maisons d'hébergement pour femmes violentées
Un site Web qui aide les femmes violentées à trouver une maison d' hébergement.
www.shelternet.ca

*Il n'y a pas de version française de ce site.

Lectures suggérées

The Canadian Paediactic Society Guide to Caring for Your Child from Birth to Age Five, 2009.
Auteure : Diane Sacks

Ce livre, qui a été préparé par de grands spécialistes canadiens dans le domaine des soins à donner aux enfants et aux adolescents, est le guide complet pour les parents. On y trouve de l'information sur la santé, la croissance et le développement, la sécurité, la nutrition et une section spéciale qui porte sur le bien-être émotionnel. Vous y trouverez les réponses dont vous avez besoin, qui ont été préparées par l'organisation sur laquelle les médecins et les parents comptent depuis des décennies.

Les vaccins – avoir la piqûre pour la santé de votre enfant, 2006
Auteur : Ronald Gold, Société canadienne de pédiatrie.

Cette troisième édition révisée a été rédigée par le Dr Ronald Gold, un expert canadien en vaccination. Il répond à bien des questions que les parents se posent sur la vaccination. La première version de cet ouvrage a été publiée par la Société canadienne de pédiatrie en 1997.

Your Baby and Child: From Birth to Age Five. 3e édition, 2003
Auteure : Penelope Leach. Éditeur : Alfred A. Knopf, New York.

Dans cette nouvelle édition révisée, Mme Leach a mis à jour son information et son approche pour refléter les nouvelles découvertes dans le domaine du développement des enfants et pour répondre aux besoins nouveaux des familles d'aujourd'hui. Mme Leach a un énorme respect pour les enfants et leurs parents. Elle explique clairement et avec humour les préoccupations concernant le développement, le soin et l'éducation des enfants.

> *L'art de l'allaitement maternel, 2005.*
> **Auteure : Ligue La Leche**

Ce guide pratique de l'allaitement contient une mise à jour des plus récentes recherches sur l'allaitement et est agrémenté de photos et d'histoires drôles sur l'allaitement et la maternité. L'art de l'allaitement maternel a une approche qui tient compte des besoins des nouveaux parents en matière d'information, de soutien et de solutions pratiques.

DVD suggérés

> *Bébé arrive à la maison,* The Liandrea Co., 2004.

Un DVD primé sur les soins à donner au bébé de la naissance à l'âge de six mois. On y trouve plein de conseils d'experts, des démonstrations étape par étape et des trucs éprouvés par des mamans sur plus de 120 sujets.

> *Dr. Jack Newman's Visual Guide to Breastfeeding (sous-titré en français),* avec Edith Kernerman et Jack Newman, 2007.

Ce DVD mis à jour explique l'allaitement, donne des réponses aux futures mères et montre aux professionnels de la santé comment reconnaître les problèmes d'allaitement et aider les mères à les résoudre.

Index

Introduction

Utilisez l'espace prévu à la page 234 pour noter, **avant** que le travail commence, tous les renseignements importants dont vous aurez besoin sur les personnes à contacter. Lorsque le temps sera venu de vous rendre à l'hôpital, vous n'aurez pas besoin de vous dépêcher pour les trouver et vous pourrez suivre la liste des mesures à prendre ci-dessous.

Le travail a commencé et le temps est venu de vous rendre à l'hôpital quand (vous trouverez plus de renseignements dans l'encadré à la page 137) :

- vos eaux ont crevé ou le liquide amniotique s'écoule sans arrêt;
- vos contractions sont régulières et espacées de cinq minutes (et l'hôpital est situé à MOINS de 30 minutes de chez vous);
- vos contractions sont régulières et espacées de dix minutes (si l'hôpital est situé à PLUS de 30 minutes de chez vous).

REMARQUE : Si vous ne savez pas comment mesurer la durée et la fréquence de vos contractions (voir la page 135), ou si vous n'êtes pas certaine que le travail a commencé, téléphonez au service de maternité de votre hôpital.

Ce que vous devez faire une fois que le travail a commencé :

Liste des mesures à prendre :

☐ Appelez la personne qui doit vous amener à l'hôpital ou une ambulance ou un taxi.

☐ Appelez votre équipe de soutien pendant le travail : votre conjoint, votre accompagnant(e) ou toute autre personne que vous voulez avoir près de vous à l'hôpital.

☐ Appelez votre gardienne d'enfant ou d'animal de compagnie pour organiser les soins pendant votre séjour à l'hôpital (si cela est nécessaire).

☐ Prenez votre valise (consultez la page 128 pour voir les articles qu'on vous recommande d'apporter pour vous et votre bébé). N'oubliez pas l'argent pour le taxi ou le stationnement.

☐ Célébrez! Appelez les membres de votre famille et vos amis.

Liste des contacts

Transport		
Ambulance :	Téléphone :	
Nom de **la personne qui m'amène à l'hôpital :**	Téléphone :	Cellulaire :
Nom d'**une autre personne pour m'amener à l'hôpital :**	Téléphone :	Cellulaire :
Taxi :	Téléphone :	

Soutien pendant le travail		
Conjoint :	Téléphone :	Cellulaire :
Nom de l'**accompagnant(e) :**	Téléphone :	Cellulaire :

Réseau de soutien		
Nom de la **gardienne :**	Téléphone :	Cellulaire :
Nom du **gardien d'animaux de compagnie :**	Téléphone :	Cellulaire :
Nom de l'**aide ménagère :**	Téléphone :	Cellulaire :
Nom d'un **voisin :**	Téléphone :	Cellulaire :
Nom de l'**infirmière de santé publique :**	Téléphone :	Cellulaire :
Nom de la **conseillère en allaitement :**	Téléphone :	Cellulaire :

Famille et amis		
Nom :	Téléphone :	Cellulaire :
Nom :	Téléphone :	Cellulaire :
Nom :	Téléphone :	Cellulaire :

Contacts médicaux		
Nom du **fournisseur de soins de santé :**	Téléphone :	Cellulaire :
Adresse de l'**hôpital :**		
Hôpital – numéro général	Téléphone :	
Hôpital – service de maternité	Téléphone :	
Nom du **pédiatre :**	Téléphone :	Cellulaire :

Liste de mes rendez-vous avec mes fournisseurs de soins de santé

Nom du fournisseur de soins de santé	Date et heure